L'intégrale des brèves de comptoir

1998 / 2000

Du même auteur
aux Éditions J'ai lu

Brèves de comptoir – 1, *J'ai lu* 3978
Brèves de comptoir – 2, *J'ai lu* 4015
Brèves de comptoir – 3, *J'ai lu* 4052
Brèves de comptoir – 4, *J'ai lu* 4291
Brèves de comptoir – 5, *J'ai lu* 4441
Brèves de comptoir – 6, *J'ai lu* 4933
Chiens de comptoir – 1, *J'ai lu* 4699

Jean-Marie Gourio

L'intégrale des brèves de comptoir 1998 / 2000

1998

Le journal du matin...

On s'est installé(s) là depuis longtemps déjà, au bout du comptoir... Joli matin... On somnole devant le journal... S'il n'y avait les nouvelles du jour, ce petit matin bleu ferait penser au petit matin d'hier... Petits matins les uns derrière les autres, les uns contre les autres, dans les cafés à peine ouverts... Un reste de nuit au fond des tasses...

L'homme portait une casquette, dehors il faisait froid, nous sortions d'une période glaciaire, *le poireau à trente francs c'est du caviar en vinaigrette!* un méchant moment à passer pour les petits oiseaux et les moureurs de froid qui faisait dire à tous *c'est la Terre qui refroidit monsieur, mais jusqu'à combien ça va aller, cette histoire?* avant que les températures du nouvel été anormalement élevées ne nous fassent dire qu'elle se réchauffait, *cette chaleur, chez nous sur la fenêtre le thermomètre n'y comprend plus rien... mais oui, monsieur! Le pôle va fondre et on va voir son crâne!*

Au final la Terre, du moins dans ce café, passait l'hiver à se refroidir et l'été à se réchauffer.

Une autre voix se fit entendre, c'était un petit timbre de voix pointu, un coup de cuillère sur un verre à moutarde, l'homme était de petite taille, il portait un anorak par-dessus un costume trois-pièces et une cravate, l'anorak trop court laissait voir le bas de sa veste jusqu'en haut des poches, il tenait par la sangle son casque de mobylette, il n'avait presque plus de cheveux sur le crâne et le bout de son nez rond luisait comme une cerise, il dit ça vous dérange pas si je jette un coup d'œil à votre journal ? Vraiment, c'était beau à voir ! Puissante ligne de bonshommes plantée face aux rouleaux !

Enfin, la lecture était un métier d'homme ! Ce qui justifiait de pareils formats ! Si hauts ! Si larges ! Si encombrants ! Si salissants parfois qu'ils vous laissaient le bout des doigts tout noir après une bonne séance de lecture, avec les journaux du matin on prenait la journée tout entière dans ses bras, on la soulevait du sol, on l'embrassait, on la reposait lourdement comme un sac dans la poussière, c'était stimulant et vivant, sanguin ! contrairement à ces journaux télé si petits qu'il faut les lire assis dans les maisons, près d'une lumière, cône lumineux qui vous prend la joue et les mains, laissant le reste du corps et du monde dans l'ombre. Il y avait de la lumière partout sur le zinc, que renvoyait sur les visages rasés le clair des larges feuilles. Le jour se levait de cette aube en papier.

Vous avez vu ça en Algérie ? Et le pire, c'est qu'on n'y peut rien.

Les liseurs se dessinaient avec précision dans la lumière qui venait de la rue. Ils ressemblaient, c'était frappant, à des artisans déjà au travail tandis que les autres, les fainéants fluos, il était déjà neuf heures, faisaient encore leur jogging ! Un de ces coureurs en ville poussa la porte du tabac, sans cesser de lever les genoux en cadence, sans s'arrêter de compter, un million huit cent soixante-quatorze mille six cent vingt-sept, un million huit cent soixante-quatorze mille six cent vingt-sept, un million huit cent soixante-quatorze mille six cent vingt-sept, un paquet de Stuyvesant s'il vous plaît, un million huit cent soixante-quatorze mille six cent vingt-sept, il s'acheta des cigarettes et retourna trotter sur le trottoir, il contourna une crotte de chien et annonça un million huit cent soixante-quatorze mille six cent vingt-huit avant de se lancer dans les grands escaliers qui mènent jusqu'aux jardins. Depuis quand courait-il ? Un an ? Trois mois ? Une heure ? Le vent du dehors avait tordu les fumées. Un seau d'air glacé nous était tombé sur la tête et nous filait dans le cou. Sans détacher les yeux des nouvelles, les liseurs rafraîchis recommandèrent, et attention qu'il soit bien chaud, un petit café ! Personne ne travaillait ? Le temps n'existait pas. Moins dix-sept au thermomètre à Nancy ! Pensez ! *Les secondes ont gelé, monsieur, j'ai la montre comme du glaçon !* Le temps pendait aux branches et aux gouttières. Il faudrait un redoux... Le monde en mots vissait et se dévissait sous les doigts, gros titres que tous écartaient comme des tiges de fer pour avancer plus avant dans le moteur de la vie des hommes et de leurs combats. On suait presque à fouiller sous ce capot ! Ça hérissait le poil ! Ça triturait dans ce fouillis à coups de neurones bien calibrés ! Passe-moi le neurone de dix ! Passe-moi le neurone de douze ! La matière grise couverte de graisse et de cambouis ! Cervelles d'hommes souillées comme le sol d'un grand garage, hémisphères mordorés, avec de-ci de-là des petits points de rouille à gratter.

Il n'était pas question qu'un journal restât ouvert sur le comptoir sans que quelqu'un le lût ! Les nouvelles du journal étalées au petit jour avaient quelque chose d'irrésistible, de frais, et c'est dommage qu'on ne dise plus – ou alors pour se moquer de l'expression elle-même – les nouvelles fraîches, parce que les nouvelles du matin étaient vraiment fraîches ! Physiquement fraîches ! Même s'il s'agissait le plus souvent de terribles malheurs qui étaient racontés çà et là, deux mille morts dans un tremblement de terre en Iran, dites donc ! Les liseurs de comptoir se rafraîchissaient aux mots des quotidiens. Et tous ces morts, au fond, c'était de la vie. Le dernier arrivé était un immense bonhomme hirsute, pas rasé, avec un grand pardessus gris et des grandes poches dans lesquelles il fourrait ses grandes mains entre deux gorgées de bière. Il sortit la main droite de sa poche. But une gorgée de sa bière. Remit sa main droite dans sa poche. Tout le haut de son corps prenait appui sur ses bras qui eux s'appuyaient dans le fond de ses poches et les faisaient bâiller. Ses longs bras le faisaient vivre comme sur pilotis, avec sous lui deux grandes jambes qu'il traînait avec fatigue. Il redit, je peux prendre votre journal ? Je lui redis, mais bien sûr, allez-y monsieur ! Il me redit, vous êtes sûr ? Je lui redis, certain. Il ajouta, si vous le revoulez, je vous le rends tout de suite. Je lui assurai que je n'hésiterais pas, il me demanda de confirmer, je confirmai, et quand l'accord fut pris entre les deux parties, il resta là, debout, face à moi, sans lire. Son haleine sentait la bière et le tabac froid. Son pardessus froissé luisait aux coudes et aux épaules. Il chaussait au moins du quarante-cinq. C'est moi qui revins à la charge, allez-y, je lui dis, vous pouvez le lire si vous voulez, et il me répondit, merci. Il me regarda dans les yeux. Puis il me demanda, parfaitement immobile, quoi de neuf aujourd'hui ? Il sortit la main de sa poche et but une gorgée de bière, il reposa le verre et demanda quel jour on était. Mercredi. Mercredi combien ? Je lui répondis que je ne savais pas. Alors il prit le journal dans ses mains et regarda en première page le jour qu'on était. Il releva les yeux et demanda, vous êtes sûr que c'est le journal du jour ? Absolument sûr, monsieur, je répondis. Puis il l'ouvrit grand dans l'air et commença à lire. Sans la date en première page, peut-être ne l'aurait-il pas lu ? Pourquoi lire un journal dont on ne sait pas la date ? Les événements relatés dans le journal se passaient à la date de maintenant, et ça, comment le savoir sans la date ? Et si ça ne se passait pas en ce moment, pourquoi le mettre dans le journal du jour ? Hier c'était hier ! Sinon, pourquoi la nuit ? Pourquoi ce noir si long pendant lequel naissait le journal ? si ça n'était pour qu'il aille, au large du jour finissant, pêcher de nouvelles ressources et revenir les étaler sur la plage brillante de nos comptoirs chaque nouveau matin ! La nuit, le monde se refaisait silencieusement pour ne pas troubler nos sommeils. Les petits bouts du monde se recousaient. Et même si le matin du monde était pareil il était différent ! C'était un principe de vie ! Comment aurions-nous pu avancer sinon ? Dans une mer étale de nouvelles pas fraîches ? À l'odeur drôle des fois ? Le journal du matin, ça n'était pas hier ni même aujourd'hui, quand l'humeur était excellente, c'était presque déjà demain ! Par moments il lâchait le côté droit de son journal qui se mettait à pendre jusqu'à ses genoux, il ne le tenait plus que par la main gauche, tranquillement il tétait un peu de sa bière, il prenait bien son temps, reposait le verre puis il se penchait et plongeait sa main droite pour saisir tous les angles supérieurs du journal, rassemblait les pages en une sorte de fouillis qu'il remettait en ordre les bras tendus à l'horizontale. Cet homme visiblement ramassait ses filets. Cette image d'un pêcheur allait bien avec mon ballon de blanc. J'aimais ses gestes et lui aussi les aimait, ça se voyait bien qu'il était content de tripoter tout ce papier ! Le plier, le déplier, le faire voler, le froisser bruyamment et se perdre dedans devant tout le monde dans ce café bondé de liseurs bavards ! Liseur agile parmi les siens ! Sur le même bateau ! Il ne mouillait pas son doigt pour lire. Toute sa main brillait car il ramassait les gouttelettes qui se condensaient sur son verre. Parfois il se secouait la carcasse. Il riait mais sans émettre un son. Ses haussements d'épaules m'informaient sur son état d'esprit. Que lisait-il de si rigolo ? Que s'était-il passé de si marrant dans le monde pour que cet homme hirsute et pas rasé s'esclaffe intérieurement sur mon journal ? Je lui demandai, c'est quoi l'article marrant ? Il se raidit. J'insistai. Pourquoi vous rigolez ? Il me répondit, un truc marrant ! Je lui demandai à la fin, quel truc ? Il posa le journal en vrac sur le comptoir et fila sans répondre en direction des toilettes. Lui ? me dit le patron, tu parles ! Il a jamais su lire ! C'est un Yougo ! Il fait semblant pour qu'on l'aime bien ! Un ange passa. Le grand bonhomme hirsute sortit des toilettes. Il passa devant moi. Je lui tapotai l'épaule le bout du doigt et lui criai alors qu'il s'éloignait à toute vitesse, vous savez monsieur, moi Shakespeare c'est pareil ! Il avait je crois deux plumes d'un oreiller crevé collées dans le dos. Il était neuf heures trente-cinq du matin. J'avais fait fuir un ange. Oui, vraiment, il faut lire le journal au comptoir des cafés.

Jean-Marie Gourio

L'intelligence artificielle, pour moi, c'est pas un progrès.

Faudra se rappeler que le lundi à Saint Florentin ils donnent des bouts de boudin avec l'apéritif...

Quand c'est Van Gogh sur la boîte, souvent c'est du grand chocolat.

Rodin qui épluche son orange, c'est de la sculpture.

L'air faudra payer.
— Déjà au Japon ça paye pour en avoir.
— Le Japonais respire quand il a le temps de toute manière...
— C'est des cons au Japon, ils mangent des soupes dans la rue avec des chemises à manches courtes.
— Trois heures de métro pour sortir de Tokyo.
— Et pour aller où en plus ?
— Pour rentrer chez eux.
— Trois heures pour rentrer chez eux, putain, moi je reste à Tokyo pas toi ?
— Je bouffe pas de la soupe dans la rue moi !
— Tu rentres chez toi ?
— Non je reste à Tokyo mais je mange pas la soupe.
— Ah j'aime mieux ça.

À la maison, on est tous Vache qui rit.

Le réchauffement de la terre, je trouve que c'est bien pour ceux qui habitent dehors.

L'avantage du sida, c'est que la mienne qui a seize ans elle reste devant la télé.

Une boule dans le ventre.
— La trouille ça fait comme la fondue.

Elle a des belles jambes cette femme.
— Des jambes, nous on en trouve à l'écluse.
— Ça sent quoi ?
— Rien, je fais une tarte normale.

Il a pas besoin d'une maîtresse Chirac, il a besoin d'une femme qui est mieux coiffée que celle-là.

C'est la maison de l'horreur chez lui, il chie dans le jardin.

La plus colorée c'est la puberté chez l'oiseau.

Tout le monde tape dans la caisse, putain ! y a combien des caisses ?

Qui a réalisé le meilleur tour au Grand Prix de Monza en 1995 ?
— Berger ?
— Edberg.
— C'est le tennis.
— Non l'autre.
— Celui qui est avec une Noire.
— Becker.
— Noah.
— Noah il est avec une Blanche, il est pas fou.

Comment tu peux prouver qu'on habite au même étage ?

La fin du monde ? On sera morts avant.
— Même avant.

Le Noir, c'est pas du bronzage, c'est la peau naturelle.
— Pour bronzer noir comme ça, faudrait pas beaucoup qu'ils travaillent les Noirs.

Là où on voit bien la psychologie des collègues, c'est à la cantine.

T'es tout rouge.
— Et toi ? Tu crois que t'es bleu ?

La mariée, pleine de pinard !
— C'est toujours beau une mariée.

L'échographie, c'est comme si vous passiez votre cadeau de Noël au rayon X.

Le plus beau jour de la vie, ça fait pas beaucoup de jours.

Les congés payés ont commencé avec la terre qui se réchauffe.

Ils crèvent de faim mais en contrepartie ils ont les vacances toute l'année.

Pour un pou, le shampooing aux œufs, c'est du gâteau.

… **M**ême ici je suis confronté à un problème de compétitivité…

Le poulet Label Rouge, c'est pas un connard de poulet !
— J'ai pas dit ça.

Moi ?
— Non, le pape !
— C'est le geste qui me plaît pas !
— Oui, ça va…
— C'est le geste qui me plaît pas !
— Du calme !
— Tu sors de là, on raconte ça, tu sors de là, on raconte aut' chose, je suis tombé une fois, j'avais bu, alors maintenant tout le monde le sait, trois fois on raconte que je suis tombé, une fois, c'est tout, une fois !
— Calme-toi René… André… Pascal…
— Jean-Pierre !
— Jean-Pierre…
— Moi aussi j'ai un grand Jean-Pierre, c'est les meilleurs les Jean-Pierre.
— Ça veut rien dire, j'ai failli m'appeler Albert ! Faut que j'aille à Auxerre pour me calmer !
— Je m'excuse.
— Elle a regardé dans mon sac !
— Je m'excuse.
— C'est un geste de trop ! J'ai acheté du vin, et alors ?
— Je m'excuse.
— Vous excusez pas !
— Je m'excuse.
— Vous excusez pas ! C'est moi qui ai tort, vous êtes plus vieille que moi, je vous dois le respect.

Le mondialisme, il faut relativiser aussi…

Les plantes sont moins cons que nous, elles ont pas une heure de trajet le matin.

Le fer.
— Le bois...
— La pierre, la tuile.
— Le lino, la crotte de pigeon ça attaque tout.

À notre époque, trouvez un cornichon qui croque !

... Comme c'était gelé ils m'ont bu l'acide dans le tonneau que j'avais mis pour décaper mes briques, c'est des vieux chiens, si ils me pissent le sang je les fais piquer mais ça a l'air d'aller...

— Je m'excuse.
— Un geste de trop !
— Recommence pas.
— Donne-moi une côte.
— Je m'excuse.
— J'aime pas faire pleurer les femmes, je vais aller à Auxerre me faire soigner.
— Patache est passé ce matin.
— À pied ?
— Trois ans de retrait il a eu pour rien arranger les choses il continue à boire du blanc le matin.
— Patache, alors lui, Patache...
— Le matin.
— Le matin.
— Eh ben.
— Le soir il était pas mieux.
— C'est comme la petite Chinoise, elle s'est vite mise au diapason.
— Tenir un café... quand t'es chinoise !
— Moi je suis une femme mais pas chinoise.
— Vous, on vous connaît.
— Je m'excuse.
— C'est trop tard !

La mer c'est joli mais quand vous êtes au milieu c'est beau.

Loin de moi cette idée !

Et dire qu'en face c'était une prospère fabrique de pinces à linge...

On utilise que dix pour cent de notre cerveau, le reste, c'est de la cervelle.

... Mais si c'est ça !

Une bonne salade de tomates, ça commence par une agriculture de qualité.
— Même la salade tout court.
— La verte.
— Même l'endive.
— La salade romaine.
— Les fruits.
— Tout.
— En fait tout ce qu'on mange.
— Même la merde c'est du compost.

L'agriculture de demain, c'est comme celle d'hier, faudra arroser si tu veux que ça pousse.

Ça me fait chier d'être né sur terre, y pleut tout le temps.

Sur un poulet c'est rien, mais sur des milliers de milliers de poulets la merde du poulet ça fait de l'argent en poids, c'est ça l'Europe des frontières, c'est ça.

Il est plus sous garantie ?
— Non, le portable ma fille me l'a offert en quatre-vingt-quatorze, pour ma dernière hémiplégie.
— C'est comme ça et c'est pour ça.
— D'accord mais bon, ça pourrait changer.
— Pourquoi ça changerait, c'est comme ça.
— Oui mais bon ça changera.
— Si ça change, on suivra.
— Oui mais bon, faut suivre aussi.
— Il marche plus.
— C'est peut-être les piles ?

Y a une bonne femme dans l'armée de l'air qui pilote un Rafale.
— Une bonne femme peut-être mais pas un Rafale ! Un Mirage 2000 peut-être si tu veux mais pas un Rafale allons soyons sérieux on en parle ou alors on en parle pas, mais si on en parle soyons sérieux, voyons...
— Un Mirage 2000.
— J'aime mieux ça ! Voyons...

Ce qui nous tue nous la France c'est la polémique de chapelle.

Les ennuis de chaque jour moi c'est tous les jours, alors merde !

Le plus efficace contre la délinquance juvénile c'est le riz au lait.

C'est pas les juifs qui ont tué Jésus, c'est Jules César.

À quoi tu penses ?
— Ça se dit pas à quoi on pense.

La muraille de Chine, on la voit depuis la lune mais on ferait mieux de la voir depuis la terre.

Ce qu'il faut c'est regarder les chiffres dans leur réalité.

Je me suis brûlé les pieds dans la cheminée mais je ne me plains pas, y en a qui n'ont pas ça.

Des couilles en dessous les flocons de neige tu prends ça sur la capuche bonjour !

Si y a un coin de la planète qu'on connaît par cœur c'est le pôle Sud, à la télé le titre de l'émission c'était, explorer un monde inconnu… non mais t'entends de ces conneries des fois…

Maintenant c'est que ça, des partis politiques de tous bords !

C'est le short qui est raté chez les troubadours des films.

Tu bois ou tu réfléchis ?
— Non non je bois.

Je vends du boudin mais avec le système des impôts je paie un peu la grande bibliothèque de Mitterrand.
— Et il est bon son boudin…
— En plus de la bibliothèque je vends du bon boudin.
— Personne demande à naître.
— Et mourir souvent pareil, personne demande.

… Les asperges et la luzerne c'est ennemi l'un de l'autre…

Faut toujours penser les conneries, c'est plus sincère…

J'espère qu'elle picole parce que si elle a une tronche pareille sans picoler, c'est dommage pour elle.

Plus les gens sont maigres et plus les plantes sont grasses dans ces pays à la con.

Le Noir de la ville va écouter du jazz alors que le Noir de la banlieue va écouter du rap... ah si...

On sait pas comment ils avaient la bite à l'époque puisqu'on a pas d'images.

Quand on habitera sur Mars personne sera assez riche pour venir se baigner en Bretagne alors quel intérêt ?

Même les punks osent pas chier dans les jardins anglais.
— Leur pelouse c'est de la vraie moquette.
— Ils chient sur la moquette les punks.
— Oui mais c'est dedans.

Il est pas à toi ce verre !
— Ah pardon...
— On boit pas dans le verre à René !
— Hein ?
— On dit pas hein, on dit comment !
— Comment ?

Y fait froid ce matin.
— C'est le vent d'ouest comme disait Jacques Brel.

Tu manges ta femme dans une assiette, mais après qui c'est qui fait la vaisselle ?

Moi si j'étais cannibale je ferais pas la vaisselle.

Il est passé où le dieu du stade ?
— Aux cabinets.
— Comme Archimède, une heure aux chiottes.
— Pardon pardon…
— Une femme qui fait le ménage c'est beau.
— C'est ça, allez jouer dehors.
— Si la bande dessinée c'est des intellectuels, alors ils sont beaux les intellectuels…
— À qui le journal ?
— J'aime pas lire.
— Et alors ? Personne.
— Pardon pardon…
— Pastis ! Pastis ! Pastis ! Pastis ! T'aurais vu le traquenard !
— Pardon pardon…
— Les pédés souvent ils ont un goût vestimentaire pas très subtil.
— Pardon laissez passer le balai pardon…
— La planète bleue, mon cul, pas chez nous.

Il va falloir penser à se rentrer…

J'ai le vin triste, mais que avec la crème de banane.

Pourquoi on est sur terre aussi hein pourquoi ?

— Allez-y.
— Ils prennent des milliards pour faire du bateau.
— C'est des héros ces gens-là.
— Normalement les héros c'est gratuit.
— Pardon pardon excusez-moi messieurs merci pardon...
— Tous les intellos qui signent la pétition, tu parles, c'est des cons qui vivent dans les appartements de deux cents mètres carrés !
— C'est pas eux qui vivent dans des cités pourries...
— Tu parles qu'ils sont au chaud les mecs, d'ailleurs j'ai pas vu un Noir qui signait la pétition.
— Catherine Deneuve.
— C'est pas elle c'est son mari.
— Ce qui s'est passé depuis des années et qu'il faut dire, c'est qu'on a assisté à une montée en puissance...
— Bien sûr que c'est ça...
— Merci pardon...
— Tu vas bosser ? Bosse pour moi, je te ferai une procuration.
— Merci tout le monde !
— Elle prend trois cents plaques pour faire la vaisselle dans un film Carole Bouquet !
— Autant lui faire porter du Dior.
— Pour trois cents plaques, j'écris pas un rôle où elle fait la vaisselle !
— Elle a des fourrures.
— Elle est belle comme ça.
— Elle fait pas la vaisselle.
— C'est une salope.
— Elle joue bien.
— Oui.
— Jette pas le papier, ça vient de balayer.

J*e paye un coup !*
— Moi !
— Moi !
— Moi !
— Moi !
— Moi !
— Moi !
— Moi !
— Moi !
— Moi !
— Moi !
— Moi !
— Moi !
— Moi !
— Moi !
— Moi !
— Moi !
— Moi !
— Moi !
— T'as vu l'Audimat...

Rushdie, il se cache pas tellement ce mec, il était même en photo dans le Journal du Dimanche.
— Rushdie ? Le mec iranien ?
— Non, le Journal du Dimanche.
— Tout à l'heure elles étaient assassinées les gamines et là regarde elles sont massacrées.
— C'est pas le même journal.
— Pas de politique intérieure ni extérieure !
— On parle de la Chine.
— Vous parlez pas, vous vous engueulez !
— Nous ?
— Non, eux !
— C'est rien la Chine.
— La Chine, on en parle sur le trottoir !
— Deng Xiaoping.
— Ping-pong c'est dans la cour derrière !
— C'est histoire de parler.
— Histoire de parler de la Chine on se tait !
— Les Auxerrois se sont fait sortir par Troyes.
— Si tu veux parler de l'AJA c'est dehors !
— On parle de rien alors...
— C'est ça, taisez-vous, ça vaudra mieux tenez.
— Santé.
— À la tienne.

Je peux pas manger du piment sinon je chie du pit-bull.

Les goûts et les couleurs, ça se discute pas.
— Un Noir qui mange du caviar, ça se discute.

Elle est enceinte, elle tourne, elle vire, elle sert toujours au magasin, c'est pas bon pour le petit.
— Pour le bébé c'est du manège.

Jackie, tu cherches du boulot ?
— Tu crois pas que j'en ai assez !
— Dans Télé Star, *y a Vanessa Paradis qui veut un enfant.*
— Si tu crois que j'ai le temps !
— Elle était avec Florent Pagny celle-là...
— Elle fait ce qu'elle veut...
— Ils avaient un moulin près de chez mon beau-frère... ils y allaient je les voyais... on les voit plus... alors tu lui fais ?
— Pas le temps !
— Demain.
— C'est ça, demain... demain...

Il a intérêt à avoir son slip bien propre l'Esquimau quand il baise dans la neige.

Ah non !... il faut pas te gratter Coco... il faut pas manger tes plumes... Coco arrête de te gratter Coco... il faut pas manger tes plumes... arrête... il faut pas te gratter les plumes Coco... tu veux qu'on mette ta cage au soleil... moi je peux pas marcher Coco... quelqu'un veut bien mettre la cage au soleil dans la cuisine ?... vous êtes bien gentil monsieur moi je peux pas marcher vous savez... il faut l'empêcher de manger ses plumes... arrête Coco... dites-lui vous pour qu'il arrête, moi il m'écoute pas... je peux pas marcher alors il m'écoute pas...

Il a un profil grec, comme on disait dans le temps.

Le plus grand héros de la mer, c'est le poisson.

On peut même plus visiter Lascaux ! si c'est ça le progrès...

Il marche pas bien le téléphone.
— Oh... pour ce que j'ai à dire.

Si le climat change, le bout du nez changera aussi ou il mourra !

Tu me feras pas jouer au tiercé si c'est des autruches qui courent !

... Tous les vieux Chinois sont ratatinés sur eux-mêmes...

Un Chinois qui meurt, c'est pas le premier et ça sera pas le dernier.

T'arrives à faire trois queues de bœuf sur un bœuf et tu vas voir le scandale avec les cons de journalistes.
— C'est vachement bon la queue de bœuf...
— En gelée.
— Pour relancer la fréquentation un apéritif super junior.
— Tu vas voir les cons de journalistes...

Tout le mercredi après-midi il fait des solos de batterie parce que dans l'orchestre il a pas d'amis.

L'éducation, c'est un moule.
— Moule toi-même quand on voit ton fils comme il est con.

Deng Xiaoping, c'est pas la peine de l'enterrer, tu le laisses sécher sur le bord de la fenêtre ça suffit...

Deng Xiaoping ? Le fils Mao ? Il est crevé ? Et alors qu'est-ce qu'on s'en branle.
— Je le dis parce que c'est dans le journal.
— T'as besoin du journal pour parler toi ! Eh ben...

Des Chinois de toute façon y en a trop, et c'est pas moi qui le dis, c'est à la télé.

Le brochet, cinquante centimètres, le sandre, quarante, l'ombre, trente, la truite c'est vingt-trois, en dessous, faut remettre à l'eau.
— C'est terrible cette loi à la con !

Un film sur les insectes, oui mais avec Delon.

On aura connu l'âge d'or de la charcuterie.

Si tu veux tu descends du singe mais pas moi.

Un homme qui s'est fait opérer on lui a enlevé les parties, je m'excuse, mais pour moi c'est plus un homme.

Des fantômes qui reviennent, tu leur fais des nouilles, c'est vite fait.

À l'origine, tout était original.

Pâques, je m'en fiche, c'est un jour comme les autres.
— Je vous ai vue bénir les rameaux l'autre jour vous étiez la première !
— Je suis catholique moi.
— Les rameaux c'est catholique.
— Pas pour moi... et Pâques je donne du chocolat à mon chien.
— Vous avez un chien ? On le voit jamais.
— Vous voulez dire quoi, qu'il est mort ?
— Rien.
— Ah bon... si on est plus maître chez soi... je donne du chocolat à qui je veux... on est pas encore à l'Islam !
— Ils font des œufs de Pâques pour les chiens maintenant.
— Et alors ?
— Prends le panier bordel qu'il est con il va chercher les œufs avec ses mains, il en casse la moitié.
— Et on va sur la lune...
— Pas lui !

Les pédés c'est une race, c'est pas un homme qui aime un homme c'est pas vrai ! et les gouines pareil, c'est un truc spécial.

Moi, je me suis arrêté à Chopin...

Deux frottis par an, avec les nouvelles lois, ça sera plus possible.

La grève des hôpitaux, ça va leur permettre de faire un peu le ménage parce que faut voir sous les lits…

La colonne vertébrale, la moelle épinière elle est enfoncée là-dedans mais c'est le cagibi !
— Faut voir le livre médical qu'il a chez lui.
— Du vingtième siècle.
— Toutes les maladies du vingtième siècle.

Le *Larousse* des maladies, je sais pas si les docteurs ils en soignent des maladies mais il est toujours aussi gros !

Tu pars à Toulouse ?
— Toulouse, c'est la ville du rosé comme on dit.

C'est de la responsabilité un bébé.
— Moins qu'un gros camion.

Il est pas là ?
— Il faut qu'il se repose… il a un gros cœur.
— Ça fatigue aussi le va-et-vient du comptoir.
— C'est un métier dur vous savez.
— Je sais moi je suis tout le temps de l'autre côté, je les vois les kilomètres qu'il fait pour servir.
— Quarante kilomètres au moins !
— C'est le marathon, sauf que la campagne c'est nos gueules.

C'est un gène qui mange les graisses, t'as pas intérêt à le faire tomber dans le beurre.

L'Europe des combien ? On sait même plus !

… C'est sûr que les cons ça les rend pas intelligents de gagner plein de sous.

Avec un python dans la maison, faut pas laisser traîner le tube de dentifrice.

Les gens qui ramènent des cartes postales du Maroc c'est souvent qu'ils ont eu peur de se faire voler l'appareil.

Ça passe vite...
— Vite oui...
— Je me rappelle même plus.
— Y en avait dans le jardin, j'en suis sûr de ça, deux enterrés dans le jardin et deux dans la maison.
— En tout il en avait tué combien ?
— Vous les gardez vos journaux ?
— Je ne peux pas, avec ma cheminée.

On se boit l'homologue ?
— Idem.
— Deux demis !

Vous lui donnerez un pastis quand il viendra que je vais payer tout de suite et vous lui direz que c'est dédié par moi.

... C'est pas La Poste ici.

Le vin rouge c'est bon pour le cœur.
— Ça a la même couleur d'ailleurs.

Prout ! Pardon.
— Pousse-toi.
— J'ai dit pardon.
— Pousse-toi !
— Ça donne pas envie d'être poli avec toi.

Une soirée Michel Legrand ? De quelle heure à quelle heure ?

Vu le prix des tableaux du Louvre, des milliards ! c'est culotté de nous faire payer l'entrée.

Céline, on reconnaît bien le style en tous les cas.

J'ai lu les lettres de Flaubert, mille fois mieux que ses romans.

La philosophie, ça m'étonne pas que ça soit à la mode ça, tiens.
— Plus personne fait du sport.

Frédéric Mitterrand, il en fait des belles émissions sur les grands du monde.
— Même Mitterrand lui serrait pas la main, qu'est-ce qu'il y connaît…

Si monsieur Picasso n'aime pas les femmes, qu'il n'en dégoûte pas les autres !

Tous les personnages de Fernand Léger ont une moustache.
— Mais Léger avait une moustache, vous savez, c'est pas tombé du ciel.

Quand tu vois un film de cinéma sur l'Irlande et à la fin du générique c'est marqué remerciements à l'Écosse, c'est tourné en Corse ce truc.

La vision cubiste, c'est la vision des animaux.

La belle musique de film me fait pleurer mais après je vois tordu.

Roger Hanin, c'est le seul père que j'aurais accepté qu'y me batte.

J'ai bien aimé *Les Dix Commandements* et pourtant, je n'aime pas tellement les films de guerre.

Une ombre c'est le soleil, quatre ombres, c'est les grandes surfaces.

Noël et Claudine, ça leur plairait Francis Bacon.

Ulysse, c'est l'Odyssée.
— Il croit tout savoir mieux que tout le monde !
— Ulysse, c'est l'Odyssée.
— L'Odyssée du commandant Cousteau, oui, c'est ça oui bien sûr…

Jamais je perds mes clefs, résultat hier j'ai perdu mes clefs.
— On disait pareil pour le Titanic.

Avec une brebis ils ont fait un clone de la brebis, c'est la même brebis exactement !
— C'est bon les petites côtelettes.
— Des jumelles brebis.
— Ben tiens.
— À la braise de la cheminée.
— C'est dangereux !
— Ben tiens.
— Les brebis, c'est toujours déjà exactement pareil, ils vont nous cloner les lentilles demain et nous on va gober !
— C'est vrai.
— Il est passé le boucher ?
— Il est en vacances au ski.

... Ça m'étonne pas !

— Au ski le boucher ?
— Ben tiens !

Les docteurs, ils n'y connaissent rien ! C'est des cons les docteurs !

— C'est des histoires d'argent ce clonage, ça évite les saillies puisqu'ils prennent un bout de la brebis pour refaire une brebis.
— Manger ça franchement !
— C'est bon.
— Vous avez goûté ?
— Non.

Tu m'en mettras pas dans l'assiette du clone !

— On le saura jamais !
— Et l'étiquetage.
— Ben tiens.
— Le poisson cloné ça existe déjà, les sardines c'est que ça !
— Rien à voir.
— Il est passé deux fois la semaine le poissonnier.
— Il profite que l'autre est au ski.
— Au ski !
— Je me considère pas comme une gourmande mais les petites côtelettes, j'adore ça !
— Ça vous arrange vous les clones.
— Moi ? Certainement pas ! Pour moi ça sera toujours pareil qu'avant ! Des côtelettes uniques.
— Y a des pays...
— Justement, y feraient mieux de cloner des brebis que cloner les gens !
— On le saura jamais !
— On le saurait !

Pour crucifier Bouddha, faut déjà le soulever...

Une rue piétonne c'est pratique pour les handicapés, mais moi qui suis normal personnellement je fais mes courses en bagnole.

C'est pas tous les jours qu'on mange alsacien !

Les êtres humains sont très différents les uns des autres et pour les chanteurs c'est pareil.

Le plus gros insecte, c'est l'homme en fait.

Le PSG ! Même ma femme joue mieux... Même ma femme !

Toujours le pastis avec les olives, les olives c'est les yeux du pastis.

Attention aux oiseaux avec vos pellicules, on dirait des miettes.

Combien ça coûte un chameau, toi qu'es de là-bas ?

Prost, il est bien, à part son nez.

J'ai toujours envie des deux en même temps, le vin rouge et le vin blanc.
— C'est pas grave mémé, c'est pas grave, de toute façon t'as droit à rien.

Moi, je suis parfaitement équilibré.
— Moi j'ai marché dans la merde en arrivant.

Celui qui touche un gosse, moi c'est la peine de mort direct ! sans qu'il ait le temps de dire ouf ! dans les habits que tu le trouves le mec ! à la guillotine hop dans son jogging !
— Le Rwanda, c'est pas le moment qu'ils nous demandent du pognon ceux-là, pas le moment.
— Une fois, ça va.
— Ils les enlèvent les gosses et ils les revendent à des réseaux pédophiles pour moins cher qu'une voiture !
— La vie vaut plus rien, et les voitures c'est pas mieux, quand tu vois Renault...

Donne-moi un truc qui se gratte, ça va occuper ma femme.

L'enfant in vitro, tu t'en occupes plus que l'enfant normal.
— C'est comme les fausses dents qui coûtent du blé, moi je les brosse plus que les autres dents qui sont normales...

Les gens vivent sur les bords mais au centre du Japon personne habite, tous les Japonais vivants que l'on connaît sont ceux du bord.

Pour les souris c'est comme les pauvres, t'as tout de suite un mari sous la main pour faire des enfants.
— Nous on a pas de souris.
— Nous on a plein de souris.
— Vous avez pas de chat ?
— Qu'est-ce que ça fait là le pichet ? C'est quand même pas arrivé tout seul !
— Non.
— Eh ben c'est ça.

Buuuuuuuuuuuuuuuuuuuuu... VONS ! Buvons ! Buvons ! Le sirop Typhon ! Typhon ! Typhon ! L'anniversaiiiiiiiiire des panacéé éééééééééées !

Ce soir je serai la plus beeeelle pour aller au caféééééé éééééééé !

Des fois il vaut mieux rester chez soi que vouloir aider la commune ! Je faisais la cantine de l'école tous les midi et les routiers, vous savez, ça en fait du travail tous les jours, tous les jours, et j'avais des inspecteurs qui sont venus, ils venaient trois fois par an pour contrôler la cantine c'est rien c'est normal aussi vous savez, ils demandent, vous avez du camembert ? oui, je dis oui le camembert il est au frigo je leur dis et j'envoie la petite au frigo, j'employais une gamine vous voyez, une petite apprentie et je me demande pourquoi ils veulent voir le camembert et plus tard vous savez ce que j'ai appris par la dame qui est venue un midi avec les bacs pour chercher les plats, que j'ai été dénoncée oui dénoncée oui, dénoncée, que ici on avait des vers dans le camembert ! Vous vous rendez compte ! Vous savez c'est dur, j'en avais les sangs tout retournés, j'ai pleuré pendant quinze jours alors aider la commune maintenant moi, je reste chez moi, je me suis fatiguée pour la commune, vous savez, fatiguée...

J'y aurais pas pensé à mettre les frites dans un panier...

Ça va ?
— Pas trop... d'ailleurs faut que je prenne rendez-vous pour mon corps.

Les Latins c'est des grandes gueules... ça parlait pas latin, ça hurlait latin !

Je suis le seul de ma génération qui a pas de moustache.

Ils interdisent le chewing-gum pour les jeunes.
— C'est très bien !
— Et pour la drogue c'est la peine de mort.
— C'est très bien !
— C'est propre.
— C'est très bien !
— Et pour rentrer dans le centre de Singapour c'est une vignette de circulation, c'est cher c'est deux cents francs par mois mais dans le centre ça roule.
— Il n'y a pas d'embouteillage dans le centre de Singapour ?
— Non.
— Tout ça il nous le faudrait en France ! Et votre femme ?
— Elle est restée à Singapour pour garder la maison.
— C'est très bien !

Ah non ! Moi j'aime pas conduire saoul, c'est pas un plaisir.

La France a pas à faire le gendarme, je m'excuse.

Les gambas, c'est bon mais c'est salissant.

T'as déjà vu un enterrement en Allemagne ? Et dzing et boum ! Ils enterrent, ils adorent ça enterrer.

J'ai jamais eu aussi peur de ma vie que quand il m'a ramené hier soir !

Il a pas un peu grossi Chirac ?

Tout d'un coup y a quelqu'un qui va donner le signal et ça va passer de la bière au Ricard, mais c'est instantané attention !
— ...
— ...
— ...
— ...
— Même chose ?
— Non, un Ricard.
— Tu vois...

T'as vu tout ce que je bois et tout ce que je roule avec le camion ?

Moi mon chien il passe avant moi, je lui fais un pot-au-feu, il est content, quand on aime pas les bêtes on en prend pas, faut les aimer sinon on ne s'en occupe pas, sinon la bête est malheureuse, c'est pas la peine d'avoir une bête malheureuse si c'est pas pour l'aimer non plus.
— ...
— Comme ce matin j'épluchais les asperges et les oiseaux me disaient, je les entendais, maman ! maman ! parce que ils sont bien traités, ils me regardent en m'aimant, je les nourris !
— Notre chèvre naine...
— C'est pas un animal ça, c'est de la rigolade de ceux des laboratoires, nous on en mangerait pas.

Le poisson ne vaudra jamais la viande.

La mode Chanel, faut pas que ça pleuve, on voit les nichons.

Ils sont tout rouges dans ma télé.
— Vous êtes sûre que vous vous regardez pas dans la glace ?

Il met ses poules naines dans la cuisine alors chez lui faut voir ça, c'est l'ambiance cabaret.

Il est pédé à EDF.
— Avec nos impôts !

Où il est passé mon

Voyages 2000, tu parles, on est resté en carafe à Fontainebleau.

Venez voir la mariée !
— Elle est où la mariée ?
— Là-bas mémé, derrière les voitures.
— Elle est moche cette mariée, elle est mal habillée cette mariée, les jeunes veulent rien dépenser pour se marier.
— Mais laisse-les donc mémé, les gens font ce qu'ils veulent, ils s'habillent comme ils veulent, ça nous regarde pas.
— Elle est moche cette mariée.
— Mais laisse donc mémé et rentre, tu vas avoir froid au final.

Il est directeur d'une clinique psychiatrique, c'est notre voisin de la campagne, lui et sa femme ils achètent des œufs au boucher, pour dire que c'est pas dans leur clinique qu'il faut aller à ces cons-là.

Ben oui je suis rouge et alors mais je peux pas dérougir sur commande non plus !

Attends, Harvey Kerté, c'est quand même pas un gamin !

Si le gendarme veut te faire souffler, tu peux exiger que lui aussi, c'est comme ça, c'est la loi, c'est pas moi qui fais la loi, c'est une protection du citoyen en cas que ça déborde avec des méthodes d'autres pays... si... personne le fait, évidemment, on est tous pleins, évidemment mais si t'es vide à jeun tu peux.

Le plus grand intellectuel du monde, même pour les courses il se fait une liste.

Le Salon du livre ? Moi je préfère les vaches.

zèbre ?

L'avantage de maintenant c'est qu'on peut être fier de n'importe quel boulot de merde puisque c'est un boulot qu'on a et pas les autres.
— Ça vous suffit vous ?
— Ah oui, c'est l'avantage de maintenant !
— Une petite côte, je suis en service commandé.
— Une petite ?
— Ouais, dans un grand verre, attention, pas le droit à l'erreur, je suis en service commandé.
— Un petit kir à la mûre mademoiselle ?
— Oh non ! Y a des jours, la mûre...
— Des chips ? Ou des petits gâteaux salés ?
— Oh non ! Moi, les chips...
— Ça va bien ?
— Oh, ras-le-bol...
— Service commandé !

Ton Europe, tu veux que je te dise ? C'était une grande idée mais y a deux cents ans, en même temps que les États-Unis il fallait la faire l'Europe ! Mais oui... on a raté le coche.

Un oiseau comme le paon, il a pas besoin de la télé.

Ça nous fait une belle jambe tiens leur Internet !

Hé ! Chacun est maître de sa vie !
— Blaaaaanche-Neeeeeige et les seeeept naaains ! Bouerk !
— L'autre con du prince qui sort, t'es ça !
— Pauv' con !
— Oh ! Blanche et le prince, vous allez vous battre dehors !
— Vous faites la bière de mars ?
— La planète ?
— Faudra que tu les ressortes tes marcels, parce qu'avec les manches longues, on les voit plus tes décalcomanies.
— Tatouages !
— Pareil.
— Toi, t'es un ordinateur.
— Mais non.
— Si, t'es mon pote et en plus, t'es un ordinateur.

Quand tu te regardes dans le carrelage propre c'est comme la vision des mouches.

On en entend vous savez des bêtises...
— Ah çà quand on tient un café, des vertes et des pas mûres, moi je garde les vertes et je laisse les pas mûres.
— On devient fou sinon.
— Pour moins que ça !

Vous avez vu la forme des maisons de ces cons-là ? Les artistes vous les feriez habiter dans une nouille !

C'est incroyable moi je sers ici et ma sœur jumelle sert à l'Étoile, les gens nous confondent toujours, incroyable ! ils me disent, vous servez à l'Etoile ?
— Vous avez une sœur ?
— Jumelle, à l'Étoile.
— L'Étoile ? J'y vais jamais.

Le Chinois qui vient ici, fais gaffe à ton verre, t'as une tronche de Tibétain.

Tu l'écrases dans un ravier toi l'archange Raphaël ?

Le tire-bouchons au moins c'est un appareil qu'on a pas besoin d'aiguiser.

J'ai personne chez moi, sauf quand je rentre.

Les pédophiles, y en a que pour eux maintenant.

On ferait moins de gosses, y aurait moins de pédophiles !

Le mec j'ai failli me battre, heureusement je me suis pas battu, c'était un arts martiaux.

On avait mis cent pieds de tomates, c'est fou, d'ailleurs cette année on en mettra que cinquante, la grêle, ça calme son bonhomme.

C'est la sirène ça ? Il est midi ?
— Regardez que maintenant il faut le bac pour faire balayeur.
— Pour caissière faut le bac.
— J'ai fait seize boulots depuis que je travaille et j'ai trente ans !
— Plus rien sert comme diplômes.
— Seize boulots ! Comme les Schtroumpfs, seize.
— Putain cette sirène à midi, je m'y habituerai jamais !
— Regarde l'arbre qui est devant, ça gêne pour la terrasse mais je l'aime bien, depuis dix ans que je suis là ça fait bien trois quatre arbres qu'ils me mettent et que ça crève tous, celui-là c'est le premier qui tient.
— Faut l'enlever si ça gêne pour la terrasse.
— C'est tellement subjectif tout ça.
— Quoi ?
— Les arbres.

La transparence, il faut qu'elle soit perçue comme telle !

T'es citoyen du monde mais ici c'est moi le patron.

Faut pas être feignant pour décapiter à la hache.

C'est un baratineur, sur le soleil il t'installe une plaque de cheminée.

Faudrait pas commencer à se monter le bourrichon pour l'an 2000, ça sera comme avant, pas le réveillon bien sûr mais après…

C'est un cautère sur une jambe de bois toutes ses lois !
— Des lois il en faut.
— De ce côté-là on est bien d'accord.

C'est une bonne idée son petit tonneau.
— On sort mais on se retourne pas sinon on va revenir.

Les dinosaures, c'était le sida, pas un sida comme celui des chanteurs maintenant mais un sida de l'époque…
— C'est une météore qui a détruit les dinosaures.
— Des météores on en a encore et les pédés sont même pas décoiffés.
— Elles ont pas détruit les pédés les météores !

… J'ai pas été plus loin que tout le monde à l'école, tous mes copains d'école viennent ici.

Je l'appelle Proutville ce bled parce que y a écrit Prout sur un mur.

À quoi ça les avance de mettre le feu aux voitures ?! en plus ça fait travailler les Japonais.

Je t'encule !
— Tu te calmes.
— Je t'encule !
— Oui mais tu te calmes.
— Je t'encule !
— Fais comme moi, fais-toi une cure de musique classique.

C'est de l'andouillette roulée pas hachée qui fait la même différence que l'andouille roulée et l'autre, tu sais, l'autre ?
— Oui ?
— L'autre andouille pas roulée.
— Moi j'aime tout.

Un qui a eu une belle vie, c'est Tarzan.

Tu fais le tour du monde à la voile et tu rentres ta femme elle te dit, tu veux pas manger des radis ? Non non non...

Si tu prends une cuite au monoalcool, le lendemain matin faut reboire le même alcool que celui de la nuit et ça va.
Pas de mélanges ! Monoalcool ! Tu veux vivre vieux ? Surtout monoalcool !

Le prince Charles qui va à Clichy-sous-Bois, tant mieux pour Clichy-sous-Bois mais pour nous...
— Vous savez pas les progrès.
— Des gens, j'en vois tous les jours, je m'en fous du prince Charles.

T'arrives même pas à le dire !
— Zingzaguer.
— T'es bourré.
— Zingzaguer...
— Bon salut à demain y me tape les nerfs lui là.
— Zingzazer... Zig... za... guer... zigzaguer ! Je l'ai dit.

Je m'excuse, c'est l'heure de ma Suze !

... Se crêper le chignon entre nations, c'est pas une solution non plus.

Un point dans l'espace, j'y vais tout de suite moi j'ai pas peur.

Le feu au cul pour une pute, c'est la flamme du gaz pour un cuistot.

Mes frères, I have make a drim !

... Jésus, il avait plus de fric que les autres va...

... Te fais pas de la bile pour lui va...

... Les curés c'est des malins.

On est le seul animal qui prend sa bite à la main pour pisser.

Topor, le mec qui rigole, il est mort.
— Y pissera moins.

L'insecte qui

... On y pense pas

On peut plus y pêcher dans l'étang ?
— Ben non.
— Quand ?
— On sait pas, ils sont en train de le curer.
— Cette année ils vont remettre l'eau ?
— On sait pas.
— On peut pêcher où ? On est des pêcheurs.
— Pêcheurs pêcheurs ?
— Pêcheurs.
— Pêcheurs pêcheurs ?
— On est pas des tueurs non plus, on est des pêcheurs.
— Y a pas un autre endroit ?
— Allez là-haut.
— Là-haut ?
— La mare des Puyos.
— Y a pas de poissons dans cette mare !
— Nous c'est pour s'amuser, c'est moi qui lui ai acheté sa carte de pêche.
— Et tu m'as donné ton porte-carte.
— Allez là-haut.
— Les envoie pas là-haut, y a pas de poisson là-haut !
— Y a ce que les gens y remettent.
— Nous c'est pour nous amuser.
— On est des pêcheurs.
— Vous voyez la place et le garage ?

Depuis Adam et Ève, l'eau a coulé sous les ponts.

Ils dorment toute la journée dans les observatoires astronomiques.

hurle, c'est le grillon.

aux champignons de Paris...

Bien sûr qu'ils ont arrêté le concert, c'est interdit au-dessus de soixante-dix centimètres de décibel.

— Là !
— Là ?
— Laisse-le expliquer.
— Vous tournez et après c'est tout droit jusqu'à la mare.
— Prenez plutôt la route du haut.
— Tu vas les perdre !
— C'est la route et au virage vous prenez le chemin derrière les poubelles.
— Attention vous allez être surpris, c'est un chemin à tracteurs.
— On est pas pressés.
— On pêche pour s'amuser.
— Y a du gardon là-dedans.
— C'est bien pour nous.
— On est des pêcheurs.
— Messieurs !
— Au revoir messieurs !
— ...
— ...
— Y feront rien là-haut.
— C'est pas des pêcheurs pêcheurs ces gars.
— C'est des pêcheurs.
— Tiens, tu me remets ça... et après... je vais faire mon bois.

Surtout, les Anglais savent pas s'habiller.

C'est con de mourir quand on est chef des pompiers.

C'est des despotes chez Danone !

Le mariage, c'est rien qu'un bout de papier en fait.

Juliette Binoche, elle fait plus Binoche que Juliette.

Pour que les martiens nous foutent la paix, faut tout de suite leur montrer des chiottes publiques...

Tous vautrés dans le bas de l'escalier ! c'est pas des jeunes, c'est une marche en plus !

C'est un mec d'Asnières qui a gagné les quinze milliards du Loto.
— Putain ! Moi Asnières j'y habitais !

Tu joues n'importe quel numéro ? Moi je joue les dates de naissance.
— C'est du hasard pareil.
— Ah non ! les dates de naissance c'est pas du hasard.

... Moi je vais pas aux

Il ne faut pas avoir peur d'être con.
— On n'a qu'une vie.

Les ouvriers ne valent plus rien pour les patrons.
— On vaut moins que les habits qu'on porte.

J'ai envie de mourir.
— Je te connais, quand tu seras mort ça sera le contraire.

Si y a des meurtres à Paris en l'an 3000, j'aurai un bon alibi, je serai mort.

Y a que des noms militaires pour les rues, à cause des casernes, avant ça devait s'appeler...
— Rue de la Gare à cause de la gare.
— Ah oui, et c'était mieux que les rues du Régiment-Machin, ici c'est la guerre.
— Faudrait les rues d'avant, rue de l'Abreuvoir puisque ici avant y avait des chevaux.
— Si c'est pour mettre rue Mitterrand...
— Ah non pas lui ! Je préfère encore rue du Régiment-Mes-Couilles.

Vous avez un microclimat dans les joues ?
— J'ai tout le temps chaud.

J'ai pris de la Percutalgine et deux cachets de Miolastan et mon torticolis est encore là !
— Comme quoi...
— Percutalgine et Miolastan !
— Comme quoi...

J'ai encore rêvé de toi cette nuit.
— Hé oh ! T'as pas de subconscient à toi ?

cabinets après Raspoutine.

... Les meilleures c'est les plates.

T'es aigrie, t'as les ongles sales, tu pues de la gueule, tu ferais un bon critique à *Libé* !

Il ne faut pas faire une fixation sur l'emploi des jeunes.

Ma mère elle voyage partout, les Fjords, l'Égypte, alors qu'elle y voit pas à trois mètres...
— Et c'est nous qu'on paye les retraites.

Même ceux de collection on leur met de la poudre contre la vermine.
— Les hirondelles c'est plein de poux.
— Les corbeaux c'est propre, ça les mange.
— C'est la moindre des choses de manger ses insectes à soi.

On a des amis qui tuent le cochon mais c'est des profs, ils ont le temps.

Est-ce que ça fait grossir le saumon fumé ? C'est un débat sans fin.

Elle a pas de miroir chez elle tant mieux, brûlée au troisième degré, on boit pas de l'essence...

Elle s'était perdue de chez elle toute seule comme ça elle sort dans le soir ! tout de suite ils ont envoyé des chiens de recherche, trois mille francs le chien et l'hélicoptère je sais pas la somme c'est honteux, honteux c'est honteux ! et c'est nous qu'on paye pour la rechercher cette vieille qui est tout le temps folle ! la famille a qu'à s'en occuper, c'est scandaleux, moi j'envoie les gendarmes que si la famille envoie l'argent sinon c'est nos sous qui recherchent une folle, franchement moi je préfère acheter du manger...

Un coup de blanc ?
— Quand c'est l'heure c'est l'heure...

C'est compliqué pour une vache de faire pipi, si elle pousse trop fort c'est son lait qui sort.

Ils brûlent les bus, alors évidemment après ils sont obligés de voler des voitures pour pas rentrer à pied, c'est la spirale infernale.

C'est eux qui votent les lois.
— Quelles lois ?
— Toutes les lois.
— Quelle loi ? Dis-moi une loi.
— Interdit de tuer quelqu'un.
— C'est pas une loi, c'est une interdiction.

J'ai vu un marchand de chaussettes à la foire de Sens.
— Des chaussettes, on en voit partout.

On a un petit muscadet du « Coin du Clos de Saint-Fiacre ».
— Holà ! avec un nom pareil.
— Vieilli en fût de chêne.
— Comme les cercueils ?

... J'ai vidé les poubelles du stade, maintenant faut que je me remonte.

La forêt disparaît mais il faut savoir évoluer aussi...
— Comme quand il pleut... souvent ça fait partie de la vie.

Quand c'est offert, je prends un ballon mais un petit parce que je suis poli.

L'Europe du prix des fraises, vous rêvez !

Devenir propriétaire, oui, mais est-ce que c'est raisonnable ?

Un verre d'eau ! C'est pour dissoudre l'Assemblée nationale !

Le sexe c'est pas sale mais souvent c'est dégueulasse.

Je te sers plus !
fini !
dehors !
t'es en exil !

Vas-y et nous fais plus chier.

Faut le prendre à la

Notre pire ennemi, c'est l'humidité.
— Nous on habite dans un virage.

Je mets le bout de papier dans l'urne histoire d'y aller mais moi dans ma tête je ne vote plus...

Il est où ?
— Il est avec son copain Jean-François qui a quarante-trois ans.

Faudrait qu'on ait des gonzesses à poil au fond des yeux comme dans les tasses des restos chinois !

Y a un épisode de *Derrick* où il est dans la forêt, c'est pas normal, l'inspecteur Derrick a rien à faire dans les bois.

Je suis traditionnellement de gauche.
— T'as des traditions toi ? Alors commence par payer.

Un Coca.
— Et votre copain ?
— Dans mon Coca.
— Faut que ça vienne chez moi les jumeaux Coca...

Une expérience scientifique connue c'est l'accouchement...
— Ma femme elle en veut plus.
— Elle est pas tellement scientifique ta femme.

Je sais pas qui a inventé ça le râteau mais t'as vu la forme de fou ?

Tous ces orages partout, c'est histoire de faire chier le monde...

Ça va madame Murat ?
— J'ai faim.
— C'est une bonne maladie.

S'envoler!

pétanque l'ordinateur !

Tu meurs lundi, t'es réincarné mercredi, t'as loupé que mardi.

Va pisser, tu me diras ce que tu penses.
— Pas envie !
— Vas-y, c'est mieux qu'avant tu verras, j'ai fait repeindre.

Un génie qui se suicide, c'est le même nombre de cachets.

Le cinéma porno, c'est un peu le système du gavage des oies.

... On a Molière mais les Américains ils ont Shakespeare.

La machine est plus forte que l'homme aux échecs.
— Facile, je sais pas jouer.

C'est pas une preuve d'intelligence de gagner aux échecs, et en plus il a perdu...

L'intelligence artificielle c'est gros comme un carré de chocolat, c'est pour ça que c'est pratique.

Enculé !
— Faut pas jeter l'anathème comme ça...

Pas étonnant que son film ça soit n'importe quoi ! tu l'as vu le mec ? c'est un réalisateur avec une mèche devant !

... Le cinéma américain, au moins ils sont pas assis dans une cuisine...

... Elle explose la cuisine...

... Minimum...

La femme du grand peintre, elle se dépêche de faire la vaisselle après manger pour qu'il puisse rincer ses pinceaux dans l'évier...

Avec mon mari on voyage dans le monde et souvent on a remarqué qu'une semaine dans un pays pauvre revient plus cher qu'une semaine dans un pays riche, c'est incroyable mais c'est comme ça, c'est à cause du prix de la viande.

Mais ta gueule René, ta gueule !

... Les élections...

Mais ta gueule René !

... Les élections...

T'as vu Adjani ? ! La tronche de hamster ! Mais ta gueule !

Les frères Lumière d'accord mais les Curie, ah non ! parce que bosser avec une bonne femme je sais ce que c'est, merci ! ... Ou alors que

Les enfants finissent toujours par partir.
— C'est d'ailleurs pour ça que j'ai pas de chat, pour pas avoir à les tuer.

Des fleurs, ça fait plaisir.
— Moi j'enfle.

On a rien sans rien.
— Moi si.

On est arrivés au bal en retard, ça dansait déjà dans les dégueulis.
— Les bals c'est toujours loin.

Y a un film avec des extraterrestres dans des cosses de petits pois.
— Connais pas.
— Un vieux film.
— Connais pas.
— Ils sont dans des cosses de petits pois dans le jardin et ça grandit…
— Connais pas.
— Les extraterrestres sortent des cosses et ils ressemblent à des gens, les bonnes femmes foncent dans la foule avec leur voiture…
— Connais pas.
— Elles ressemblent à des gens normaux.
— Connais pas.
— T'habites sur quelle planète, toi ?

Le violeur de gosse, t'as vu le brochet qu'il a sorti ?
— Faudrait pas leur vendre la carte à ces mecs-là.

Tu vas boire des coups chez René ? ça ne m'étonne pas ! c'est la villa Médicis des cons !

avec Joliot… …Parce que bosser avec une bonne femme… …Merci !

Ce sont les communistes qui font le mieux la vodka.

Sophie Marceau ? La grosse mémère ?

Qui c'est qu'est garé comme un con ?

Ce qu'il faudrait pour faire disparaître le chômage, c'est qu'il y ait du travail pour personne.

Payer une pute en euros, moi c'est fini, j'irai plus aux putes.

Chez les dealers pareil, ça risque de foutre un sacré bordel l'euro.

On torturait en Algérie mais nous, on égorgeait pas !

Qantonéééééééé
partirooooooo
I qué né piou nu
piou
Et qué né piou
Né piou qui tout
nous et qué né
piou !
Et qué né piou
Qué né piou piou
piou piou !
Partiroooooooooo
oooooooooooo !

Mobutu... celui du chapeau?

Le Lapon sait même plus recoudre un bouton!

... On est tous des maillons de la chaîne...

On est trop bons en France, trop bons!

C'est la Chine millénaire qui est intéressante à visiter, l'autre c'est comme ici...

Ce que j'aime pas, c'est être pris en otage.

Vous avez vu le résultat de la guerre? C'est les Allemands qui vendent le plus de bagnoles.

... Moi je suis un maillon de la chaîne mais y a pas chaîne...

À force de regarder la télé, les jeunes savent plus la réalité.
— Après on le voit le gâchis le jour du permis de conduire...

La Cinquième République.
— Pas plus?
— Ah non, on est la Cinquième République.
— C'est pas beaucoup.
— En Afrique c'est l'après-Mobutu, c'est pas mieux.

On critique que c'est l'argent qui dirige le monde mais dans les petits villages c'est pas mieux.

La France a pas voulu torcher les gosses, eh ben voilà, elle va torcher les vieux.

Le baba au rhum, c'est le loup dans la bergerie.

... La boulangère aime pas la pluie parce qu'elle glisse sur la route.

Pas une touche, rien...
— Tu parles, à cette heure-là, le poisson il est dans sa tour d'ivoire...

... Grosso modo c'est l'éternel paradoxe.

On a plus le café qui est fermé depuis deux mois, heureusement on se croise encore à la pharmacie.

... Les problèmes du sida, chacun réagit avec sa porte.

Le cinquantième Festival de Cannes, je sais pas comment ils font, en tout y a pas cinquante bons films...

On aurait les jardins de Babylone qu'on achèterait la fraise espagnole.

... On est des cons.

... En France, on est des cons.

C'est pour ça qu'on est pas trop voyageurs, on irait en Inde on boirait l'alcool local et ça tue leur truc là-bas avec le bois dedans...

L'Inde, c'est l'alcool de bois?... ah bon...

C'est idiot de se laver le cul à l'eau potable, t'en avales toi de l'eau avec ton cul?

Je regarderai le ciel quand ça sera par terre!

Les mères des cons, elles sont toujours enceintes!

... On entre vraiment dans une ère de marchands du temple, ah si!

Si la gauche passe tu verras le bordel pour la monnaie...
— La gauche elle aime la monnaie comme tout le monde.

Un regard que j'aime bien c'est Jean Lefebvre...

J'ai pas été trop chiant ?
— Tu le savais très bien que tu serais détruit en cinq minutes, alors ?
— C'est le vin blanc.
— Tu le savais très bien ! Chaque fois c'est pareil.
— J'ai été chiant la dernière fois ?
— Bien sûr ! chaque fois !
— C'est le vin blanc.
— Pareil... pendant une semaine après tu chouines... gna gni gna gna j'ai pas été trop chiant...
— C'est le blanc, ils mettent quoi dans leur blanc...
— Mais tu le sais !
— Vous les femmes vous êtes plus fortes que nous mentalement quand vous avez bu la veille.
— T'as pas dit ça la dernière fois, tu m'insultais !
— Ah bon ? J'ai été chiant ?
— ...

... Non non non le samedi c'est pas pareil que le dimanche.

... Ça se comprend.

La vérité si je mens !

... J'aime bien lire mais pas tout, ça dépend ce qui est écrit.

Tu me passes l'eau ?
— Avec ce que tu bois de pastis, Cosette elle a des bras de catcheur.

— T'as pas ton verre ?
— ?... ?... Je sais pas où je l'ai mis mais je l'ai bu.

Déjà qu'il retrouve où il habite avant d'être la mémoire vivante du quartier !

Pour une fois que je veux lire un livre, un Proust un machin, je trouve un poil de cul dis donc...

Je l'ai avalé y a deux jours, je le sens encore.
— C'est une miette.
— C'est lui ! Il dort dans ma trachée artère !
— Un puceron serait mort.
— Il y dort !

Un demi...
gloup...
a voté !

Il faut voter.
— Je sais mais bon... c'est à trente-quatre kilomètres.

C'est notre devoir de citoyen !
— Citoyen, c'est vite dit quand on voit hier dans quel état...

Qu'est-ce que tu fous là si tu votes par procuration ?

Vous êtes loin ?
— Oui mais on a la qualité de l'air.
— Vous êtes venu voter ?
— C'est les hasards du calendrier.

... Pour une fois, je vais peut-être voter pour la femme verte.

Tous ces candidats, ça donne le tournis.

Pourquoi ils nous font voter ?! ils ont qu'à faire voter les sondages !

... Tout ce qu'ils savent faire c'est serrer des mains...

... Eux ils ont leurs palais et nous on a quoi ?

... À peine qu'on a mis le bulletin dans l'urne, ils nous mettent dehors vous avez vu comme ils nous font circuler...

... Du rouge à lèvres partout Jospin...

... Des sourires larges comme ça par-devant et par-derrière, rien...

... Une fois qu'ils sont élus, terminé...

... Mais des fois on se demande si ils savent qu'on existe...

... Le chômage, tu parles qu'ils s'en foutent du chômage, ce qui les intéresse c'est l'Europe des patrons, mais bien sûr c'est ça...

... Des coups de pied au cul qui se perdent...

... Ils vont les faire sauter ou pas les contraventions ce coup-ci ?

... C'est indéniable qu'il y a overdose de politique, indéniable...

... C'est la télé qui fait élire de toute manière et les médias alors...

... Moi je ferais pareil ceci dit...

Quand ils viennent sur le marché avec leurs sbires on n'a plus qu'à se pousser, des vraies guêpes sur les melons !

... Et en plus on est gentils on leur donne des petits bouts d'andouille à goûter sur place...

... Des mots des mots des mots...

... Chaque fois pareil...

... Les promesses, ils sont forts...

... Il leur en faut de l'énergie quand même, ils sont à vingt endroits en même temps...

Faut pas nous lécher le cul même avec une langue de bois !

Et le scandale du sang contaminé, plus personne en parle !
— Là, tu es de mauvaise foi, c'était l'autre septennat.

On est barré vers une nouvelle cohabitation, là on est barré pour ça.
— Tout de suite tu t'affoles !
— Avec le ric-rac des résultats ?
— Tout de suite tu t'affoles.
— Tu verras.
— C'est ric-rac et après ?
— Hyper ric-rac !
— Ric-rac.
— Hyper ric-rac !

... Bonnet blanc et blanc bonnet même les Verts !...

... La cinquième roue du carrosse !...

Tu écris *ta gueule* ou *merde* il est nul mais il est pas blanc, le bulletin blanc faut pas écrire *prout* dessus sinon c'est un bulletin nul, c'est ça le vote blanc... c'est ça...

... Ni ta gueule ni prout...

... C'est vote blanc.

... Prout... ... Prout...

... C'est vote nul prout.

Juppé viré !
— Il était mieux à Bordeaux... qu'est-ce qu'il est venu foutre à Paris ?
— Bordeaux faut voir la ville.
— Et les vins.
— Tu quitterais Bordeaux ?
— Je suis Rouennais au début.
— Rouennais c'est où ?
— Rouen.
— C'est beau Rouen... qu'est-ce que tu fous ici ?

Les deux tiers des accidents de voiture se passent à moins de quinze kilomètres de chez soi.
— C'est vrai, moi j'ai foncé dans mon mur.

J'ai encore un vieil édredon en plume de poule.
— Eh ben, vous en avez de la place à perdre.

Y a des jours c'est incroyable, on voit pas les toiles d'araignée.

J'ai tous les cosmonautes à la maison sur l'étagère.

On fait mieux le cassoulet que les voitures !

La bouche c'est important et le cul aussi, le reste du corps c'est de la distance.

Ça sent bon.
— J'ai tondu l'herbe.

Tu peux pas apprendre un boulot en six mois avec un stage, c'est pas possible ! pour apprendre un boulot faut du temps pour l'apprendre le boulot… moi j'ai appris mon boulot en des années, je prends le coin et je mets le scotch et sur l'autre coin il faut tendre bien le papier pour mettre le scotch sans que ça fasse du pli et tu retournes… stage bidon…

On met le réveil parce que le soleil fait pas de bruit.

C'est pas du tout comme en Asie ici.

C'est quoi l'ordre du jour à midi ?
— Saucisses aux choux.

Le patinage artistique de la télé, ça me fait toujours peur que la glace elle casse.

Quand tu roules plus vite, t'es moins dangereux puisque tu es moins longtemps sur la route.

T'es qu'un gros con !
— Dis pas ça, tu me connais pas.

Y a un s à Sancerre ?
— On va être obligé d'acheter une bouteille pour savoir.

... La semaine prochaine à cette heure-là on sera sur la route...

Du pain grillé, moi tout de suite je me lève du lit.

Ils font de nous des bébés avec leurs yaourts aux fruits...

J'aime pas quand mes cheveux font le champignon.

... J'ai des ongles qui arrivent même pas au bout des doigts, tu parles d'une affaire...

Je vous préviens vendredi ça sera fermé, j'ai un client qui m'a marché sur le pied, ça m'a fait un ongle incarné, faut que je passe sur le billard.
— En plus avec vos petits vernis...

... Des fois je sais plus ce que je fais, je pourrais être dépeceur... sans le savoir...

Toujours appuyée à l'étalage de glace ma mère, dans son bide y faisait déjà moins deux.

C'est incroyable cette cavale meurtière du retraité...
— C'en est un qui aime pas la pêche celui-là...

Salut Lulu.
— Salut Lulu.
— Tous les deux vous vous appelez Lulu ?
— On va pas changer pour te faire plaisir non plus !
— Un Loto Flash.

On est pas envahis d'intellos !

... C'est le moins qu'on puisse dire !

... Personne ne sait plus rien.

... Le monde ne sait plus où il en est...

Internet, c'est une régression pour moi.

... Si c'est ça le progrès... ... C'est pire qu'avant!

T'aurais pu discuter avec nous plutôt que lire ton journal télé!
— C'est mon seul plaisir de la semaine.

Ooooooooh yeah dance with me! la biscotte...
Ooooooooh yeah sister gril girl dance with ton homme!
la biscotte!

... Qu'est-ce que vous voulez qu'on y fasse...

... Si on en est là...

... Avant au moins on savait où on allait...

C'est les coups de pied au cul qui m'ont manqué, mon père m'en aurait donné un peu plus, eh ben, j'en serais pas où j'en suis, je sais pas où j'en serais mais pas où j'en suis...
— Au même endroit, mais avec un coup de pied au cul en plus.

... Plus ça va et plus les grands de ce monde rétrécissent...

... Comment vous voulez que les jeunes s'y retrouvent?

... Les parents s'en fichent!

... Tout le monde se fout de tout...

Si on t'écoute, c'est la chrétienté qui a tous les torts...
— C'est toi qui écoutes pas, j'ai dit le contraire.

... **C**'est ça le problème...

... **V**ous savez combien ils me demandent pour afficher les journaux devant la porte pour l'enseigne des journaux, deux cent mille francs, moi j'ai les journaux pour les clients, faut que les clients le sachent c'est un service en plus c'est pas ce que ça nous rapporte la vente des journaux ici, ceux d'en face c'est des cons, si on leur demande où on trouve des journaux ils diront pas qu'ici on a des journaux à leurs clients parce qu'ils ont trop peur de les perdre leurs clients je vous dis c'est des cons, deux cent mille francs ! alors qu'on leur vend les journaux aux gens des journaux, c'est eux qui devraient nous payer l'enseigne mais non, ah mais je vous dis on ne peut plus travailler, les jeunes ne peuvent plus s'installer, moi j'en connais des jeunes qui sont travailleurs, comment voulez-vous qu'ils s'installent comment voulez-vous avec les frais, vous savez combien on a de chômeurs ici, dites, cinquante, cinquante et un même ! dix pour cent du village ! et vous savez qui reprend l'épicerie, c'est un Bicot, y en a deux familles déjà six sept gosses, pas un qui travaille, et nous on paye on paye on est la vache à lait, je voulais continuer à travailler mais comment voulez-vous, je vais prendre ma retraite, terminé terminé, assez d'être con, et en plus ils vont faire payer les retraités, vous savez on a travaillé toute notre vie et maintenant on nous prend tout pour des gens qui ne travaillent pas, mémé tenez, mémé, toute sa vie elle a trimé la pauvre, elle a mal partout et pourquoi pour les autres qui ne font rien, toujours ça, ceux qui font pour ceux qui ne font rien, et maintenant que c'est la gauche qui est revenue, il va bien falloir le trouver l'argent pour faire ce qu'ils ont dit, ils vont augmenter les taxes des gens comme nous, moi j'arrête, je vais vendre mais je vends pas à un Bicot non ! je vais leur écrire d'abord pour dire ce que j'ai sur le cœur et après dans deux ans j'arrête, je prends ma retraite que voulez-vous, on ne peut plus on ne peut plus, tiens voilà Josette, j'allais passer vous voir justement...

Chirac, il est pas plus président que n'importe qui.

Lebranchu ? C'est quoi ça Lebranchu ?

... Y en a des biens des femmes ministres mais aussi y en a des moches je trouve...

... La seule que je me ferais c'est celle qui s'appelle Royal ou un nom comme ça mais la grosse de Strasbourg, ah non !

Des femmes ministres c'est bien mais vous allez voir quand ça va être l'époque d'être enceinte...

... La débandade...

Des femmes ministres ? Une guerre tiens ! et tu vas les voir avec leur jupe...

... La ministre de la Justice la nouvelle la jeune là, elle a un fils en prison il paraît...

Ministre de l'Intérieur ? Chevènement ! Putain on peut faire les cons avec celui-là, tu voles une voiture, il démissionne.

Jules Ferry, il pourrait même plus garer sa voiture devant Jules-Ferry sans se la faire brûler maintenant...

Elle est ministre celle de la choucroute ?
— Trautmann ? Elle est ministre de la Culture.
— C'est rien ça, c'est de la merde comme ministère.

Séguin, c'est un silure...

La meilleure console de jeu quand t'as seize ans, c'est la bite.

Le médicament qui va marcher sur la souris va pas marcher obligatoirement sur l'homme.
— Les suppos que je mets, elle explose ta souris.

Les musiciens du *Titanic*, maintenant c'est les moules dans les violons pour ces gens-là.

J'ai été marin au long cours, alors des gens qui dégueulent dans leur voiture, j'en ai vu vous savez...

... Mais non c'est rien...

... Ne vous excusez pas...

... Vous en faites pas pour ça...

L'humour anglais, t'y comprends toi ?

Avec leur foulard islamique ces gamines, comment vous voulez qu'elles passent leur brevet de piscine ?

Pauvre con !
— Tu t'es pas vu ?

... Il pète comme un pit-bull...

Il a fermé l'assemblée pour avoir une nouvelle assemblée.
— Con de président, ça veut pas dire président des cons !
— Il l'a sa nouvelle assemblée !
— La preuve.
— On a gaaaaagné ! les doigts dans le cul !
— On a peeeeerdu ! les doigts dans le nez !
— Personnellement, je vote comme les autres.
— Moi je m'en fous, je vote ! le reste de toute façon après c'est toujours pareil ils ne font rien... j'adore voter... c'est une jolie mairie...
— Pour moi tout ça c'est une élection avec des protagonistes.
— Dans ma cirçonscription, une candidate ni d'Ève ni d'Adam.
— Rien ne tient debout dans la vie.
— Même pas nous !
— On sait plus qui est le champignon de Paris et qui est le crottin...
— Des élections, c'est pour élire des résultats et y en a.
— Quand on a une assemblée majoritaire on la dissout pas ! ou alors on la dissolve mieux que ça.
— Tous ceux en prison sont pas réélus.
— Bon débarras !
— Dans toute l'histoire, on a jamais vu cette bourde il paraît...
— Je vais jamais chercher mes recommandés.
— Toi t'es un fou !
— Le problème c'est que la France sera pas gouvernable.
— Ça c'est pas le problème.
— Il écrit l'histoire mais avec un seul doigt.
— La déculottée !
— C'est pas une surprise en fait.
— On a voté pour un connard, après faut pas s'étonner.
— Exactement !
— Moi je l'aime bien Chirac.
— Il est marié avec une conne qui doit pas l'aider beaucoup.
— Ça c'est pas nouveau.
— Il se laisse manœuvrer !
— Comment on dit ?
— Deux ans de pouvoir et déjà viré, c'est les annales.
— Quand c'est un ballon en hauteur pour le champagne ?
— Une flûte.
— La honte...
— C'est pas la première honte, c'est pas la dernière honte, croyez-moi... la France elle en a eu d'autres des hontes, croyez-moi... ça empêche pas la soupe de chauffer...
— Tu nous fais chier Rémi !
— La risée du monde, ah si, la frisée !
— Le monde il est pas mieux.
— Il se dissolve pas en attendant.
— Y a des pays qui feraient mieux.

Il a voulu qu'on vote, eh ben il est servi le grand con en chaussettes !
— Tout ça c'est du calcul.
— Il est con c'est tout.
— C'est du calcul.
— Il a perdu, qu'il s'en aille !
— Où ?
— Ça y est ? il est élu l'aut' Aristochat ?
— Et pour pine d'ours, combien ?
— Jospin, ça va redonner un peu d'espoir au moins.
— Un chèque !
— Il a du poil dans le nez...

— Niqué sur le poteau !
— C'est la gauche moderne du nouveau moule anglais...
— Tout ça c'est du centre en fait...
— Il a pas la carrure Jospin.
— Et Chirac tu crois qu'il a la carrure ?
— Chirac il a pas la carrure mais Jospin encore moins !
— Chirac il a aucune carrure.
— Et Jospin, tu crois qu'il en a une de carrure ? Il en a pas de carrure !
— C'est vrai que Jospin a pas la carrure mais Chirac encore moins.
— Chirac a pas la carrure mais franchement par rapport à Jospin plus.
— Jospin a plus de carrure que Chirac ?
— Un peu plus.
— Certainement moins !
— Pour la politique internationale oui peut-être mais pour l'intérieur certainement pas !
— À l'étranger Jospin est moins connu que Chirac.
— À l'étranger peut-être mais pour l'intérieur Jospin est plus connu...
— Que ?
— Hein ?
— Il a gagné, maintenant il faut qu'il en tire les conséquences...
— C'est quelqu'un proche de nous.
— Comme ça si il s'est foutu de notre gueule on saura où le trouver !
— Et la grosse truie, elle est élue ?
— Elle est pas mal sa femme.
— Par rapport à celle de l'autre c'est facile.
— Elle a tiré le gros lot en se mariant avec lui en 94, elle a épousé un connard et maintenant il est Premier ministre.
— C'est le sacre en quelque sorte...
— Tu l'aimes bien Jospin ?
— J'aime pas ses yeux et j'aime pas ses dents.
— Moi ça m'intéresse les trente-cinq heures, j'en fais zéro...
— C'est pas lui la dissolution, c'est sa fille.
— Claude là ?
— C'est de la faute à sa fille.
— Claude ?
— Moi c'est pas ma fille qui ferait dissoudre.
— Claude ?
— Claude Chirac, sa fille.
— La femme du judoka ?
— L'ancienne.
— ... pour une fille...
— Ni mon fils d'ailleurs...
— Elle a quel âge ?
— Ni mon fils ni ma fille ni personne puisque c'est une responsabilité personnelle...
— De ?
— Dissoudre.
— C'est les institutions.
— Fais attention en débouchant cette eau gazeuse, c'est une vraie bombe atomique !
— Oui mais elles obéissent aux décisions.
— C'est la prérogative du chef de l'État.
— C'est pas elles qui font la dissolution c'est sûr.
— De Chirac en fait.
— C'est sa fille qui lui a dit de faire ça, moi je répète.
— Comment elle est cette fille ?
— Celle du téléphone portable à la main.
— Bouvard arrête les « Grosses Têtes » ?
— Tout le monde arrête tout en ce moment !

Ils ne trouvent personne pour ramasser les fraises, ah mais je vous dis, on tourne à l'envers.
— J'ai lu ça dans le journal.
— Elles pourrissent par terre et personne veut les ramasser !
— C'est payé au cageot.
— Au kilo ! Y en a pas beaucoup dans un kilo mais qu'est-ce que vous voulez, même se baisser pour ramasser une fraise les jeunes ne veulent plus ! moi je serais à la retraite, mais j'irais les ramasser tout de suite les fraises ! pour les confitures ! mais les confitures les jeunes, c'est pas assez bien pour eux !
— On a pas le droit de les donner !
— On marche sur la tête.
— Du rôti de porc pour un hospice, vous n'avez pas le droit d'en donner.
— Et avec les trente-cinq heures comme ils annoncent, vous allez voir comme tout va s'écrouler, les commerçants auront plus qu'à fermer.
— Et les yaourts périmés d'un jour c'est rien c'est encore bon.
— Surtout les yaourts en plus nature.
— C'est des lois.
— C'est pas des lois, c'est de la connerie tout ça ! On ne trouve pas de gariguettes en ce moment, vous vous rendez compte ? Elle est bonne la gariguette ! C'est la meilleure.
— Et on se plaint.
— Et tous les gosses qui ont des carences ?
— En plus.
— Vous avez raison pour les yaourts.
— Et le rôti de porc !
— On marche à l'envers.

... J'attends Godot.

La vie, c'est rien qu'un outil.

Le plus intelligent, c'est de se taire, enfin pour moi...

... Puuuuuutain quel temps de merrrrrrrde...

Un joli plateau de fruits de mer, faut que ça fasse Facteur Cheval.

Moi je dis toujours la même chose.
— Avec un portable tu dis pas la même chose puisque tu téléphones de n'importe où.
— Pareil.
— Dans le bus tu dis pas pareil qu'à la piscine, je m'excuse !
— Moi si.
— Mais non !
— Chaque fois que je t'appelle de la cabine je dis pas la même chose peut-être ?
— C'est pas pareil, c'est pour que je vienne.
— Eh ben ! c'est l'exemple.
— Non, puisque c'est la cabine.
— Moi je dis la même chose.
— C'est dans une cabine, là d'accord, mais un portable, non.
— Moi je dis la même chose.
— Au ski tu dirais pareil ?
— Au ski c'est plein de cabines.

La morale ça s'enseigne, alors qu'avant ça s'apprenait.

Télé 7 jours et *Télé poche* ! T'es multimédia ce matin !

Il faudrait mettre en orbite des oiseaux de mer.

T'aimes le comique anglo-saxon ? Toi ?

Je crois que le plus haut gratte-ciel mesure 319 mètres.
— Tu crois ou t'es sûr ?

Moi je prends pas une bière si y a pas des cabinets.

Ce chat, il m'a mordu le doigt, ça enflait, ça enflait, je regardais...
— Le chien ça écrase et le microbe reste dessus tout écrasé...
— Le chat c'est pointu c'est ça ?
— C'est ce qu'on dit.
— Le microbe y va bien profond dans la chair et là il se développe, on peut pas l'attraper, faut aller profond avec des outils.
— Et ça enflait, ça enflait, je regardais, ça enflait le bras, jusqu'à l'épaule ça enflait...
— Moi une fois j'ai enflé aussi.
— Ah bon t'as enflé aussi, c'est bonnard comme nouvelle...
— Ça enflait, ça enflait jusqu'au cou, j'avais des... sous le bras...
— Des ganglions.
— J'en ai eu des ganglions aussi.
— Et ça enflait, ça enflait...
— Et comment ça s'est fini ? Tu as guéri ?
— Oui j'ai guéri.
— Il est bon le vin.
— C'est quoi comme vin ?
— Il est bouchonné non... un peu... un peu bouchonné...
— Fais sentir... ah... un peu...
— Et lui ce chat c'est comment le nom ?
— Aspirine... on donne des noms comme ça...
— C'est toi qui as ouvert la porte ?
— C'est facile.
— T'as ouvert la porte, t'as fait le trou de la porte je veux dire.
— Vous avez froid ou bien ?
— Non non ça va...

Une crème de noisettes pour l'Écureuil !

Le pape, tout son fric il le passe en chapeau.

J'aimerais bien lui faire ses courses à Pierre Tchernia.

Sinatra quel beau chanteur, c'est un rouge-gorge partout ce chanteur.

Miaou !
— Qu'est-ce qu'il a le chat ? Qu'est-ce qu'il veut ? Soit il en a trop dit le chat soit il en a pas assez dit le chat !

Pour des inventions de langage, une qui est forte c'est ma femme, c'est une mine de conneries…

J'ai rien compris, elle me regardait habillée sexy bien et après elle a mangé du camembert mais qui puait !
— Y a rien à comprendre avec les femmes.

Un milliard les Chinois ! mais c'est pas du sauvage, c'est du Chinois d'élevage.

Ils vous ont pas montré le parking gratuit ? C'est des niais…

Tu vois les boyaux de Pompidou ? Eh bien c'est pareil.

La crème pour les mains, pour un moignon c'est la même ?

Quoi de neuf ?
— Rien… pareil.
— Ça roule ?
— Pas de changement… ni en bien ni en mal.
— C'est le principal.

Le vrai Français, c'est le Français breton.

Je peux pas faire du nudisme, j'ai une bite de roux.

... Je suis au chômage depuis la fin de la première série de *Navarro*.

Y a que les gènes qui passent au travers de l'impôt.

L'univers, t'en as de toutes les tailles et le nôtre où on vit il est de la taille... moyen.

Les galaxies tu risques pas de les voir, t'es au lit à huit heures !

La terre que vous mettez dans vos pots de fleurs, vous la retirez de sur la planète.
— Oh mais j'ai pas peur des procès !

Les martiens ont les clignotants qu'on voit bien et d'ailleurs sur les photos des gendarmes ils les mettent quand ils se posent.

Je n'y crois pas à ces vies d'ailleurs.
— Sous une autre forme.
— Même avec une forme.

Le soleil de minuit... putain... y en a qu'ont le temps...

Plus t'es chômeur de longue durée, plus tu vois le boulot loin comme une longue-vue...

C'est normal qu'ils arrêtent le « Club Dorothée », elle a toujours été pro-Chirac.
— Un personnage réac c'est Babar.
— Elle l'avait Babar dans son émission ?
— Bien sûr qu'elle l'avait ! en plus des Mangas ah oui elle en a pas raté une...

Le « Chicago Orchestra », c'est loin pour ce que c'est.

Une jolie valse, même en voiture ça me donne envie de tourner !

Des maladies, moins on en a mieux ça vaut, croyez-moi...

... Je sais de quoi je parle...

... Je vous montrerais mes analyses...

... Vous verriez...

... Où je les ai mis ces papiers...

... Ah les voilà !

... Regardez...

C'est théorique ce bouchon-verseur mais c'est pas tellement pratique.

Je sers à boire que si on me commande un verre ! je force personne à boire moi ! je suis pas une république bananière ici !

La merde du résistant elle était pointue et celle de l'Allemand elle faisait la bouse.

Quand on grossit ça devrait pas se voir puisque c'est la vie privée.

Un kir.
— T'es pas fort comme Prévert pour les inventaires.

... Ça donne pas tellement envie de sortir de savoir que les Champs-Élysées c'est la plus belle avenue du monde...

Le trou à la chaussette, ça fait partie de la chaussette... point final.

Elle a exactement les mêmes yeux que vous votre fille.
— Je sais, elle a récupéré tous mes gènes des yeux.

Trois-Doigts, c'est un con !
— C'est Double-Z'œil qui l'entraîne.

Vous êtes passé à la télé ? J'ai pas regardé.
— Bien sûr... vous, rien vous intéresse !

Je préfère pas être connu parce que je veux pas qu'on m'assassine...

Nos ministres communistes seront forcément dépendants de la Chine puisque l'URSS a disparu et que c'est le dernier bastion...

... Je sais pas ce qu'ils ont mangé mais depuis ce matin tous mes clients c'est la farandole...

Internet, tu peux pas le faire debout.

Quinze francs le jus d'orange ?! Ah là là là là ! ça fait cher du goût.

L'Algérie, il faut en parler, déjà ça les aide.
— Ça leur fait les oreilles qui sifflent.

... Moi j'ai une fille et je compte pas le téléphone...

Tu pourrais mettre du Internet dans le café ?
— C'est ça... pour qu'on me le casse...

... *Des gars que j'ai vus au Lux Bar, des photographes qui vont aux Cathares, dans les Émirats arabes unis, c'est un pays du Golfe, tu peux rien faire là-dedans, faut mettre le foulard et tu bois pas d'alcool, ils boivent de l'alcool dans les tasses de thé et les voitures de trois mois c'est des antiquités...*
— C'est la police qui fournit l'alcool là-bas.
— Y a rien à photographier, c'est le désert...
— Ici tu mets une bombe toi-même et tu fais les photos que tu vends.
— Ils y vont avec des mannequins pour poser dans le désert... ils veulent que j'y aille avec eux mais moi je veux plus faire des photos, je veux changer, je voudrais servir dans un bar.
— C'est la traite des Blanches non ?
— Si c'est la traite des Blanches tant mieux j'irai dans un harem, c'est pas pire que les assédics.

Un pianiste ? Dans le quartier ? Ah non vous vous trompez, en tout cas pas dans la rue ni sur la place...

... Où ?

... Mais non c'est un con qui met des disques...

À New

Les chômeurs de longue durée, ça aurait fait des bons marins pour Christophe Colomb.

J'aime bien parler avec les petites gens.
— Vous tombez mal aujourd'hui j'ai que des présidents de la République.

J'ai le droit de savoir ce que je bois !

Dans une bonne journée il faut toujours un point d'orgue.

Revivre le vingtième siècle en vidéo, j'y tiens pas.

À partir des premiers icebergs, toute la culture est basée sur la graisse de phoque.

À cette vitesse-là, il fera soixante degrés sur la terre dans cent ans.
— Houlà ! J'irai pas travailler.

J'aime pas pêcher au canal, c'est trop cartésien.

York je sors pas, je fais livrer.

Quand on a bu l'apéritif, l'avantage c'est qu'on craint plus son mari.

Holà là ça y est elle a ses pattes mouillées...

Mon mari, il aurait une fée dans la poche de derrière, il s'assoirait tout le temps dessus.

À trois heures de l'après-midi...
— Y a pas d'heure pour avoir un coup dans les carreaux.

Attention avec les régimes, tu manges ton muscle mais tu gardes le gras.
— En un mois j'ai mangé toutes mes jambes mais le ventre ici je l'ai toujours.
— Vous avez mangé vos jambes en premier, d'autres les bras, y a que la tête...
— Qu'on mange pas ? Et les joues ?

Tout n'est pas possible, pas tout tout tout tout tout...

Salut Monarque !

On fait le concours

Johnny Président !

L'Empire Ricard,

Critique pas...
— Je critique pas !
— Attends voir... l'andouillette au micro-ondes si c'est ça que tu veux !
— Je critique pas, mais trois heures entre l'apéritif et le dessert !
— Dans ce cas-là tu manges un sandwich, si tu veux de la cuisine faut attendre ou tu manges chez toi.
— Je critique pas... une entrée... les ris de veau après à la sauce aux champignons...
— Des fois, ça dépasse les bornes, c'est vrai aussi des fois...
— La sauce champignon, faut le temps...
— Pas une heure.
— Qu'est-ce tu nous casses les couilles ? En plus t'étais invité.
— Par contre, ça c'est vrai, le ris de veau...
— C'est bon ça !
— Comme ça le ris de veau !
— Alors qu'est-ce tu nous casses les couilles ?
— Si c'est ça que tu veux le micro-ondes alors là... on est pas de la même école... alors là... l'andouillette... à la maison moutarde et tout !
— T'as vu ton nez ?! Mais tu fais quoi dans les restaus ?

... Casse-couilles et pompons celui-là...

de confitures ? Qu'est-ce

c'est nous. qu'on risque ?

Ça respire par

Sur terre on prend tous sa bagnole, je vois pas pourquoi on veut marcher sur Mars ?

Un milliard de gens sur la planète vit avec un dollar par jour !
— C'est mieux qu'un franc.
— Cinq francs le dollar.
— Un milliard de fois un dollar ça fait un milliard de dollars par jour, tu me les donnes, moi j'ouvre des usines et je les fais tous bosser le milliard de gens.
— Trente milliards de dollars par mois ? et les mecs sont dans la merde...

La mondialisation, ça y est, on y est dans la mondialisation et la preuve du contraire je ne la vois pas moi...

... Ceci dit à trente bornes de Paris, c'est déjà fini la mondialisation.

J'adore ses films mais dans la rue vous l'avez vu Michel Blanc, c'est rien du tout... heureusement qu'il y a le cinéma pour des gens comme ça...

Charlie Chaplin jouait de la musique.
— Charlie Charlot ?
— De la clarinette.
— Charlie ? Charlot ?

... Jospin finira président de la République, de toute façon tout le monde y passe.

Des escrocs qui vendent des organes qui ne marchent pas, c'est des gens à... à... à même pas regarder !

T'es en retard ! —J'ai un réveil qui pense qu'à lui...

Si t'es une réplique génétique, t'es pas obligé de le gueuler sur les toits non plus.

le bec, la poule ?

Tes obligé d'obéir à la nature.
— Non.
— Quand tu fais des enfants tu obéis à la nature.
— Non… en plus j'en ai qu'un.

Y en a deux des Congos ?
— Et c'est le bordel dans les deux !
— C'est vraiment des vieux noms ça, Congo.
— C'est le fleuve.
— Congo ?
— Oui.
— J'irais pas me baigner là-bas !
— De toute façon, c'est Roland-Garros en ce moment.

Créteil, c'est pas tout près !

Ma mère, elle avait horreur des deuils, c'est une perte de temps.
— On fait ça pour les enfants.

Si tu veux briller à table, le mieux encore c'est d'être un couvert.

Les jeunes des cités, c'est ceux qu'on retrouve engagés chez les CRS.

Ils le changent tous les combien, l'élastique du saut ?

Les idées toutes faites, eh ben faut les faire déjà !

… Un parfum moi je dis on n'a pas besoin d'en mettre c'est du luxe.

… Le violon, c'est ça qui donne la touche.

… On joue pas de la trompette dans une chambre.

On fait griller les sardines dehors mais l'odeur rentre dans la maison et ça sent la sardine comme si on les fait griller dans la cuisine, il faudrait tout fermer quand on fait griller les sardines dehors mais ça devient une entreprise parce que avec ce beau temps, tout calfeutrer à cause des sardines qu'on fait griller dehors, ou alors il faudrait aller plus loin mais aussi le jardin n'est pas extensible, on va pas prendre la voiture pour faire griller des sardines loin de la maison, alors on en fait quasiment jamais, on fait des grillages de porc, avec la taille du jardin et les fenêtres on fait ça...
— Vous plaignez pas, vous avez un jardin.
— Minuscule !
— Vous y faites des grillages de porc.
— Mais je ne me plains pas.
— Si vous faites des grillages de porc c'est que c'est grand.
— On en fait pas dix kilos non plus, on en fait deux par personne.
— Des grillages.
— De porc.
— Vous êtes sûre que c'est des grillages.
— De porc.
— Des grillages ? Vous êtes en France depuis combien de temps ?
— Douze ans.
— Et vous avez un jardin ?

... Le sida, ça finira par se soigner alors que les mauvaises notes à l'école...

Allez la cousine, on z'y va !

Franchement ?
— Franchement.
— Franchement ?
— Franchement !
— Le dernier ?
— Franchement non.
— Franchement ?
— Franchement, je suis plein jusqu'en haut.

C'est pas possible que le Beaujolais fournisse tout le beaujolais qu'il y a dans le monde entier, ça se vend dans le monde entier, quand tu vois la taille du Beaujolais, le Beaujolais ne peut pas... non... non... non il ne peut pas... non... c'est pas du beaujolais... c'est autre chose... un autre vin mais pas du beaujolais... regarde la carte du Beaujolais... même en travaillant jour et nuit vingt-quatre heures sur vingt-quatre le beaujolais ne peut pas être vendu dans le monde entier... non... non... non monsieur... non... moi j'en suis du Beaujolais... je connais les limites du Beaujolais... je les connais... non... non monsieur... et la Chine en plus maintenant non... je dis non...

... Hier soir?

... Hier soir t'étais en hausse à la fermeture!

... Ce matin?

... Ce matin t'es en baisse à l'ouverture!

Y a pas plus salissant qu'une gomme...

La taille des pieds, un jour ça s'arrête mais quel jour pile? personne sait.

... La reine d'Angleterre, les carrosses... l'alignement!... tranchée! au cordeau! ça donne envie de remplir!

Je peux pas réfléchir à cause des antibiotiques.

Moi je suis de Marseille, t'arriveras pas à m'hypnotiser.

La terre c'est un bout de la lune.
— Le contraire.
— Ou le contraire, on va pas se battre pour ça.

Le hasard, on sait où il est là, il est à droite du cerveau.

... Hiroshima, il a fallu tout reconstruire, et ceux-là qui ont gagné de l'argent c'est les Américains encore.

... En bâtiment c'est les meilleurs les Amerluches...

Les jours où on s'ennuie, en l'an 2000, on nous mettra dans la glace.

La cérémonie du thé je sais pas mais quand je prends une tartine le matin ça vaut le film aussi...

C'est qui la nouvelle connasse qui remplace Lio ?

Il prend son bain avec ses enfants.
— C'est comme ça que ça commence, en jouant avec les bulles.

Toi t'as réussi socialement, tu travailles à la Sécurité sociale.

On a tous en nous une part d'échec.
— Deux.

C'est dégueulasse les insectes, c'est toujours tout nu.

Les pédophiles ? moi je gagne au Loto je m'achète une guillotine.
— Tu manges pas le blanc de ton œuf ?

Ils les violent, ils les étranglent...
— Et encore on sait pas tout.

C'est une perversion des pays riches, les pauvres couchent pas avec leurs gosses !
— Ils les vendent, c'est pas mieux.

Pédophile admettons... les filles... à seize ans maintenant elles font vingt d'accord mais pas avec des bébés de cinq ans !
— Avec les produits qu'on leur donne en plus à cinq ans ils font moins, c'est dans le tiers-monde que à cinq ans ils font plus.
— C'est eux qu'on utilise en pédophilie le plus souvent, le tiers-monde.
— Le tiers-monde, c'est tous des fous là-dedans.

... Tout le monde est plus ou moins pédophile dans les îles...

Des curés qui couchent avec les mômes ! Mais pourquoi on leur enlève pas la bite à ceux-là puisque de toute façon ils ont juré qu'ils en voulaient pas de leur bite alors pourquoi on leur retire pas la bite aux curés et ceux qui veulent la garder au fond c'est eux qui sont des dangers publics sinon qu'est-ce que ça peut leur faire une bite ?

Des cassettes pornographiques avec des enfants c'est huit cents francs et quand vous voyez la paye des instituteurs... oui... vous avez compris mon regard...

... Faut être logique aussi.

Le curé qui garde sa bite c'est qu'il a une idée derrière la tête !

Chut !

... Faut être logique aussi.

Le premier fromage médiatique c'était la Vache qui rit avec son image.

Jospin, je fais même pas la photo du calendrier avec sa tronche.

Quand on passe devant son rade c'est la honte, il hurle pour qu'on rentre boire un coup.
— Les abeilles, elles bougent les ailes pour raconter où y a du sucre.

Chacun est différent ! l'homme de la femme non ? Les féministes elles ont tort du contraire non tu crois pas ? On est pas pareils mais pas un plus que l'autre mais différents, c'est des connes de toute façon celles qui disent ça non ?

Même si je suis riche je serai toujours pauvre, moi un bout de pâté ça me suffit.

Tu trouves dedans ce que tu y apportes, l'hindouisme c'est un peu une auberge espagnole.

Au salon du Bourget, t'as pas intérêt à avoir une crotte dans le nez parce que comme tout le monde regarde en l'air on voit dedans…

Le pire de tous, c'est le naja.

Beyrouth, quand on voit l'architecture, ils ont bien fait de tout casser.

Je sais pas comment j'ai fait quand je suis sorti du ventre de ma mère parce que en général j'aime pas qu'on me regarde.

Sans Internet, je suis SDF mental.

La réciprocité via le Web, à mon sens c'est positif.

... Attiré par les processus d'intelligence collective je te dis oui mais techno enthousiaste béat là je dis non tu me connais mal...

Melun, je préfère à la limite que New York.

T'es jamais bourré ?
— Je picole platonique.

L'Europe, ça sera jamais qu'un ramassis de pays.

N'est pas président de l'Union mutualiste qui veut !
— Je ne rate jamais une paella dansante.

Jugnot, il est intelligent mais avec sa tête qu'est-ce que vous voulez qu'il fasse ?

Des mains de pianiste, c'est pas pratique pour un batteur.

Même chose ?
— Oui je me fais le remake.

Jésus-Christ, c'est quand même le premier naze de l'histoire.

Il invente plein de gâteaux dans sa tête.
— Ça vaut le coup de le psychanalyser lui !

Adjani, elle est belle mais elle est grasse cette femme-là.
— Elle est pas grosse Adjani !
— J'ai pas dit qu'elle est grosse, j'ai dit qu'elle est grasse comme la peau du chapon.

L'euro ça va être un beau bordel, on ferait mieux de faire comme les Américains et choisir le dollar.

Il ne faut pas se plaindre tout le temps parce que après ça fait le mur des lamentations.

C'est pas très pratique pour les poubelles cette fête de la Musique...

Un bouddhiste, tu lui fais du riz, il est content.

Vous savez d'où ils viennent les nouveaux charcutiers ?
— Tout est mou aujourd'hui.
— Du Nord.
— Ils ont remis un coup de neuf aux gargouilles de l'église.
— Pas trop tôt parce que recevoir une gargouille sur la tête, non merci.
— Et mon demi ?
— Tu l'as bu.
— Je l'ai bu ?
— Tu l'as bu.
— Eh ben ça alors c'est pas banal...
— J'aime pas quand y a des nuages et que ça pleut pas...
— Sans les allocations familiales, c'est même plus la peine de faire des gosses, quel intérêt...
— Y a plus que les richissimes qui en feront.
— Je dis pas que l'enfant c'est la tirelire mais tu fais gaffe à la dépense.
— Ah il revient croustillant le pain, ça devrait s'améliorer le temps...
— C'est inné la propreté... sinon t'es sale.
— C'est pas à midi qu'on fait le ménage !
— Je fais le ménage quand la patronne elle demande.
— On peut pas boire un coup tranquille !
— Je pouvais pas deviner.
— Si, justement, faut deviner.
— Je suis voyante, y a des choses que je vois, mais je vois pas tout.
— Pavarotti, vous le connaissez ? le chanteur... celui qu'on appelle Fifi.
— Tout est mou aujourd'hui.
— C'est les nuages gris qui font ça.

Les jeux culturels c'est bien mais dommage qu'il y ait les connards d'animateurs.

L'universalité, en Égypte, tu l'as.

On a bu tout le florilège !

Le fœtus, c'est une sorte de grumeau des gènes.

Vous avez du mal à marcher ?
— Les jeunes filles me couraient après !
— Y a pas que dans le Sud que ça se vante.
— C'est le beaujolais.
— Y en a dans le monde entier du beaujolais, comment vous voulez...
— C'est grand le Beaujolais.
— Moins que le monde entier alors... j'ai été enregistrée au Panthéon.
— De ?
— Je suis née au Panthéon... je suis née là où y en a qui meurent.
— C'est grand le Beaujolais comme région.
— On y passera tous.
— Je bois du bourbon...
— C'est pour ça...
— Non ça n'a rien à voir... mes jambes c'est mes jambes...
— On y passera tous.
— Moi j'y suis déjà...
— C'est un vin qui représente la France...
— Surtout pour prendre l'avion, je bois ma demi-bouteille de whisky.
— Vous voyagez encore ?
— Pas en ce moment, je bois de la bière.
— ... le beaujolais.
— Quelle chaleur.
— C'est l'orage.
— En avion, c'est l'horreur ça, et pourtant ça fait cage de Faraday.
— Quand vous êtes en l'air, ça change rien.

Quand tu sors de Chablis si tu veux pas rencontrer les gendarmes t'as qu'à passer par Poinchy...
— Merci ça m'arrange j'ai déjà du sursis.

De Gaulle n'est pas mort, on nous fait croire qu'il est mort mais il est caché aux États-Unis.

Vous savez pourquoi il pleut ?
— Euh non.
— C'est Chirac !
— Ah bon... euh...
— C'est Chirac ! ils ont le pouvoir de faire pleuvoir ces gens-là !
— Euh ah bon ?
— Vous vous souvenez 1976 ?
— 1976, euh oui.
— La sécheresse de 1976... c'est Giscard !
— Ah ?
— C'est Giscard !
— Euh oui.
— Il faut s'élargir l'esprit !

Si Internet rendait intelligent, ça serait dégueulasse pour ceux qui l'ont pas.

On a mangé aux *Moulins*, c'est bon comme restaurant, c'est pas bourratif.

Le cancer existe pas, c'est le docteur qui donne le cancer pour faire marcher la médecine.

... Quand c'est bourratif c'est trop...

... Il faut élargir l'esprit...

... J'en veux plus des animaux, on les aime on les gâte ils meurent ça fait trop de peine, mon mainate il est mort dans mes mains il avait mal à ses pattes...
Allez debout mémé reste pas assise comme ça on dirait que t'es déjà morte ! Allez debout va voir tes clients ! Reste pas assise comme ça ! Va faire des exercices tu vas jusqu'à la porte et tu reviens et dis pas qu'il fait froid, il fait très bon dehors !

Cousteau est mort. — Toute la vie en maillot de bain je pourrais pas...

... La balle de ping-pong en haut du tube ça marche jamais.

Cinq heures de baignade par jour ça devient un boulot.

... Au fond t'es écrasé comme une merde, c'est la pression.

Il est mort de sa belle mort.
— T'y étais ? T'étais là ? T'étais au pied du lit ? Alors...

Quoi qu'on dise, quoi qu'on fasse, on est pas des poissons !

... On sera jamais des poissons.

... Jamais !

... Surtout ça.

... C'était un homme hors du commun et toujours sous l'eau.

Il a inventé les palmes.

... Ah si !

— Mais non les palmes c'était avant.

... Le grand ennemi du pont de l'île de Ré déjà c'est les moules.

Des refuges sous la mer comme dans la montagne ça s'écroulera sous les moules.

... Je sais pas combien il laisse à la banque mais ça doit faire bonbon...

Les ouïes, là, ici, les ouïes, c'est ça qui sert à la fraîcheur.

Bombard, le gros, ne mangeait que du plancton, c'est comme du pain.

Le mérou qu'on connaît c'est grâce à lui.

Il a fait aimer la mer à des millions de gens.
— Pas plus que les vacances.

Le commandant Cousteau c'est un génie.
— C'était.

Je n'aime pas quand l'eau rentre dans les oreilles.
— Vous n'êtes pas faite comme lui.

... Le harpon dans les fesses ça doit pas faire du bien !

Les Japonais en mangent des algues, c'est très bon.
— Ils sont plein de carences !
— Et le poisson ?
— Pas de fromage ni de lait ni de laitages fromages blancs et autres et surtout après ce qu'ils ont connu historiquement...

Cinq continents plus des îles, faites le calcul...
— Plus il était dans l'eau et plus il était maigre.
— Sa femme par contre il paraît c'était vin blanc vin blanc...
— C'était beaucoup plus un homme d'affaires qu'un amoureux de la mer, la preuve, ils l'enterrent ! Au milieu de la mer, tu peux pas faire des magasins de souvenirs !
— Ils enterrent le commandant Cousteau ?
— Ils l'enterrent.
— Eh ben... c'était bien la peine...

Vivre sous l'eau pourquoi pas, mais les meubles ?

... Vous avez vu l'épisode des langoustes qui marchent au fond ?

... Sous l'eau sans mourir, c'était ça son invention.

Le Russe, c'est une race à problème.

Mon mari il est au syndicat, après une manifestation, pour enlever ses chaussettes, il lui faudrait des pinces comme à la Nasa.

Dans l'espace tu ne peux pas freiner t'as pas de pneus.

... Ici t'as intérêt à faire tes courses avant une heure sinon t'es baisé...

Un jour, une merde grosse comme ça !
— Eh ben moi je marche pas dedans.

J'ai pas envie d'être le plus riche du cimetière !

On est obligés d'aimer la mer.
— Ça serait moins cher ça serait pas plus mal.

... Un poisson qui est cher, c'est la sole.

C'est pas des racines qu'il faut donner aux jeunes des banlieues, c'est un joli pot.

... Ça vaut pas la soupe de poissons.

Si tu portes du Dior et qu'il pleut par exemple alors tu fais quoi ?

C'est un vaisseau cargo qui est rentré dans le module de la station orbitale.
— Quand tu sais pas conduire tu sais pas conduire.

S*ur terre tout le monde flotte.*
— C'est encore à prouver ça.

Le temps, si t'arrives à en faire un cachet et que t'en prends quatre, bonjour les dégâts !

... Il faut que j'y aille accompagné de quelqu'un ET avec mon permis, j'aime pas comme c'est écrit, c'est pas ma période en ce moment, j'y suis allé ce matin avec un papier c'est pas le bon papier, les casse-couilles, il leur faut le papier du tribunal mais je l'ai plus, je préfère qu'ils demandent directement à Seignelay, c'est des casse-couilles ceux de Cerisiers, accompagné de quelqu'un AVEC mon permis, j'aime pas comme c'est écrit, en plus lundi je suis convoqué à Joigny, ils me l'avaient enlevé déjà je le récupère et voilà, en plus depuis la dernière fois je conduis pas, je le sais pour les points, accrochage c'est six points, état d'ivresse six points et délit de fuite ils me l'ont dit les flics c'est six points, et le défaut d'assurance, c'est pas ma période, quand j'y vais faut pas que je me monte, je vais y aller avec mon père, lui il sait me calmer, c'est écrit véhicule à moteur, j'aime pas comme c'est écrit, ça serait écrit vélomoteur mais c'est écrit véhicule à moteur.
— Il faut faire remarquer l'approximation, sinon on est à la merci de ces gens-là...

... Il me mettait un petit pois sur deux à côté de la casserole !

Mitchum...
— Et Fratellini.
— Même wagon !

La mort des grands, ça fait pas forcément plaisir non plus.

Robert Mitchum, c'est son nom qu'on se souvient surtout.
— Robert Mitchum.
— Les Américains savent trouver les noms.
— Robert Mitchum en France tu peux pas.
— De toute façon c'est pris.
— Yves Robert.
— Robert Lamoureux.
— Qui les connaît outre-Atlantique ?

C'est la dernière légende qui est morte.
— Pour savoir faut attendre... vous savez, des légendes qui meurent y en a tous les jours qu'on ne connaît pas...

Robert Mitchum.
— Qui ?
— Robert Mitchum.
— Chum ?
— MitCHUM.

... Atchoum...

Elle avait un cancer depuis huit ans.
— Et pourtant elle était clown.

Ils vont rendre Hong-Kong mais l'argent est parti, c'est une coquille vide avec des Chinetoques dedans...
— Si ils rendent Hong-Kong c'est qu'ils en veulent plus, va, te fais pas de bile pour eux va...
— Je me fais pas de bile, ils font des feux d'artifice, c'est que tout va bien.
— Ou alors c'est des cons.
— C'est pas des cons, va, les cons c'est nous dans cette affaire.

... Des rizières derrière les stations-service comme nous le potager.
— C'est sa vision à lui, si tu y vas, tu verras autre chose.

... Plus on voyage, plus on se décoiffe, regarde les gens dans les trains, non mais regarde-les !...

Hong-Kong, King-Kong, ping-pong, tu parles...

... Jette-moi la première pierre toi et après on discutera...

Le clavecin, c'est du piano sans les couilles à cause de la petite voix.

... Je prends jamais de bière bouteille, j'aime bien le geste à la pompe même si je le vois pas...

Cinq cents francs c'est rien à l'heure actuelle.

Sophie Marceau, t'enlèves les nichons, il te reste le cul.

Ils massent les bœufs avec de la bière.
— Les Japonais, si tu décortiques tout ce qu'ils font...

Y a tout dans le dictionnaire, c'est trop, mets un dictionnaire dans le cartable d'un gosse, tu verras si c'est pas trop.

Les paysans qui ont des supermachines, des ordinateurs, ils ne peuvent plus avoir les oreilles décollées comme avant...

Des tapis de girolles !
— Menteur.
— J'en viens ce matin, des tapis !

... Des tapis ?

Moi j'en cherche pas des champignons, j'en trouve !

Un train

Chaque année tu peux pas créer du Haendel à Beaune.
— À Beaune franchement y a mieux à faire que du machin.

Attention, l'apparence c'est pas le réel !
— Sauf l'eau.

On dit que la terre elle tourne rond mais non ! tous les ans on rajoute des secondes.

Son bébé qui meurt, ça lui laisse la place pour un autre bébé aussi si elle veut, faut pas voir que le mal...

Tu sais pourquoi ? Tu le sais ? Je veux pas qu'on se marie parce que tu seras saoule au mariage.

Bon week-end.
— Week-end, qu'est-ce que c'est ça ? C'est anglais ?
— C'est un rêve de jeunesse.
— J'ai plus l'âge.
— N'empêche...
— Allez raconter ça à la boulangerie, c'est des jeunes.

T'es increvable !
— Eh oui, sinon je serais déjà mort.
— Quelle heure ?
— Huit heures ce matin pas chez moi...
— Putain...
— Le même slip et les mêmes chaussettes que hier.
— Un kir !
— Non pour moi.
— J'ai plus le droit de boire de l'alcool c'est pour ça que je bois des kirs.
— Un jour de boulot, trois jours de délire...
— Qu'est-ce que tu bois ?
— Quelque chose de liquide qui mousse un peu.
— J'ai téléphoné que j'ai dormi chez toi.
— L'air de rien moi j'ai bossé aujourd'hui.

... L'amour tant pis, on trouvera autre chose !

Y boit pas et avec l'argent il va au Japon, c'est pas la même vie aussi...

à midi au moins c'est clair.

C'est pas la peine d'acheter celui-là, mamie le lira pas.
— Si, il est bien.
— Vous savez pourquoi elle veut acheter celui-là ? À cause des garçons.
— World Apart papa.
— Wor apar papa...
— Je le prends ?
— Prends Télé Poche.
— Télé Star *c'est pareil.*
— Mamie le lira pas.
— Pfuuuuu...
— Ça durera pas, mais pendant qu'ils sont là ils prennent de la mie.
— C'est les producteurs qui sont derrière qui s'en mettent, la chanson est prête, ils cherchent des physiques précis, les physiques précis vous verrez, ça durera pas.
— Plus vite ça sera fini pour eux, mieux ça sera pour nous.
— Je le prends ?
— Repose, mamie le lira pas, prends Télé Poche.
— Pfuuuuuu...
— Et râle pas.
— Pfuuuuuu...
— Wor apar papa... gnagnagnagna... un Ricky !

Vous partez pas aujourd'hui ?
— Ce soir après avoir fait manger la gosse... un Ricky !

Un Ricky !

Un Ricky !

Ils ont roulé sur Mars.
— J'espère que ça roule mieux là-bas qu'ici.

Et si ils trouvent de la vie ailleurs, alors ceux qui disaient le contraire, vous verrez la mine déconfite !

497 millions de kilomètres, ça ne veut même plus rien dire.

... Ça fait quand même beaucoup de kilomètres pour trouver de la vie...

... C'est pas de la vie c'est des histoires d'argent.

On va sur Mars, très bien, mais Moulinex ?

... Et les salariés de Vilvorde ? puisque vous parlez de ça...

... Ça fait trois jours... moi-même pour Mars j'aime pas la routine...

... Quand la terre va s'éteindre toute la vie sur le soleil va mourir...

De l'eau ça veut dire que peut-être il y a eu de la vie sur Mars.
— Je bouffe même pas ce que je pêche.

Ça bouffe de l'essence au départ et à l'arrivée mais sinon le trajet se fait sur la poussée du lancement... c'est le système de la descente et après ça remonte jusqu'à la planète... ça se pose et en plus ce qui correspond justement à ce que je dis c'est les poussées contradictoires qui se calculent elles...

Après Mars le déluge !

Il vous en faut pas beaucoup ! C'est un minuscule camion avec des caméras et pour voir quoi ?
— C'est le progrès quand même !
— Et d'une, combien ça coûte ?
— On va sur Mars tout de même.
— Alors allez-y ! Si c'est ça ! Qu'est-ce que vous faites ici allez-y !
— Et vous ?
— Moi au moins je suis logique.

... Si ils y trouvent des mollusques sur la planète, ça ne veut rien dire, la vie se caractérise par des bras.

Lady Di, qu'elle balaie devant sa porte déjà !

Et pourquoi elle s'habille en rose si elle aime pas les photographes ?

... Dans la foulée je vais aller m'acheter un pantalon, le même que celui-là mais pas tout à fait le même, je voudrais que les gens voient que j'ai changé de pantalon.
— Garde le même ou une autre couleur.
— Ah non !
— Riz Uncle Ben's !
— Il est déjà noir celui-là.

Vingt-cinq ans il avait ce rosier... moins dix-huit cet hiver tu parles...
— Ça va repartir du pied.
— Il aura plus vingt-cinq ans à l'œil.
— T'arrêtes de boire, tu fumes plus et dans vingt-cinq ans il aura vingt-cinq ans ton rosier.
— Même pour ma femme je le fais pas...

Mourir pour des idées
D'accord !
Mais de morlauche
D'accord !
Mais de morlau-au-che.

Mourir dans la pleine force de l'âge, dans ce cas-là t'étais pas tellement fort et en plus quel âge, pauvre con ?

J'ai pas peur de le dire, il faudrait une loi pour débrancher les morts-vivants qui coûtent à la Sécurité sociale.

Vous partez à la mer ? Vous êtes pas dégoûté ?
— Oh vous savez, du poisson, j'en vends de moins en moins.
— Elle est mieux morte que malade.
— Tu te vois vivre encore cinquante ans ?

Tapie, il est du genre à sortir par la fenêtre et rerentrer par la fenêtre...

Le commandant Cousteau, c'est son bonnet qui est connu au final.

... On les cherchait, on les cherchait, on se tourne vers lui qui était assis à la table il avait ses clefs de voiture entre les doigts de pied...

Je suis philosophe, c'est pour ça que les cons ne me gênent pas.

Un patron doit être poli mais ferme et un client malpoli et mou.

Tu parles d'une boîte à la con, ils lui ont fait son pot de départ à la retraite un jour qu'elle était pas là.

Les dames qui travaillent dans les bureaux, on pourrait leur mettre des œufs à couver.

Quel temps...
— Ça m'est arrivé de faire une soupe le soir encore y a pas longtemps.

... Un chamois que vous regardez qui vous regarde c'est féerique.

L'omelette aux girolles j'adore ça, j'en mangerais sur la tête d'un pouilleux !

L'avenir y en a pas assez pour tout le monde et le passé y en a trop.

Un connard de docteur et d'ailleurs après je me suis engueulé avec lui, ils m'ont piqué dans le poumon, ça m'a fait un pneumothorax, d'ailleurs j'ai la phrase quelque part à la maison sur un papier que je vous montrerai...

Vous savez pas où on peut acheter des plans de poireaux dans le coin ?

Houlà ! J'ai failli vous donner le verre de limonade !

... Soixante par jour, mais c'est des légères...

L'euro pareil, tu laisses tomber, ça repousse pas.

Je préfère les pays mystérieux comme l'Égypte à la sagesse de certains autres pays quand vous n'avez qu'une semaine pour faire la visite.

La vie, y en a déjà trop sur terre ! on peut pas tout loger.

La fin c'est bien, mais qu'est-ce qu'elle est triste !
— Et en plus elle est loin.

Moi j'aime bien le début et après j'aime moins.
— Tout dépend lequel.

Trop de lecture c'est trop de lecture, comme tout, ça fait chier.

... Il en faut !

... Il ne faut pas lire à la bougie ça crève les yeux à force.

Un bon livre se lit jusqu'au bout, it is my devise.

Le cinéma ça change la tête, tout le monde est maquillé.

De la lecture, j'en ai fait ! mais j'en ai fait ! Vous m'en ferez pas faire plus que j'en ai fait ! Je suis saturée madame, saturée !
— Et lire quoi en plus ?

J'ai pété au lit.
— En lisant ?
— Non, on pète pas au lit en lisant.

Moi je pète avec mon cul ! Le père Ubu !

Il n'y a pas de bons livres avec des mauvais sentiments en fait...

... Tout de suite j'ai les yeux qui picotent...

J'adore lire, je suis papivore.

Bombay, toute la misère du monde madame, toute la misère du monde sur une surface comme une fois et demie Paris.

La pisse d'âne c'est la bière, vache qui pisse c'est la pluie, mais à mon avis elles doivent se valoir ces pisses-là...

C'est tout envasé le Mont-Saint-Michel, la marée remonte à la vitesse du steak haché.

La patience, vous en avez concentrée dans la sève des arbres.

Ça va facteur ?
— Je viens ici en tant qu'individu.

Anquetil, c'est le vin blanc qui le faisait gagner.

...Aucun autre sport on pédale autant...

...Ça n'a pas tellement changé, si les Gaulois avaient eu des vélos ça faisait à peu près le même kilométrage...

Richard Virenque ? C'est le chouchou des Français.
— Moi c'est de Gaulle.

...On ne peut pas faire le tour d'un hexagone.

Ils étaient salés ses filets de harengs, à la limite de l'insoutenable.

La jambe, c'est tout une machinerie !

Le Tour de France, c'est joli à regarder, ça traverse les petits villages, les 24 heures du Mans, ça traverse même pas Le Mans...

J'ai un genou en plastique.
— C'est pas grave, vous êtes en voiture.

La première mouche de l'été, ça s'arrose.

...Ses tomates, elles vont passer le 14 juillet dans le sac !

Éliane ? Vous connaissez une Éliane ?

Le chat enterre sa crotte, pas le chien qui a pas assez de mémoire.

Regarde Dédé, ils m'ont amené une colombe.
— Oh mais je veux pas de ça, je vais pas monter un harem ici.

C'est français la banane puisque c'est les DOM-TOM.

... J'ai une maison pas ici en Normandie que j'ai achetée cash à l'époque en briques tout en briques et j'ai fait les travaux moi-même elle vaut quatre-vingt-dix briques aujourd'hui avec des entourages de fenêtres et la banque veut même pas me prêter de l'argent alors que moi j'ai les papiers de la banque cash cash cash j'ai toujours tout payé cash et je suis pas au chômedu j'ai mes actions pas françaises mais suisses, ça me rapporte plus, mille sept cents francs de naissance, je peux tenir comme ça autant que je veux même qu'en ce moment j'ai un ennui avec le cheval je regarde sa patte, un clou, j'ai enlevé le clou il a reposé sa patte tout de suite, cash, toujours cash, tiens, j'ai failli me battre avec votre voisin hier au soir... il me faudrait plusieurs millions, pour que je m'en sorte, plusieurs millions...

Les œufs, ça s'arrange pas non plus.

Si je lis du Dostoïevski pendant un après-midi je suis sûre que je peux faire du Dostoïevski pendant au moins une heure.

Pérec, un coup de pied au cul à celle-là...

Il ne faut pas prendre l'air qu'on a dans l'estomac pour souffler dans le ballon parce que c'est là qu'on a la bière...

Nous on a une charte de qualité pour la rillette.
— Oui mais vous vous êtes sérieux.

Quand t'es moche tu préfères la plongée, c'est normal.

Heureusement qu'il y avait le char Leclerc, parce que le reste...
— C'est toujours pareil.
— On changera le défilé quand on gagnera des guerres...

Il faudrait interdire le bermuda!

Ils tournent, ils tournent, mais ils vont tourner comme ça longtemps ceux de la station Mir.?
— C'est ça qui détraque le temps... on nous le dit pas mais c'est ça qui détraque le temps.

... Une poubelle spatiale!

... Ils tournent à deux cents kilomètres de la terre, c'est moins loin que d'ici Dijon...

Ils sont coincés là-haut parce qu'un con a débranché un fil de la capsule de l'espace.
— Des cons, t'en as partout.

Si ça se trouve l'apparition de l'homme c'est la disparition de tout le monde sur terre sauf un qui est resté.

Le Tour de France, ça dure un mois au moins tu peux aller pisser, t'as pas raté un but.

Le peloton, c'est une mentalité.

... Pour moi.

Le Tour de France, c'est plus du paysage que du sport. ... Pour moi.

... La montagne fera le trou.

Le vélo, c'est un sport pour les écureuils...

... Il dormait dans les cabinets... c'est pas avec les deux demis qu'il boit ici... il croyait qu'il était ailleurs... tout le tour des remparts il se cache des bouteilles... y en a même enterrées au frais dans les fourrés derrière l'église... vaudrait mieux les mettre au frais dans l'église mais l'église, ça fait longtemps qu'elle est fermée...

A don van eueueu loooooover! Lover! A to nide a fréééée! Deux frè!

Un Ricard-Suze!
– Moi un Ricard.
– T'es au régime?

... Je me retape juste du mariage.

... En ce moment je prends des médicaments pour maigrir mais j'oublie tout le temps...

Le championnat du monde, c'est l'épreuve reine en pétanque.

... Le chewing-gum on mâchouille, ça fait travailler la salive, c'est pas bon y a pas de repos, l'organisme est pas prévu pour mâchouiller...

C'est pas avec une heure de ménage par jour qu'elle peut payer ne serait-ce que l'essence de la mobylette de son fils!

C'est pas Gandhi qu'a inventé l'aïoli !

... Si tu regardes.

Si je me suis installé à la campagne, c'est pas pour regarder « Intervilles ».

Y raconte ce qu'y rêve et qui voudrait qu'on y croive !

... Même sous-directeur de la CIA tu sais pas tout.

Les pays au bord du Rhin, c'est une cuisine très lourde.

Vous comprenez ce qui se passe dans le monde vous ?
— Pas tout.

T'as grandi ?
— Moi ?
— Pas toi, je parle au chien.
— Je suis à la retraite.
— C'est pour ça t'as le temps.

La poésie, c'est réservé aux vieux.
— Ils ont bien mérité.

Les châteaux du Languedoc, ça, c'est pas les merdes de châteaux de la Loire !

C'est les femmes qui augmentent le chômage à vouloir chercher du boulot.
— Le chômage, faudrait que ça soit réservé aux hommes.

L'air des bulles du mousseux, ça vaut bien une promenade en banlieue.

On est toujours parano quand y a une coupure d'électricité, on croit toujours que c'est que chez soi…

Quand t'as faim, tu préfères la lampe du frigo à la petite lumière dans les églises !

La mondialisation, il ne faudrait pas non plus que ça soit qu'en France.

La population locale, souvent c'est des cons.

Les émissions culturelles en début de soirée pourquoi pas, comme ça on irait se coucher plus tôt.

Il a ses cacas pleins de vers, on dirait Disneyland.

Cinquante francs la séance, pour voir des comédiens qui jouent, c'est cher.

T'as du riz dans la moustache, on dirait Gandhi.

… Ce qu'il faut, c'est changer d'optique.

L'Islam, c'est beaucoup une question de climat.

Le Neandertal, il peut repasser, c'est pas lui qui est notre père.

Je suis pas venu pour faire la carpette devant mon verre !

Un qu'on peut pas confondre avec une femme, c'est Alain Prost.

Vous auriez pas vu mes poires en boîte ?

La méditation pendant des heures, moi faudrait me mettre une télé à l'intérieur.

Wenders, moi je le trouve mou.

À minuit devant la télé...
— Elle est pareille que les chats votre dame, elle voit la nuit.

En Grèce, beaucoup de ruines sont fausses, pour le gogo...

L'Art, c'est contemporain même pas une semaine.

Quand on voit le dedans de l'œil, pas étonnant qu'on regarde la télé avec.

On a eu une alerte au nuage de chlore nous.
— Nous on a eu la télé en panne.

Dis bonjour à Irène !

Touche pas ! Bouge pas ! Touche pas ! Laisse le verre ! Touche pas ! Si tu fais des grands mouvements c'est là qu'elle te pique ! Touche pas ton verre ! Bouge pas ! C'en est plein en ce moment ! Elle est sur la mousse tu la laisses tu bouges pas touche pas le verre ! Touche pas !

Je peux plus boire du vin blanc, ça me fait la mante religieuse.

La Thaïlande, ça se casse comme du biscuit ce pays !

L'Égypte c'est pas cher parce que, avec les terroristes, ça craint du boudin là-bas…

Les prisons sont surpeuplées mais dehors c'est pas mieux…

Un verre de rouge le midi et un verre de rouge le soir.
— Ça doit vous faire les journées longues non ?

Des effets spéciaux, il n'y a plus que ça !
— Moi ce que je préfère au cinéma, c'est les effets normaux.

Grosso modo, il a régné sur un empire.

Avec cette chaleur, je suis tout émolliente !

… C'est ça pépère… c'est ça… va te coucher…

Si tu veux gagner le Tour de France, il faut penser comme le vélo.

Les femmes ne peuvent pas faire du vélo à cause de comment elles sont faites.
— J'en fais moi.
— En professionnel je parle.
— Y a une femme qui en fait du vélo, une grosse femme.
— Une opérée oui ! C'est courant en sport.
— Y a de plus en plus de ministres femmes.
— C'est pas du vélo.
— C'est les mêmes bureaux.
— Ben tiens…
— Le tennis les joueuses sont debout.
— Vous habitez pas en dessous.

Il était content avec son maillot jaune comme une femme qui a fait une belle nuit.

… Les maillots de toutes les couleurs ça fait pas tellement gladiateurs je trouve…

… C'est pour ça.

Le Tour de France, c'est une autre planète.

Ullrich, c'est le meilleur au contre-la-montre.
— Non, c'est Jeanne Calment.

Je suis moins dangereux au volant quand j'ai bu parce que je suis plus prudent.

Virenque est bon grimpeur mais attention, une montagne a deux côtés.

On fait pas de la matelote au saint-émilion !

Moi j'ai fait un enfant mais c'est surtout pour la continuité de l'espèce.

Pour transporter la vie, les couilles ne sont qu'un frêle esquif !

Très intelligent en picolant c'est pas la peine de boire parce que le lendemain tu te rappelles de rien.

Bonjour monsieur Picon-Bière !

... Écoute regarde si tu serres la main à Jospin un jour sur un marché, Jospin lui il a serré la main de Chirac qui a serré la main du pape et ça y est ! T'as serré la main du pape en trois coups ! Ça va vite, tu serres la main à Bourgoin à la Halle de Sens pour les élections et lui comme il a serré la main à Castro t'as serré la main à Castro en deux coups ! Sur terre tout le monde serre la main à tout le monde en trois quatre coups... tiens mieux ! Et Chirac qui est à Monaco, il serre la main à Stéphanie, c'est comme si il serre la bite à Ducruet, et si Jospin demain il serre la main à Chirac en deux coups il aura serré la bite à Ducruet et si Jospin serre la main à Bernadette Chirac, en deux coups c'est elle qui lui serre la bite à Ducruet et si Jospin un jour serre la main du pape, le pape en quatre poignées il aura serré la bite à Ducruet, c'est vrai, c'est une théorie...

Trente-neuf pastis payés trente-cinq ! c'est ça qui va relancer la consommation.

Trente-cinq heures payées trente-neuf, c'est bien, de toute façon moi je pars toujours un peu avant...

Le temps partiel, quand tu sais que tu vis maximum quatre-vingts ans, c'en est déjà.

... Je vais te manager la gueule toi !

Les plus salopes c'est les geishas, à ce qu'il paraît.

Nous les communistes on a plus le couteau entre les dents, tout ce qu'on veut c'est être près de l'homme... de l'être humain je veux dire.

La vie c'est une très bonne école sauf que tu quittes l'école, t'es mort.

Si ça se trouve elle est pas morte.
— On l'a pas vue dans la boîte.
— Sœur Theresa on l'a vue dans la boîte.
— Lady Di ? Tout ce que tu veux, elle est pas morte, elle se cache.

Avec la tête à Chirac, j'achète même pas le timbre.

Si le cochon est mal tué il reste de la peur dans la saucisse.

Les cristaux de neige, c'est fait bien symétriques comme des pensées.

Quand je suis passé, je l'ai vu qui fumait en cachette dans la cour avec le chien.
— Il fume, le chien ?

Une connasse immatriculée 93 qui me coupe la route.
— On frime pas quand on a un numéro qui commence par 9.

Un pt'it blanc pour un grand Blanc !

Visite guidée du Portugal.
— Le Portugal t'as pas besoin de guide.

... Moi du moment que j'embarrasse personne...

Si tu veux me parler c'est 36 15 moi-même et c'est un kir la minute !

L'Allemagne, je l'ai vue dans *L'Inspecteur Derrick*, c'est moche.

La seule langue étrangère que j'aime, c'est celle de ma fiancée.

Le rendez-vous citoyen, un jour que ça va durer !
— Vu les citoyens qu'on a maintenant ça suffit bien.

Il s'en passe des choses dans une partie de football...

Le travail, c'est un métier !

J'ai pas encore cassé mon billet...

On s'est mis à table à une heure et on est sorti de table à trois heures... nous on dit toujours l'heure en anciennes heures. — À table, c'est toujours les anciennes heures.

Rébellionnaire !

Napoléon, il a fini comme un con dans sa cuisine.

Vous êtes du Centre ? D'où ? Tours... Tours n'est pas le Centre, le Centre c'est Alichan... vous êtes pas du Centre...

Dans mille ans on mangera de l'homme, alors ton Flipper le daupin...

Un microbe qu'on voit à l'œil nu, c'est le gui sur les arbres.

Les intellectuels français, j'en ai jamais vu un en vrai.

GRAT ! GRAT !

Un autre Banco s'il vous plaît !

Un Millionnaire !

GRAT ! GRAT ! Un Tac-O-Tac ! Et merde ! Perdu !

Je vais vous prendre un Zodiaque Astro.
— Quel signe ?
— Vierge.
— Ah c'est bien ça gagne Vierge, j'ai une Vierge qui a déjà gagné.

GRAT !

GRAT ! Perdu ! GRAT !

On a jamais vu personne gagner au Monopoly ici... ailleurs peut-être mais ici jamais...

Un Goal.

Bingo ! GRAT ! Perdu !

C'est nouveau le Monopoly mais c'est bien.
— C'est compliqué ?
— C'est compliqué.
— Alors si c'est compliqué... Un Morpion pour le gamin.

GRAT !

GRAT ! GRAT !

Je prends les cinq cents millions et direction la mer...

GRAT!

GRAT!

On gagne jamais avec ça.
— Un Vatoo c'est bien.

Tous les Américains ont le cancer! C'est parce qu'ils mangent du surgelé! Du saumon norvégien, c'est pas pareil, une tranche par rapport à l'autre saumon! Ah çà, faut le prix! Mais la santé c'est important et le goût! Pas de boîtes ici, sauf les champignons de saison on est obligés... Y a des ferments dans tout maintenant... Une purée que je vous fais, vous serez pas malade, et en plus vous allez vous régaler...

Je continue à y aller à Intermarché.
— Vous ne vieillissez pas.

Owen tessai
Owentessai!
Gomachini
Gomachini!
Owen tessai go ma chi niiiiiiiiiiiiiiii...

Rien!

GRAT!

Hier j'ai dégivré le congélateur, aujourd'hui je suis à l'Actiphène et ce midi c'est tombé sur la petite.
— C'est pire que les grands froids.
— Le pire c'est chaud-froid comme en ce moment.
— Hier j'ai éternué deux fois.
— L'autre qui installe des antennes tu verrais... quinze marcs et après les pastis.
— C'est lui qui m'a installé la mienne, je connais, j'ai gagné la télé.
— C'est toi qui as gagné la télé?
— Ma femme, il dit que son patron le reprend dès qu'il arrête de boire, quand même il court sur les toits.
— Y t'a mis la tienne sans tomber ce gars-là parce que la poire alcool à la température de l'air, moi je veux lui glacer le verre, que rien du tout, comme dans la bouteille de là... Combien... Quarante-cinq degrés à la température sans rafraîchir... T'as gagné la télé?
— La télé je l'ai fait venir le matin à huit heures, c'est ma petite qui a réglé les canaux, dans le temps il montait sur le clocher de l'église.
— Il arrivera pas à cinquante ans.
— Tu sais qui a inventé le bifteck haché?
— Non.
— Tu sais rien toi.

… Avec le pape je suis sur l

À sept dans le ventre de la mère, tout le monde est pas assis.

… Si elle accouche un jour de semaine, franchement ça m'arrange.

Tes parents te mettent au monde, c'est à eux de payer quand t'es chômeur.

Peut-être qu

Quand ils ont pas d'argent ils viennent ici, quand ils ont de l'argent ils vont boire ailleurs !

La bonne charcuterie j'ai pas honte de le dire, pour moi c'est une secte.

La manipulation génétique, c'est des piqûres ?

Dééééééééééééhors ! J'ai dit… dééééééééééééhors !
— C'est l'heure de la messe en jaune !
— Déééééééééhors !

même longueur d'onde...

Y avait trois cinémas, un place de la République, un à la place du Prisunic de maintenant et l'autre sur les promenades...
— Sur les promenades d'avant ou les nouvelles ?
— D'avant... Qui a tué Liberty Valence ? *C'est là... enfin... C'était là que je l'ai vu.*
— Alors ?
— Encore perdu.

Jésus avait pas besoin de travailler, c'est comme dans *Ma sorcière bien-aimée...*

La musique classique, ça devrait être gratuit depuis le temps...

Mars ça donnera du travail ?

La guerre d'Algérie, ça a laissé des traces en nous autres.
— Ça t'intéresse un service à thé ?
— J'aime pas le thé ! J'en ai trop bouffé !
— Dix CD avec tous les grands compositeurs, Bach, Beethoven, Chopin, Haendel, Liszt, Mozart, Ravel, Strauss, Tchaïkovski, Vivaldi, et t'as pas de risque, c'est satisfait ou remboursé.
— C'est ce qu'on dit !
— J'ai que des cons aujourd'hui...
— C'est pour qui que tu dis ça ?
— Pour personne.
— On peut très bien aller boire ailleurs !
— C'est ça, et pissez là-bas aussi...

Plus vieux que tout le monde,

Jeanne Calment, c'est de Mac-Mahon à MacDonald.

Vivre cent vingt ans, moi je dis, c'est de la connerie !

Passé cent ans, tu es un phénomène de foire.
— Plus maintenant, c'est des manèges.

C'était la doyenne de l'humanité.
— Doyenne... doyenne... elle avait quand même pas d'armure.

... Dans quatre mois, on est déjà en décembre...

Elle est morte de vieillesse à cent vingt-deux ans.
— C'est plus de la vieillesse à cet âge-là, c'est autre chose.

À la fin elle était gaga.
— Pas plus que Mitterrand à la fin.

Cent vingt-deux ans... plus les nuits...
— Elle a connu Van Gogh.
— Ceux qu'ont connu Picasso, ils iront pas aussi loin.

Elle est née en même temps que l'invention du téléphone.
— Bonjour la note !

c'est pas une performance.

La médecine va étudier son corps pour savoir pourquoi elle a vécu aussi longtemps.
— Non non non !
— Elle buvait du porto.
— Et un verre de vin par jour, et aussi elle mangeait du chocolat.
— Non non non ! Les héritiers veulent pas la donner aux docteurs, elle va être enterrée, ils l'ont dit.
— C'est mieux qu'elle soit enterrée, la pauvre.
— C'est utile que la science elle sache le secret.
— Pour qui ?
— Pour nous.
— Pour vous ?
— Elle buvait du porto.
— Vous avez qu'à boire du porto.
— C'était une femme qui était pareille que tout le monde, elle a rien de plus, elle a pas de secret, c'est de la chance…
— La nouvelle femme la plus vieille, elle a cent onze ans.
— Ils ont qu'à étudier celle-là puisque elle est pas connue.

Les tissus cérébraux des vieilles dames, c'est toujours à carreaux !

La longévité c'est écrit dans les gènes mais pour lire un gène faut pas être un con.

Moi mon frère il était boulanger, il a été obligé d'arrêter, la farine ça lui bouffait les poumons.
— Moi ma mère quand elle a été aveugle, elle y voyait plus rien.

… Moi j'y vais plus au *Sancerre.*

… Elle aura traversé l'histoire cette femme-là…

… Elle aura fait un trou dedans, même !

… Connard.

Les lunettes ça a fait des progrès parce qu'avant t'avais deux yeux au fond et deux yeux devant.

À treize ans tu peux pas avoir un bébé, tu ponds un œuf avec des points dessus... maxi.

Le nombre de vieilles qui se font attaquer dans les rues pourries et Jeanne Calment on peut même pas lui prendre son cerveau quand elle est morte, c'est deux poids et deux mesures!
— Qu'est-ce que tu veux en foutre de son cerveau?
— L'étudier!
— Étudie déjà le tien.

... Après on verra...

... Il parle même pas anglais et il veut étudier le cerveau de Jeanne Calment!

... Elle est mieux là où elle est.

... On va pas lui prendre sa tête de force...

Il était habillé comment?
— Je sais pas, je regarde jamais les autres.

Une morte de cent vingt ans, ceux qui sont morts depuis mille ans ça les fait bien marrer!

Vingt et un sur la fenêtre du jardin ce matin.
— Holàlàlàlà!
— Ce matin!
— Holàlàlàlà!
— Tôt.
— Holàlàlàlà!

Vous lisez au soleil sans chapeau? Vous êtes folle!

Huit heures pile, moi je chie comme du papier à musique.

Des milliards de cellules.
— Parle pas de milliards comme ça.

Lundi... Inde, la saga des Nehru.
— Y se foulent pas sur Canal...
— Remarquez sur la Deux c'est pas mieux, Jeunes chrétiens au Liban.
— Franchement... Quelle heure ?
— Dix heures trente.
— Le matin ?
— Et sur Arte, Les Enfants marchandises, *à zéro heure quarante-cinq en plus...* Les Enfants marchandises.
— Y a longtemps qu'on est couchés !

Berlioz, Blerioz ? tout ça c'est pareil.

... Ça change de registre...

Le boucher, il boit ses pastis au Vittel.
— Ça gagne bien la boucherie.

À force on est cubistes avec nos glaçons.

Avant d'être un chômeur un homme est un être humain !

Dans les bidonvilles, t'avais pas les caves !

Les Marocains adorent dire bonjour... je sais, j'en viens...

... Les Marocains j'y étais là-bas.

À Quimper, c'est pas mieux.

... **Q**uand y aura plus de grain à moudre...

... **C**'est le bon sens qui parle...

Interdiction de se baigner à Saint-Tropez, tu parles !
— Les orages ont déversé les égouts dans la mer...
— Tu parles !
— Soi-disant c'est ça...
— Toute la merde est partie à l'eau, tu parles ! La merde à Barclay, ça me gêne pas moi, moi je me baigne !
— Si sur un mois de vacances tu peux pas te baigner quinze jours...
— Mais moi dans la merde à Barclay je me baigne !

Huit cent soixante millions d'Indiens ! putain pour nourrir tout ça, y a même pas le nombre d'assiettes.

Tout ce que l'Inde est devenue, elle le doit au maréchal Gandhi.

L'Inde, c'est pas à l'échelle humaine, y a trop d'hommes.
— Ils sont trop nombreux... lâche un poulet dans Calcutta, tu vas voir le bordel...

Blanc sur rouge, rien ne bouge ! Rouge sur blanc, rien ne bouge !

... Quand tout le monde sera égorgé en Algérie, eh ben, ils arrêteront d'égorger !... c'est le bon sens qui parle...

... **I**ci y a de l'air... à Paris vous verriez, y a pas d'air à Paris...

Moi on m'enverra jamais sur Mars, c'est déjà ça.

C'est dans lequel de Jules Verne qu'ils traversent un désert ?
— Je sais pas mais c'est facile à trouver, y en a pas 36 000 des Jules Verne.

Tu déterres Picasso aujourd'hui c'est *Guernica* !

L'huître par rapport à la moule sous l'eau ça reconnaît la différence en se touchant avec le tactile...

La pollution des bagnoles, eh ben, t'as qu'à fermer tes fenêtres !

Il est de quel signe le pape ?

Violer et torturer un gosse de quatre ans ! Ces gars-là, moi je sais pas ce qu'il faudrait leur faire, la peine de mort c'est encore trop doux pour eux !
— C'est des malades mentaux, faut les enfermer avant... Après quand le mal est fait c'est trop tard... Sauf que souvent avant ce sont de bons pères de famille.
— On n'a qu'à les enfermer avec des animaux pour mesurer les pulsions, ils ont des pulsions avec tout ce qui bouge ces gars-là !

Le foot c'est plus que des histoires de gros sous, chaque doigt de pied des connards en short c'est une banque maintenant...

Limiter la vitesse des voitures contre la pollution c'est encore plus con parce que celui qui roule lentement, il fume.

Meurtrier à quinze ans !
— C'est même pas l'âge du permis de conduire...

... À leur verre de l'amitié, j'y suis allé, que des cons !

Le Mescal, l'alcool qui rend con, c'est une ville au Mexique.
— Putain, je préfère habiter Saint-Émilion.

... Et c'est vrai en plus.

Des fois je préfère me taire et croquer un radis.

Montereau, y a des putes.

Elle est partie ta femme ?
— Elle est allée au pain !
— Quand on a pas de tête faut des jambes.
— Ma femme elle a pas de jambes non plus.

Pour les nerveux faut aller dans le Nord à cause de l'iode et surtout l'équinoxe.
— Mais non.
— Geneviève si !

T'as fait le tronc de l'église !

T'as fait la quête ?!

T'as attaqué une petite vieille ?!

Je te préviens, j'ai que de la petite monnaie.

T'as chanté dans les cours !

T'as été à la messe ?

T'as fait la manche !

Tu les fabriques dans ton garage !

Aujourd'hui, celui qui pisse le plus dans son violon c'est le Tzigane.

J'irai sur Internet quand y aura des champignons !

... Des vraies vacances... on a dormi et on s'est gavés d'huîtres...

... Tous les ennuis qu'elle a eus depuis qu'elle est jeune et elle se plaint jamais cette dame ! tout ce qu'elle a pas pleuré et qu'elle a gardé pour elle cette dame, c'est un lac de retenue !

... Nous on part en Bretagne faire des trous dans l'eau...

Pour un viol le test génétique est plus fiable que l'empreinte digitale, le mec va pas se passer le bout de la bite au papier de verre.

... Comme j'aime pas tellement le whisky, des fois je sais pas quoi boire.

... Tous mes rosiers ont soif... un panaché René... et pourtant je suis pas un rosier...

Le premier chômeur, c'était Jésus.

Direction Nantes et après on verra.
— Nous, on se fait pas d'itinéraire.

Oléron, pas un toubi ! le petit était malade et pas un toubi !

... Avec toutes les têtes de cons qui bossent à RTL c'est plus une radio, c'est la télé...

On était nus toute la journée et même à la buvette.
— Le corps en liberté, il va jamais bien loin.

La pulsion sexuelle ça fait bouffer de l'essence parce que souvent pour assouvir tu vas loin.

Je connais des anormaux plus normaux que des gens normaux !
— Tu morves, on dit que t'es anormal alors que si ça se trouve, t'as eu froid sur le marché.

Ça sert à rien d'être riche, tu pètes dans la soie et ça sent pareil.

Un jour on vivra sur d'autres planètes.
— On en a déjà une, je vois pas pourquoi il faut changer ! ?
— Un saucisson sur la lune, tu le conserves puisque y a pas de microbes.
— Tu me le donnes le pape, je sais pas quoi en faire...
— C'est quoi ce travail ?
— Voilà, on boit, on tombe et c'est le pouce qui trinque.
— Ça fait longtemps que t'avais pas touché du plâtre pour un plâtrier !

Les rapports humains avec ma femme ça va.

C'est le monde à l'envers sur cette île, on te met une amende si tu gardes ton slip.
— Dis-moi le nom que j'y aille pas.

... Ça vient d'une autre planète un but comme ça...

Le pape à Paris, plus l'ozone, ça promet...

Il est assis tout l'après-midi, c'est de la fibre spéciale, sinon sa robe elle lui rentre dans les fesses comme pour les filles.

Tu te balades après la messe, t'imagines tu trouves le carnet de chèques du pape ?!

Le pape, c'est le plus riche du monde.

Le pape je m'en branle, j'écoute Eddy Mitchell.

Jésus est parmi nous, avec nous, olé lé olélé...
— Soixante-quatre francs.
— C'est pas le prix que vous avez dit !
— C'est le prix de dedans et vous êtes en terrasse, en terrasse c'est plus cher.
— Vous avez dit de sortir en terrasse dehors.
— On ne joue pas de guitare dans l'établissement mademoiselle.
— C'est cher.
— C'est le même prix pour tout le monde, si le pape vient je lui fais payer pareil.
— Hi hi !
— Vous allez voir le pape ?
— Bien sûr ! Jésus Jésus ! Jésus est avec nous !
— J'ai des boissons à emporter si vous voulez les jeunes.

Bouddha, si tu crois qu'il se déplace lui ?!

Jésus Jésus ! Jésus mon Jésus !

Des heures au soleil ! avec tous les habits qu'il porte ! putain, ça doit sentir le cow-boy dans la chambre du pape.

Presque quatre-vingts ans le pape, et toujours en voyage.
— Ma mère elle est à la retraite et ça fait deux fois qu'elle fait l'Égypte.

Un pape c'était bien à l'époque de Jules César mais maintenant ça sert à qui franchement ?
— Si il pouvait redonner un peu d'idéal à la jeunesse…
— Les catholiques en ont, ce sont les fainéants qui ne travaillent pas.

Ils ont tous des gros culs en short avec des grosses cuisses et des gros genoux et ils chantent dans la rue tu les reconnais tout de suite les grosses merdes de gros cons de catholiques !
— Respectez les croyances, monsieur.
— J'aimerais bien être un homme préhistorique pour péter la gueule à tous ceux qui me font chier.
— Jésus était là avant.
— Avant l'atome ? Charlot que t'es ! Paye un coup déjà toi.
— Chacun est libre, monsieur.
— Continue pas, je te déboîte.
— Vous êtes d'une intolérance rare !
— Rare ? Moi ? Viens à la maison tu verras.

Ma bite ma bite oh ma bite !

Avec Walt Disney on aurait un pape qui a un lapin sur les genoux.

… Opéré du côlon ! un pape !

Trois cent mille au Champ-de-Mars pour la messe…
— Avec eux quand ils seront partis vous retrouverez pas une capote dans l'herbe.

Tu vas me faire le plaisir de te

Quand t'as des copains, l'organe du sentiment c'est plus le foie que le cœur.

Comment il s'appelle l'aveugle qui est tombé de vélo à Deauville ?
— Heu... Erdern Hallier.
— C'est ça !... il est devenu quoi son vélo ?

Ma grand-mère, quand elle était pour avoir un rhume, elle se mettait deux gousses d'ail dans les trous de nez, tenez.
— Moi ma mère quand elle faisait de la tension elle se mettait deux gousses d'ail dans les oreilles, pour éviter la congestion... épluchées attention !

Jean Lefebvre, nous l'avons vu au théâtre, quel comédien celui-là !

Du Ricard, j'en bois jamais à la maison.
— C'est moins bon.
— Pas du tout le même goût !

T'amènes les femmes à la chasse ?
— Les femmes à la chasse, jamais ! on est pas des pédés !

Après la messe du pape à Longchamp, c'est le moment de faire un Quinté.

La même paye que le pape, ça m'irait.

T'es riche à Crésus to

mettre en short...

Les meilleurs asticots pour la pêche, tu les trouves sur le commandant Cousteau.

Vous êtes au courant ? Il paraît que madame Tisserand a des problèmes avec son chat.

Dix avions américains qui passent dans le ciel en faisant de la fumée c'est quand même pas la patrouille de France parce que la patrouille de France c'est français...

... C'est pas de la fumée c'est du bleu blanc rouge.

... Les Américains on s'en branle.

... Mais oui.

... Mais si.

... Les Amerloques.

... Ils font tous quatre cents kilos.

Barcelone c'est sympa mais alors, hyper-pauvre !

L'Algérie c'est des barbares mais aussi à force de vivre dans le désert.

Les abris Decaux, ils sont partout dans le monde comme la secte Moon.

Vous avez vu les carnages en Algérie ? ça me fait peur moi.
— Attention, c'est les journalistes qui le disent, on ne sait pas.

On est rentrés, la pelouse toute jaune !

Si tu mets une bombe dans une Cocotte-minute, faut pas trop bien la fermer parce que tu auras que le petit bouchon qui s'envole.

Madère, c'est des paysages, tous les quatre cents mètres ça change...

... Les grands espaces, c'est bien à voir.

... On a vu un film y a pas longtemps sur La Havane, tous les murs écaillés et tout...

Alors t'as rencontré Michel sur le palier qui t'a dit, c'est même pas la peine d'y aller ?
— L'Irlande...

... Un bon service et des pâtes fraîches ! Ah les pâtes fraîches !

... Strasbourg, Colmar, tout le périple quoi...

On a visité un château du médiéval.
— C'est beau la pierre apparente.
— Le prix de la crêpe ! Vous sortez du château médiéval, elle est moitié moins chère.

... L'Ardèche, je n'ai jamais eu autant d'impressions de ma vie.

Quand tu pètes dans une chambre, ça prend tout l'oxygène des fleurs.

Et les vacances ?
— Courtes mais bonnes.

Je bois pas de bière parce que ça fait grossir mais le gewurtze j'en boirais pas trente-six, c'est le seul vin blanc qui donne pas de crampes mais ça chauffe et heureusement j'ai pris mon petit déjeuner ce matin, moi ce que j'aimais c'est les petits comptoirs ronds...

... Notre mainate, avant de mourir le pauvre il chantait *La Marseillaise*, il parlait comme nous.

En France, il y a moins de vent qu'avant, on reste coiffée.

J'ai une robe comme la reine Margot mais je sais jamais quand la mettre.

Dieu, par rapport à Allah, il va finir maire.

Les Juifs, pour moi c'est des Arabes pareil.

J'ai relativisé beaucoup de choses et c'est pour ça que je suis toujours de bonne humeur.

Mais qu'est-ce qu'ils foutent sur Mars toute la journée... c'est tout pareil.

Ils vont leur retirer le prix de la station Mir de leur paye, à ceux qui ont fait les cons.
— Ils sont pas prêts de recommencer un accident là-haut ces deux-là.

Le prix Goncourt, c'est encore histoire de nous prendre des sous à la poche.

Les peintres, c'est nos sous.

Chaque peintre a son monde, mais ils exposent tous au même endroit.

Un jour sur deux vous êtes plus apte à l'observation, parce que tous les jours, à voir des choses... à force...

L'homme moderne était déjà DANS le poisson du début de l'époque, c'est pas moi qui le dis, c'est l'évolution.
— GÉNÉTIQUEMENT, je le sais.

La météo, tu peux la prévoir cinq jours à l'avance alors que demain tu seras peut-être mort et tu le sais pas alors critique pas la météo...

Vous avez entendu les informations ?! Diana a été tuée !
— Diana ?
— Lady Di !
— À Paris ?
— Trente-six ans ! avec deux enfants, elle est morte à quatre heures du matin.
— Moi à quatre heures je dormais.

... Elle serait restée à la maison avec les gosses, ça serait pas arrivé.

C'est des photographes qui poursuivaient la Mercedes à cent soixante sous le pont de l'Alma !
— C'est limité à combien là-dessous ?

C'est de la faute des gens qui achètent les journaux.
— Je regarde que les merdes de la télé alors j'y suis pour rien.

Vu l'état de la bagnole, elle devait ressembler au caca quand tu manges du crabe.

Paraît-il que les spectateurs ont cassé la gueule à un photographe ?
— C'est pas assez ! il faut le coucher par terre et rouler dessus avec la voiture !

Les journalistes... ils font plus de mal que de bien.

C'est Blanche-Neige tuée par les sept nains.

C'est des photos qui valent des milliards !
— Moi je risque pas d'avoir un accident sous le pont de l'Alma, je fais des photomatons au Prisunic.

Ils ont dit dans le journal qu'elle avait de la cellulite.
— En Angleterre peut-être, mais pas en France.

Elle est morte fin août, donc le signe de sa mort, c'est Lion.

... C'est pas de la bonne pub pour Mercedes ce coup-là.

Il y est pas allé mollo le chauffeur pour plier une Mercedes 600 !
— Et en plus avec un milliardaire dedans.

Au Ritz c'est le merdier, on sait pas qui commande.

Quand t'es mort, c'est même pas la peine de faire de la rééducation pour revenir.

Les journaux maintenant, c'est des poubelles !

Elle est morte en Angleterre et ils ont refait l'accident en France pour faire porter le chapeau aux Français ! les Anglais nous aiment pas... Ils ont transporté le corps pendant la nuit... C'est facile pour eux, c'est les meilleurs services secrets du monde ! C'est la France qui va payer l'enterrement et ça va coûter bonbon avec les tirs des canons à la télé !

Un chauffeur professionnel qui sait pas conduire bourré, franchement.

Les médias n'ont plus qu'à se moucher !

Franchement...

... C'est pas sérieux.

À la place des stars ils ont qu'à mettre des sosies, si ils meurent c'est pas grave, les sosies ont pas une vie à eux.

... Ou mettre des gens avec des perruques.

... Des cascadeurs...

... Avec les Anglais, c'est tout ou rien.

Un gramme sept d'alcool dans le sang, c'est pas beaucoup pour un gars de Lorient !

Sœur Teresa, c'était une sainte en Inde mais les vaches aussi.

Je vais vous jouer un morceau d'accordéon pour lady Di.
— Fais pas chier, c'est pas ta femme !

Toutes les femmes algériennes qui se font massacrer on n'en parle pas mais lady Di...
— C'est quand même pas des belles femmes pareilles.

Les paparazzi ont perdu beaucoup aujourd'hui.
— Au prix de la photo...
— Ils ont tué la poule aux œufs d'or.
— Maintenant, ils vont retourner faire chier Patrick Bruel.
— Bruel ? Il vaut plus rien.

... Pour le prix de la chambre, le Ritz te refait le nez.

C'est un enterrement planétaire.
— Mais non, le trou est tout petit.

Vous avez vu l'accident de train ?
— Depuis lady Di, ça n'arrête pas les morts.

Si c'est vrai que c'est une sainte Sœur Teresa, pourquoi ils lui font pas l'autopsie ? Comme ça on saurait comment une sainte c'est fait dedans, non ? C'est l'occasion non ?

Un café avec une larme de lait... pas des pleurs...
— Un café triste, un !

Tu préfères quoi ? Le fœtus ou le haricot qui germe ?

Je vis à l'heure solaire depuis Giscard d'Estaing.

T'as plus de bière bouteille ?
— Plus une.
— Putain ! C'est la nécropole !

Est-ce qu'on a bu tout ce qu'on a payé ?

C'est pas possible d'avoir deux grammes dans le sang tout seul, deux grammes dans le sang ça représente au moins deux copains qui boivent avec toi.

Une voiture allemande, une princesse anglaise, un chauffeur français et du pinard français dans le chauffeur, c'est l'Europe comme accident.

Diana, elle était comme nous.

Tout est mondialisé, tu trouves des escargots à New York.

Il est rentré à l'école le tien ?
— Il a pris son cartable en tous les cas.

L'archéologie, elle peut dire merci à l'Égypte.

Quand je fais des photocopies au bureau, des fois je me dis que je suis une malade, mais je crois pas.
— Il faut bien que quelqu'un les fasse les photocopies.
— Je sais, c'est moi qui les fais les photocopies, je le sais que je suis une malade, mais je crois pas.
— Deux kirs à la cerise !

Alors j'ai pris un avocat juif, si vous voyez ce que je veux dire...

Où tu veux aller avec une voiture française ?

Ça fait combien de degrés le gazole ?

Moi si j'ai le pouvoir, les satires politiques je m'en branle.

On est pas plus cons que l'opinion publique.

C'est le cerveau qui est le plus irrigué par l'alcool du sang.
— Moi je fais du yoga, mon sang je l'envoie où je veux.

Tu ne peux pas intégrer un Noir qui ne veut pas qu'on l'intègre.
— Pourquoi de force ? Ils veulent s'intégrer.
— Mais non, ils veulent être noirs, c'est tout ce qui les intéresse.

Tu régularises les sans-papiers, toute l'Afrique va venir ! toute ! on aura plus qu'à aller en Afrique puisque y aura plus de Noirs là-bas.

La réforme de la police, déjà qu'ils trouvent une autre casquette ! ils peuvent pas courir avec celle-là.

À chaque fois ils stérilisent les débiles pour pas qu'ils fassent des gosses, en France, en Inde partout.
— En Inde, les débiles, c'en est plein.
— T'as des gosses toi ?

... Le musée du Louvre c'est des faux parce que attention ! si ça brûle attention ! les assurances veulent jamais rembourser même un carreau alors *La Joconde* tu parles, c'est eux la faute ! c'est des faux ! T'y vas au Louvre toi voir des faux ? Ben merde, moi j'irai jamais si c'est pour voir des faux !

Même avec ma femme je suis pédophile puisque elle nous fait du riz au lait.

Vous avez regardé l'éclipse de lune ?
— Il paraît qu'il n'y avait plus la lune.
— C'est ça.
— Non, j'ai pas regardé quoi d'abord ?
— L'éclipse de lune.
— Non, et pourquoi d'abord ?
— L'éclipse.
— De la lune.
— Oui.
— Non.

Je garde tous les horoscopes de tous les jours de l'année dans une boite, comme ça je sais ce qui m'est arrivé.

La musique classique, une fois que c'est fait c'est fait...

La musique de guitare, la pendule, c'est le même acabit.

Tu lis quoi en ce moment ?
— Rien.
— Tu me le passeras ?

Le soleil est là... la terre est là... comme la lune est là, le soleil éclaire plus la lune et on voit plus la lune.
— C'est quoi cette couille encore ?

C'est l'homme qui a le cerveau le plus complexe.
— Moi j'ai pas de complexes.

C'est des pédés qu'ils envoient dans l'espace.

Le char Leclerc c'est moderne, mais où ils chient là-dedans ?

Heureusement qu'on a pas le psychique par-dessus les cheveux !

Je suis tout le temps entre la réalité et l'imaginaire.
— Y a rien entre.

L'art, si on en avait besoin on en serait nous-mêmes, comme le manger si tu préfères...
— T'es en voiture ou t'es en taxi ?

Dieu est pas dans l'église, il est dans l'arbre sur la place.

Moi, je suis intransigeable avec moi-même !

L'abus d'alcool, c'est dangereux si t'exagères, sinon ça va...

Quand t'es amoureux tu vois tout en rose.
— Moi ça m'énerve le rosé.

C'est une chiotte publique la télé, tout le monde passe derrière tout le monde dans le poste.

Je serais une femme, je m'en mettrais quatre des prothèses mammaires.

Elle est tombée par terre l'olive ?
— Faut pas avoir la psychose non plus.

La Callas, faut aimer sinon...

Dans les médias ça parle que des trains qui arrivent en retard, jamais des trains à l'heure.
— Dans les médias le mieux, c'est les accidents de trains.

L'espace c'est infini, y en aurait moins ça serait pareil.

Les trous d'air en avion c'est au-dessus des villes parce qu'on respire trop.

Un chanteur connu qui avale sa langue, c'est comme quand nous on se fait avaler la carte Bleue.

... Ça leur apporte un supplément de dividendes alors bien sûr tu parles évidemment pas fous les gars tiens tu parles...

Je suis fatigué de la ciel au terre !

Le feu est toujours plus petit si tu es pompier bénévole que pompier professionnel.

C'est la cacophonie en Chine, la cacophonie !

Il lui manquait que la baguette de pain sous le bras à ton Ché !

... Ce qui fout la merde, c'est les bras.

J'ai fait comme Airbus, j'ai choisi l'avenir...

Le GIA qui égorge tout le monde et personne ne dit rien, tant qu'à faire il a raison.

Tu gagnes au Loto, tu deviens un mythe.

La France profonde c'est les cons dans leur tête pour eux... le jour où t'auras des cons sur Mars, l'espace on dira que c'est l'espace profond, pour les sondages.

C'est un objet

Jésus est né le 3 avril, c'était dans le journal.
— Bélier.

Alerte à la rougeole !
— Deux blancs.

Tu es trop humain !
— Moi ? C'est pas mon genre.

Le racisme, c'est pas rationnel.
— J'ai un Noir qui habite sur mon palier, si ça c'est rationnel !

... Je sais pas ce qui te faut.

Si je ressuscite, je me tire aussi, je fais comme Jésus.

À dix heures et demie ils sont au lit les Japonais.

Ce monde est fait que pour compliquer, il est jamais simple.
— Moi ça va.
— Mais non !
— Le monde meilleur...
— C'est quand je dors.
— Mais non !

J'ai déjà tout réglé pour mon enterrement comme ça si je meurs, c'est moi qui m'enterre.

du culte.
— Pas le pape.

Un lierre grimpant que tu mets sur un balcon au vingt-cinquième étage il doit pas se croire de la merde celui-là.

Ils ont encore mis dix mille tonnes de viande folle sur le marché !
— J'en ai pris deux cents grammes, c'est pas ça qui va nous tuer.

... Entre nous c'est chimique, tu vois, il y a vraiment quelque chose qui se passe...

L'ouvrier, soit il vit à genoux, soit il pue des pieds.

Elle a pas un super design la couille.

Un porto !
— Rouge ? Blanc ?
— Bleu !

J'aime pas le cidre bouché... je préfère le débouché.

T'as pas repris ?
— Mais non ! J'ai perdu deux kilos, et puis ma vie privée te regarde pas, tu vas pas faire chier comme les journalistes, tu vas pas m'envoyer sous le pont de l'Alma !

Quatorze heures trente-sept minutes.
— Fait chier son truc sans aiguilles aussi...

À la télé tout est contrôlé par le gouvernement, même l'heure.

Vous avez vu l'accident à cause du brouillard !
— Le sida ça va être fini et on a encore du brouillard sur la route non mais franchement…

Le pouvoir est jamais blanc comme neige !

Deux cents chaînes de télé ! Ça va être chiant comme si tu lis un livre à force…

C'est pas le moment d'aller à l'hôpital, tout le monde est malade là-dedans.

Moi les putes c'est une médaille tout de suite.
— Y en a plus des putes.
— Les jeunes qui font des enculades avec le balai dans une école d'agriculture, vous avez vu ça ?
— C'est pas une médaille eux, c'est mon pied aux fesses.
— Complètement déréglés.
— Elles font un travail social.
— Un lycée agricole.
— Pour être jeune maintenant, faut pas être normal.

Dans le foot, y a tous les droits de l'homme qui existent.

Vingt-six degrés dans le Sud, c'est de la folie !

Walt Disney, avec son parc qui dévisage, je l'encule.

Je savais que les boulangers c'est pas intelligent mais je m'aperçois que les charcutiers c'est pareil !

Voltaire, c'était une sacrée tête de lard.

... J'arrête... j'arrête... le patron il a qu'à me foutre dehors si je fais chier non non j'arrête j'arrête... une bière faut la boire quand on a pas dormi... tout de suite bing ! non j'arrête... un calva ? la gorge... j'ai la gorge... et mon argent... tu le veux pas mon fric tu regardes où ? je suis là ! t'es un Rital mais moi je suis Rital... j'arrête j'arrête... j'étais que de la gentillesse avant, maintenant je suis que de la haine j'arrête... j'arrête... le patron me fout dehors si je fais chier... je ris dans la nuit... j'ai de l'humour... t'as de l'humour toi... pfu... t'es un Rital de merde moi je suis Rital j'arrête comme toi... j'arrête j'arrête... j'étais que de la gentillesse... que de la haine... j'arrête...

Tu mets pas d'eau dans le pastis ?
— Je bois comme un veuf... à la tienne... je pleure dedans.

Sur Internet on est des nomades qui vont partout parce que dehors c'est plus possible, les Manouches peuvent même pas garer leur roulotte.

La robotique, si quelqu'un débranche avec ses pieds c'est pareil...

... Tu parles d'un progrès...

Gibraltar, lady Di, ça chie pour eux cette année...

T'es sédentaire ou on change de turne ?

Des cigognes, combien y en a-t-il ?
— Où ?
— En général.
— En général ?... alors là... c'est une colle.

Dans l'Amazonie.
— Oui.
— La forêt.
— Eh ben.
— Ils chassent, ils pêchent, et ça leur suffit.
— Faut pas avoir peur des ventouses.

Il a fait son caca dans l'eau.
— Eh ben, il a raison.

La pollution il en faut, ça prouve qu'il y a du boulot.

Ma femme est enceinte, alors nous ça fait longtemps qu'on en fait du co-voiturage !

La fumée des voitures, on a qu'à la récupérer et la mettre dans des cigarettes, pour ceux qui aiment ça.

Quand on respire on avale dix litres d'air par minute.
— Eh ben dis donc, heureusement que ça fait pas pisser.

... Avant c'était le sexe qui dirigeait le monde, et ben maintenant, c'est les poumons !

C'est interdit de prendre la voiture.
— Ils mettent de la pollution pour qu'on prenne le bus et ça fait marcher l'administration, tu parles c'est ça !
— C'est les voitures qui finissent par le pair qui roulent.
— Le pair où ?
— Au milieu.
— Un c'est impair.
— Zéro c'est quoi ?
— Zéro c'est pair.
— C'est impair.
— Tu finis par zéro ?
— Je sais pas.
— Tu connais pas ton numéro ?
— Moi je suis dedans la voiture, je vois pas le numéro.

Tchekhov, c'est le temps qui passe.
— C'est tout ?

Deux cafés !
Un petit crème !
Un allongé !

Du alterné, j'en fais déjà, je rentre un jour sur deux.

Le trou d'ozone, on a qu'à y mettre une soufflerie.

… Je mets la gosse dans le caddie avec les courses sinon je l'oublie…

Gary Grant, il gardait ses chaussettes au lit, ah si, j'ai vu une photo.
— Dans un film ?
— Chez lui.
— Les chaussettes chez lui Gary Grant, ça m'étonnerait.

Joe le taxi y va pas partout
Marche pas marche pas
Le taxi jaune du bar
Les coins noirs
Joeeeeeeeeeeeee le taxi
Dans sa caisse la musique à Joe
Rumba !

J'ai une bonne mémoire, j'oublie tout ce qui me fait chier.

L'Angleterre fait partie de la France depuis longtemps, je sais pas comment ça marche, c'est pas officiel, c'est officieux.

Il a pas plu d'eau depuis combien ?
— Deux mois.
— À mon époque, la pluie, elle tombait.

Je suis pas parfait mais toi aussi tu es pas parfait non plus !

Le mensonge me dégoûte !
— Menteur.
— T'as vu l'âge que j'ai ?
— Non.
— Moi pareil, j'ai pas vu l'âge.

Avec Internet, tout le monde rentre chez vous.

Avec Internet, la maison c'est un moulin à vent.

Beethoven, quand t'as mal aux dents c'est pas le moment.

Les larmes, c'est de

Tu viens ?
— Trente-cinq heures de travail par semaine, je les fais pour rien mais qu'on me paye le temps de repos.
— Je vais en face.
— C'est bien de sucrer les allocations familiales aux riches !
— Les riches vont arrêter de faire des gosses.
— Tant mieux !
— En face ? c'est des cons ! essaye de te garer devant, tu verras.
— Si c'est ça que vous voulez... y aura plus de gosses de riches et y aura plus que des gosses de pauvres.
— Des gosses de pauvres, même moi j'en ai.

Des gosses de pauvres tout le monde en a.

À la maison j'en ai un comme ça de livre avec la couverture verte de George Sand mais attention c'est pas un homme, bon, c'est une femme.

Mon grand-père est mort.
— Il est mort ?
— Il est mort mon grand-père, tu comprends ?
— Il est mort.
— Il est mort je te dis.
— Il est mort...
— Il est mort !
— J'ai compris.
— Mais non, il est mort !
— Il est plus vivant ?
— Il est mort !

Eh ben...

Non, y a pas de Gégène par ici.

À l'hôpital t'as pas de microbes dans les couloirs, les microbes restent dans les chambres.

la pisse qui raconte.

De Gaulle il en a croqué aussi, tiens...

Papon, il a fait son travail, ni plus ni plus moins puisque c'est un enculé de fonctionnaire.
— Pétain, c'était un fonctionnaire, ni plus ni moins aussi...
— Vous jouez.
— Les seuls qui travaillaient encore pendant la guerre, monsieur, ce sont les fonctionnaires.
— Si vous cherchez des nazis, allez à la Sécurité sociale et aux Impôts.
— Vous jouez.
— Près de chez vous ?
— Partout... c'est quoi l'atout ?

Faut tuer les vieux !

J'avais plein de trucs à faire cet après-midi.
— Vas-y.
— Je n'ai rien fait.
— Même chose ?
— De toute façon trop tard.
— Vivement les trente-cinq heures.
— C'est trop.

Je sais pas ce que j'ai au genou, je marche plus en ce moment.
— T'es venu comment ?

La vraie démocratie c'est quand l'émir prend le métro tu lui demandes les papiers, tu t'en fous de l'émir, c'est un homme à égalité, d'ailleurs si l'émir s'habille normalement c'est qu'un Arabe.

Quand j'ai fini de lire, moi je jette le livre comme le dentifrice.

L'asticot qui est dans le poisson, pour lui ça sent le poisson autant qu'à la poissonnerie.

Le perce-neige de l'eau c'est le nénuphar.

Le poisson rouge c'est chinois.
— Et moi qui en ai un !
— Mais non…
— J'ai rien dit.
— Si je pars pas maintenant je pars plus.
— Reste.
— Euh… bon…

Le textile c'est pas une industrie, c'est des chaussettes.
— Moi j'en mets.

Mais vous êtes trop petites.
— On est venues parce que les parents sont à table.
— Ils sont à table les parents.
— C'est ta petite sœur ?

Les informations c'est toujours pareil, toujours pareil les mêmes choses qui se passent, la seule information qui change c'est les numéros du Loto.

Si t'as les chiens, t'as les puces de traîneau pas loin.

Moi j'ai un chien

Horrible ! C'est horrible ce qui se passe en Algérie ! Horrible !
— C'est des histoires de pétrole, nous on saura jamais.
— L'Algérie française aurait continué de nos jours vous verriez qu'ils s'égorgeraient pas entre eux, ils seraient tous bien contents avec le RMI.
— Trop tard pour eux.
— Je le dis comme je le pense.
— La guerre c'est ni plus ni moins parce que l'homme est guerrier.
— Vous en mangez bien vous de la viande !
— Je ne dis pas le contraire.
— Vous êtes allés sur la Côte d'Azur ?
— Oui.
— Vous avez eu le beau temps ?
— Oui, on a eu le même temps que les autres.

Tout ce sang qui coule en Algérie, ça va finir qu'ils vont faire pousser des meilleurs légumes que nous.

Le droit du sol ou le droit du sang, mais avec le droit du sang ça finit toujours que vous saignez sur le sol.

de traînard !

Je veux pas qu'il en ait un, c'est trop dangereux le scoter, c'est mal équilibré avec la tête au milieu.

En superficie, le paradis est plus grand que l'enfer puisque dans l'enfer on nous tasse...

L'ordre moral, t'ouvres le crâne en deux, c'est le même bordel que le désordre franchement.

Un bon comédien qui pleure sur ses impôts, je le crois pas.

Dans les centenaires, c'est plus devenu une sorte de sève d'arbre que du sang.

Le vrai crottin de Chavignol est salé à la main.
— Et il faut que la main soit de Chavignol.

Celui qui a marché sur la lune, je voudrais lui faire son photo-portrait quand il marche dans la merde pour voir son expression.

C'est pas la peine de pérégriner si c'est pour aller chaque fois au tabac.

La photosynthèse, c'est quand le soleil fait sortir les photographes.

... Déjà moi je vois pas comment je vais pouvoir les faire les trente-cinq heures, j'arrive à la demie...

Diviser le travail, c'est couper le cheval en quatre !

Je dis pas tous mais un poil de cul sur dix qui serait une herbe, on s'assoirait sur l'herbe.

Boulangerie!
Pâtisserie!
Épicerie!
T'as le cumul des mandats!

Tenez, un autre exemple, le clafoutis...

Les Algériens, à genoux ils veulent être français aujourd'hui, à genoux.

La politique, on en sait même pas le dixième de ce qui se passe.

Elles ont du mérite les femmes parce que moi tu me mets un enfant dans le ventre, je le digère.

Une petite pièce, madame, pour rester propre...
— C'est pas avec une pièce qu'on se lave jeune homme, c'est avec du savon.

Dans la mode de maintenant c'est pas des femmes c'est des bas-reliefs.

Je vis toute seule mais ça ne m'empêche pas de manger dans une belle assiette, au contraire!

La torture en Algérie c'est pas Hitler c'est Mitterrand et ça il faut le dire!
— Tout de suite ils attaquent les dents.
— Papon, il a pas fait plus de saloperies que de Gaulle!
— Et le sang contaminé!
— Les procès, c'est que du linge sale.
— Et Napoléon, c'était pas un enfant de chœur non plus!
— C'est l'homme qui est un salaud, la race de l'homme.
— Quand on voit la corrida.
— Recommence pas avec ta corrida toi.

Les dinosaures ça se bouffe, comme le reste.

Bien sûr qu'il est propre mon plips!

L'œuf au plat réussi, tu te vois dedans comme Narcisse.

Un chèvre chaud ! Un croque provençal !

Les tests d'ADN c'est rien, ils prennent de la salive.
— Avec tout l'ail que je mange, il doit pas être beau à regarder mon ADN.

Interdiction de fumer dans les lieux publics.
— Les poumons, c'est privé.

On est tous cons pareil, et je crache pas dans la soupe quand je dis ça.

Le plus gros sens du rythme c'est la mer qui l'a, après c'est le ciel, la terre, les Noirs et après c'est nous.

C'est la RATP qui amenait les enfants juifs à Drancy alors moi je prends mon vélo…

Léotard qui est de la mafia ça ne m'étonne pas, déjà quand on voit le frère qui se drogue devant les gendarmes !

C'est pas loin, la lune c'est trois jours de voyage aller et trois jours de voyage retour.
— Oui mais pour une journée là-bas, ça vaut pas le coup.

Men in black ! *T'as vu ? Les lunettes.*
— Merde in black les lunettes.
— Pauv' con.

Le premier crime contre l'humanité c'est les accidents de la route, quand on compte…

Van Gogh aurait moins picolé, il serait peut-être encore vivant.

L'argent des impôts, vous savez où il va monsieur ? Au gouvernement.

Sans la tête on vivrait même mieux, on serait moins malheureux en tout cas.

Lucie si the skaille aille diamon Lucie in the skaille diamon Luciiiiiiiiiiiiiiiie the sky diamon Siiiiiiiiiiiii Luciiiiii in the sky... diamon...

Le changement d'heure ça me dérègle tout... tiens, d'habitude je viens à quelle heure ?
— Huit heures.
— Et ce matin je suis venu à quelle heure ?
— Sept heures.

Avec le changement d'heure, à dix heures, les nuages sont plus à la même place puisque il est onze heures pour eux.

Si l'immigré est français comme moi alors dans ce cas-là, il reste en vacances en France plutôt que rentrer dans son pays non ? C'est là qu'on voit le Français, c'est pendant les vacances.

Trois heures, c'est long, même si tu vis des rebondissements.

Je suis pas pour le passé, je te dis pas que Icare c'est mieux.
— L'avion, on peut pas aller contre.
— La dernière des connasses peut être hôtesse de l'air !
— C'est pas l'avion ça.

Météo France, par rapport à la taille de la planète c'est une voie de garage.

Lui, il est dans la rue ou il est au lit… y rentre, y se couche.

À l'étranger, on est pas dans notre pays.

Vous êtes allée faire votre tiercé madame Couderc ?
— Après mon porto, ça réchauffe mes chevaux.

Nous-mêmes on est que de passage.
— Sur terre…
— Non non à Paris.

Il fait frisquet ce matin.
— Je suis pas sorti de la semaine.
— Justement on disait, on l'a pas vu Yves.
— J'avais ce qu'il faut à la maison.
— Un petit kir ?
— Un grand ! Paraît que les routiers vont bloquer les routes.

Le PSG a trente ans d'avance !

Le feu de bois, faut regarder ça comme un documentaire.

J'en avais un, maintenant j'en ai deux.
— Les enfants c'est ça... c'est les choses de la vie.

Le brouillard ce matin... dans un nuage... on voyait rien... j'habite au quatrième étage... tout blanc... comme dans un avion tout blanc... épais... elle est forte celle-là ?
— C'était épais ce matin.
— Il prend la côte de bœuf, trois bouchées et il dit qu'il a plus faim, j'aime pas qu'on gâche, je suis vexée.
— Les pommes sautées, y en a pour dix dans l'assiette !
— Une bagarre les hommes se battaient d'un côté et de l'autre côté les femmes se battaient je disais, laissez pas les femmes se battre entre elles.
— C'est une bière forte... la Délirium... les éléphants roses.
— Tous les serveurs ont aidé à ranger le kiosque à journaux.
— Ah... et Hervé, il est rentré ?
— Sur le trottoir devant, vous auriez vu...
— Il est rentré.
— Ah... et celle-là, elle est forte ?
— C'est une bière amère.
— Ah... dans un nuage comme en avion.
— C'était épais ce matin.

Le tournedos du musicien.
— Je connais pas de musicien.

Aux champignons je deviens un vrai petit animal d'autant plus que je ne prends pas de panier.

Aldo ! Le Maître de l'Univers !

Bon, je ramène maman à Dilo.

La route c'est à tout le monde !

Moi dans ma tête je suis un biologique.

Moi j'ai Canal Plus.
— Pffff... Canal Plus... t'as qu'une chaîne ?

Allez hop ! au boulot, ça nous changera.

Vu le nombre de morts par rapport au nombre de vivants, c'est à eux de nous offrir les fleurs.

Je vais au cimetière mettre du produit contre les limaces.
— Mettez-en pas trop, ça tue les morts.

Les curés ont fait construire des églises partout sinon on aurait quoi dans les petites villages... des panneaux de basket ?

Les fleurs sur la tombe de votre femme, c'est joli mais c'est trop tard.

Je me pose pas de questions, les points d'interrogation je m'en sers pour la pêche.

Des pucerons dans la cuisine alors qu'on habite au rez-de-chaussée et au dernier vous savez ce qu'ils ont ?
— Non.
— Des fourmis !
— On en a vu sur la rambarde de la tour Eiffel des fourmis.
— Au troisième étage ?
— Quand même pas.

Quand on pense que c'est français Halloween.
— Celte.
— Eh ben justement celte c'est français ! Le Celte a commencé en France et après c'est passé par Hambourg.
— Hammeburg !
— Ils l'ont dit sur La Cinquième, toute une émission là-dessus, on en apprend des choses sur La Cinquième.

... Vous verriez sa chambre, mais vous verriez sa chambre !

Le téléphon

Des momies égyptiennes, on en a plein les catacombes.

Heureusement qu'ils ont des antiquités les Égyptiens ! c'est pas avec leurs bagnoles qu'ils vont épater le monde…
— Les Japonais ont pas d'antiquités.
— Mais non ! ils ont raison ! eux c'est l'avenir.

Ils se font refiler des os de lapin pour mille balles !

L'évolution progressive, ça se fait pas du jour au lendemain.

Ils lui ont enlevé les tripes et mis du produit à la place, ce qui fait que les tripes de Lénine doivent traîner quelque part…

La révolution d'Octobre, c'est un drôle de mois pour faire ça.

Si ça se trouve ça lui plaît qu'on le déterre.
— C'est vrai qu'il était cabot.

Ils vont déterrer Montand pour lui faire l'ADN !
— Après sept ans y reste plus que de l'ADN d'asticot là-dedans.

Si ils lui font la piqûre d'ADN dans un asticot, les résultats pour la fille de Montand c'est qu'elle est une fille d'asticot.

Il vaut mieux déterrer Montand que Signoret.
— Ça change rien.
— Ça change qu'il était plus jeune qu'elle.

Si ça devient la mode de déterrer tout le monde faudra inventer une pince comme pour les cornichons.

La mort et le cadavre, c'est pas pareil.
— Le cadavre, ça regarde personne.

La mort, c'est personnel.
— C'est sacré.
— Après tout ce qu'on travaille, on l'a bien méritée.

portable, j'y comprends rien.

Bientôt, il faudra s'enterrer quelque part et le dire à personne.
— Les crottes de chat font ça.

Déterrer Montand, c'est une affaire de pognon.
— Il en aura fait tuer du monde en tant que stalinien !
— Ils l'avaient fait pour Toutânkhamon, je l'ai vu l'exposition des trésors de la momie.
— Il est pas momifié Montand, y a plus que des os.
— Et les habits.
— C'est la gamine qui fait déterrer son père, quelle honte !
— Elle lui ressemble.
— Ah non, c'est une guenon.
— Il était bon chanteur… et les claquettes aussi.
— Signoret à la fin, elle était bouffie par l'alcool.
— Et la fille de Navarro, elle est bouffie aussi.
— Elle y est plus dans Navarro, *Roger Hanin en voulait plus.*
— C'est sa fille celle qui est alcoolique ?
— Elle est adoptive, c'est bien pour ça que l'argent du père elle voudrait le garder.
— C'est sale ces histoires de famille.
— Si ça se trouve dans le cercueil c'est Adamo, moi plus rien m'étonne.

Si c'est pas des voyous qui déterrent les morts, c'est la famille.
— C'est les mêmes.

C'est l'ADN qui fout la merde.

On finira par être plus tranquille aux cabinets qu'au cimetière.

On sera jamais morts avec leurs nouvelles lois.

On est mort, on est plus rien que de la viande.
— Moi c'est quand je dors.

Dans sa tombe il est célèbre mais si on le déterre il sera plus que le commun des mortels.
— Ça lui aura pas servi sa carrière d'être mort.

Faudrait crever dans les arbres !

Le vitrail de Notre-Dame,

Je me connais, à Venise, j'aurais tout le temps envie de faire pipi.

Un pied sculpté, même le plus grand sculpteur recompte les doigts.

Le théâtre c'est du sport physique, et surtout pour la mémoire.

Les barrages tant mieux ! y a plus d'essence, je vais pas chez mon père du coup, ça sert à quelque chose, les pompes à sec soi-disant, je sais que là-bas y en a de l'essence mais ça m'arrange que c'est à sec au fond, remarquez mon frère va chez mon père, et c'est lui qui prend la maison le dimanche avec sa femme, il est aveugle mon père c'est facile pour mon frère de récupérer les pensions et l'argent, les gars dans les camions, leur père est pas aveugle mais chacun défend son bifteck aussi je blâme pas, je comprends, mon frère s'en fout, il est patron dans un snack, il n'a pas la même sensibilité que nous qui en avons.

Ce que je préfère, c'est la vue d'avion.

Les pyramides, t'y passes pas

tu le casses,
tu le payes.

Y te coûte bonbon ton doberman.
— Le professeur fait venir les médicaments d'Amérique, y a que là-bas qu'ils en ont.
— Il a quoi ?
— Y pisse partout, y peut pas se retenir.
— Moi la mienne c'est un corniaud, elle n'a jamais rien fait sauf sa piqûre une fois par an.

T'es un connard !
— Oui, mais virtuose.

C'est pas trop tôt pour qu'ils désensablent le Mont-Saint-Michel, on s'en mettait plein la bagnole.

La philosophie, on la met à toutes les sauces.

J'ai regardé Urgences *hier, qu'est-ce que c'est bien, vous avez regardé ?*
— Non, je regarde jamais la télé.
— Mais qu'est-ce que vous faites, vous avez pas de vie ?

Une patineuse artistique, je lui regarde que ses jambons.

Zorro garni œufs, 16 francs, c'est pas tellement cher.

On a pas eu de langoustines cette semaine à cause des tempêtes.
— Elles ont plus qu'à vivre une semaine de plus.
— Une semaine de plus quand t'es langoustine c'est important.

Holà bonjour nobles vaches !

cinq heures là-dedans.

Être le fils de Paul Ricard c'est un peu autre chose que la fille de Yves Montand...
— Et lui, on le déterrera pas.

Je vais le faire déterrer Ricard et je dirai que je suis son fils, on a le même foie.

Quand on est à la caisse du magasin on pense parce qu'on parle pas.

J'en fais à la maison.
— C'est pas possible que tu fasses du Ricard chez toi, c'est une recette secrète.
— Un approchant.
— Un approchant peut-être, mais le vrai c'est pas possible.
— Le goût est pareil.
— Tu serais milliardaire si tu savais faire le goût pareil !

Il voulait être peintre.
— Ricard ? La peinture on s'en fout par rapport.

Personne peut aller jusqu'à Chablis pour boire que deux verres.

Paul Ricard est mort, faut espérer que le fils fera pas crouler la boîte.

Il est autant connu que Picasso même plus.

C'est qui ?... le mec plus connu que lui qui est mort le même jour que Jean-Marie Proslier ?
— Ricard.

Quand tu meurs le même jour que Ricard, c'est pas la peine de mourir.

Marchais est mort ce matin.
— Il l'aura bien cherché celui-là.

Jojo est mort ? Meeeeeeerde...

C'était le dernier communiste.
— Ah non, y a sa femme encore.

Ferme ta gueule Elkabbach !

Ils ont fait tomber le mur de Berlin pour se payer des rideaux de douche.

En Russie ils les embaument les morts pour les garder.
— Même nous on garde des trucs pendant deux ans, après on se demande pourquoi on a gardé ça.

Ils l'enterrent aujourd'hui Marchais.
— C'est le beaujolais nouveau aujourd'hui.
— Avec les bouchons on faisait des colliers.
— Et après ça change quoi ?
— Aujourd'hui ?
— Ce matin à Champigny.
— Nous on faisait des cochons avec des allumettes.
— Ma mère trempait un biscuit dedans.
— Taisez-vous Elkabbach !
— Ta mère ?
— Ça fait un petit cochon avec le corps et les pattes.
— Si si ! et le biscuit fond tout de suite.
— Des grosses taches violettes le gros qui tache comme on disait…
— Nous dans les verres en Pyrex.
— Mon père avec son fusil, de la cervelle partout dans la chambre…
— T'attaches le bouchon à une ficelle pour le chat y a ça aussi.
— La toile cirée c'était à cause du vin en fait.
— Et la tremblote du matin ?
— Un facteur à Agen, deux verres il pleurait !
— Ils vont en rajouter trois cent cinquante mille.
— Le jour du beaujolais nouveau, personne travaille.
— Des jeunes.
— Avec quatre allumettes dans le bouchon on fait un petit cochon, passe-moi le bouchon que je fasse le cochon pour montrer !
— C'est maman qui lui finissait son verre.
— Le beaujolais nouveau, faut faire un vœu.
— La santé.

Le beaujolais nouveau, faut passer la journée à en boire sinon ça sert à rien d'en boire.

C'est chouette ces petits tonneaux, c'est un quinze litres.
— Dix litres.
— C'est un quinze litres ça !
— Un dix litres.
— J'en ai un comme ça à la maison c'est un quinze litres.
— Moi j'en ai deux ici, c'est un dix litres.
— Mais j'ai un trente litres.
— Moi à la maison j'ai deux vingt-cinq litres.
— T'es sûr c'est un dix litres ?
— Regarde donc, c'est marqué dix litres.
— On dirait un quinze litres.
— Ah celui-là il est pas breton pour rien.
— Plus t'es breton, plus t'es con !
— J'ai de la famille à Saint-Malo.
— Dedans ?
— À côté.
— Alors non, c'est pas de la famille.

Un bon beaujolais faut le boire sinon c'est pas un bon beaujolais.

... C'est la chronique d'une cuite annoncée son petit kir...

Une vraie ruine ce mec, c'est pour ça que je suis toujours derrière.

Pour moi le summum c'est la

De Gaulle ou Hitler, ni l'un ni l'autre a maigri pendant la guerre.

Elle lui fait prendre son bain mais en même temps elle téléphone, son enfant elle s'en occupe comme si c'était du Nescafé.

Avec Delon à la télé, on sait jamais à quelle heure on se couche.

Enceinte de sept enfants... la mère c'est un petit bus.

Des septuplés ! c'est la science qui est folle de permettre ça !
— En plus c'est pas elle qui les élève.

Plus de sept, c'est plus des enfants, c'est des chiots.

Pour faire des septuplés, faut du sperme qui s'entend bien entre eux.

Un septuplé, si t'en as quatorze ça t'en fait deux...

Le corps à mon âge, c'est plus un ennui qu'un avantage, voyez...

Faudrait me payer cher pour me faire surfer sur le Web !

coquillette.

Proust, ça se lit pas au lit mais ça se lit en car.

Les crimes racistes, souvent c'est rien que des crimes normaux.

Comme francophones, il ne restera que les Noirs.

On a mangé sur le pouce et après on a baisé sur l'ongle.

Qu'est-ce que vous voulez ?
— Une Leffe... vous l'avez tirée avant que je demande.
— Eh oui, transmission de pensée, c'est ça qu'on appelle du voyeurisme.

Un postillon ça part à cent kilomètres/heure mais moi les miens c'est du cinquante.

On a eu les anciens francs et les nouveaux francs, on aura les anciens euros et les nouveaux euros pareil vous verrez...

En 2000 on aura les euros et en 3000 ça sera quoi encore cette nouveauté ?!

La monnaie unique, si j'en gagne plein c'est ça qui sera unique.

La terre a été créée dans l'univers par hasard.
— Y a pas de hasard dans l'univers.
— Y en a partout du hasard.
— Pas dans l'univers, pour le hasard il faut de l'atmosphère en fait.

Le hasard, c'est différent de la chance parce que souvent ça merde.

Les animaux ont un langage.
— Coin coin, ça veut rien dire.

Un animal est un être qui vit, qui pense, qui souffre !

Qui se mange !

Une bonne femme à la culture, un pédé pour les flics, eh ben voilà c'est ça la gauche !

Un pédé c'est pas un garçon, c'est encore plus chiant qu'une bonne femme.

On a pas le droit de boire de la bière sur le stade.
— Pas si le stade a la licence !

Moi en tant que patron d'ici, c'est mon rêve d'avoir des clients qui font trente-cinq heures...

J'étais en train d'écrire « salutations distinguées » sur la lettre et j'ai pété.
— Tu t'en fous, c'est pas la télé.

Pour le téléthon, j'ai roulé vingt-quatre heures sans permis !

Quand tu vois l'état de sa chambre, c'est pas la peine de lui léguer une terre propre.

C'est une bombe à retardement leur maïs transgénique.

... Elle a fini en eau de boudin la dame en noir...

Barbara ? La chanteuse française ou celle qui louche ?

Les glaciers fondent et le niveau de la mer monte.
— On aura moins loin pour descendre à la plage...

La semaine de trente-cinq heures, si la machine à café est pas au même étage elle fait déjà plus que trente-deux heures ta semaine.

Ça voyage pas plus que nous les gens du voyage, on les a sur la commune depuis deux ans.

Les cerises transgéniques dans de l'eau-de-vie, si ça nous explose pas à la gueule on aura de la chance.

Avec le transgénique dans la nourriture, vous verrez, on finira tous pédés.

Ça va nous faire la merde transgénique tous leurs nouveaux légumes.

... Avec le fils de l'épicier qui a tué la gamine, qui c'est qui va être content encore ? c'est les grandes surfaces.

« La poissonnerie Chez Christian anciennement Chez Jean-Claude vous prévient qu'elle n'assure plus les huîtres de la Brasserie La Mascotte. »

C'est facile, c'est à côté de Coulommiers.

... Sur un vélo,
je suis un missile.

Oh ! Oh ! Oh ! y a le feu dans tes cheveux !

C'est des christs mais pas la même coiffure et que la moustache.
— C'est vous qui dessinez ça ?
— Je le vends.
— Eh ben...
— Trois cents francs.
— Eh ben...
— Combien vous voulez l'acheter ?
— C'est vous sur le dessin.
— C'est le Christ mais pas la même coiffure et que la moustache parce que c'est un christ moderne.
— Il est coiffé comme une burne, vous appelez ça moderne ?

Le Christ sans sa coiffure de d'habitude ça pourrait être n'importe qui.

À côté ils vendent des œufs d'oie.
— Pour la pâtisserie c'est bien il paraît.
— Oui mais dedans c'est fait comment ?
— Oh, comme un œuf.

Ma tête c'est pas ma tête on me l'a greffée.
— Pinocchio va !

On a dit non au Maxibrico mais un jour on le regrettera.

Parce que à l'époque, le royaume de Poméranie et le royaume de Bohême ne s'entendaient pas.
— Avec vous ça change.
— C'est sûr, avec moi des discussions de football, vous n'en aurez pas.

Je parle pas aux cons !
— Alors tais-toi.

L'alcool c'est pas une drogue, si c'était de la drogue ça se fumerait.

Elle est à qui la voiture rouge sur la place ?!... ça gêne... on peut pas passer le tracteur pour mettre le sapin.

La main c'est un outil et l'homme c'est un manche !
Quand tu vois leur gros cul aux profs de gymnastique, t'as tout de suite compris !

On ricane pas à quatre heures du matin !

Pourquoi on est pas des bonnes femmes nous ?

Je suis bourré QUE les mois en r...

En tant que femme d'alcoolique, je trouve que c'est jamais bien fait le retour des maris dans les films français.

Il a neigé

C'est pas pour vexer les Noirs mais la neige

Ça de neige !
— Ça m'hallucine ce que tu dis parce que j'ai vécu là-bas deux ans.

La langue de bœuf c'est plein de papilles, quand t'en manges, elle croit que c'est elle qui te mange.

Le tour du monde c'est bien mais ça dépend ce qu'on mange.

Ces deux-là, c'est bonnet blanc et trou du cul.

Le Téléthon, c'est une catastrophe pour la restauration !

... Que voulez-vous, les gens n'ont plus d'argent.

Le vrai philosophe sait rester à sa place.

Les crimes de guerre, c'est toujours mieux en temps de guerre qu'en temps de paix !

Moi c'est fini je me pose plus de questions.

Les harkis sont pire que les collabos, les collabos ont pas demandé une pension aux Allemands, après.

Sa femme, on dirait une herbe qui pousse.

J'ai rien entendu.

elle est blanche... Tiens ? Dame neige est tombée.

Le sida, c'est surtout en Afrique qu'il en reste.
— Normal, c'est de là qu'il vient.

Un couple de Malgaches ? Les oiseaux ?

Si c'est la cohabitation qui est bien, on a qu'à élire deux pédés.
— Même Miss France cette année, on dirait un homme.

Djakarta, t'as intérêt à regarder par terre si tu veux pas glisser sur de la salade.

La terre qui tourne autour du soleil, ça fait partie de l'aménagement du territoire.

C'est un pays qui a beaucoup changé, avant en Egypte vous aviez des Egyptiens mais maintenant vous ne voyez plus que des Arabes.

C'est mort.
— Y a de la musique dans les rues.
— C'est pas la musique qui fait marcher le commerce !
— Où on va mais où on va ?
— Les gens ont pas d'argent.
— Une guerre ! Faut casser ! Ça donne du boulot !
— Encore faut-t-y qu'ils veuillent une guerre, t'sais que c'est pas tout le monde !

Le ski de descente ? Eh ben, je vois pas l'exploit.

Adjani, elle mange du caca aussi il paraît...
— Mais non, c'est une légende.

Ils donnent de la vodka aux éléphants du zoo de Moscou.
— Même les éléphants doivent rien comprendre à ce qui se passe à l'Est.

Mars

Même sans permis je conduis sinon j'ai des escarres aux pneus.

La plaie, c'est les démarches des remboursements.

Entre lire un truc de Corneille ou regarder la télé c'est pas cornélien comme choix, je regarde la télé.

La délinquance, c'est un appel au secours.
— Moi direct c'est un appel aux flics.

La grippe du poulet ? Le poulet ça a la grippe ?

Contre la grippe du poulet, faudrait pas qu'on meure avec un bouillon de bœuf.

Les photos de Mars, on dirait la colline de Sancerre.

ça sera trop dur à chauffer.

Vous avez vu ? la grippe du poulet qui va sur l'homme ?
— Beu beu beu… c'est du média.

… Je la comprends, des poulets on en trouve plus de bons.

Ils sont élevés au chauffage, du coup le premier courant d'air atchoum direct…

Entre les doigts de pied, moi je trouve qu'on a la place de mettre une autre rangée de doigts de pied.

Tu vas pas en prison mais on te met un bracelet qui sonne si tu sors de chez toi.
— Ça tombe bien, j'aime pas faire les courses.

Le bracelet prison, bientôt ils leur mettront des boucles d'oreille !

La prison à la maison, c'est pas nouveau !

T'as pas le droit de t'éloigner de plus de cinquante mètres du téléphone.
— Et le SDF, tu l'accroches à la cabine ?

Tuer un jeune, c'est pas un exploit.

Le seul moyen pour qu'ils respectent les policiers c'est de faire des bavures sinon ils se croient tout permis les jeunes...

C'est un policier de Lyon qui a tué le jeune.
— Lyon j'y ai mangé, c'est pas si bon que ça.

Ils sont pas méchants, c'est des gangs qui mettent des bonnets.

Les polices municipales, faut leur donner des petits pots de merde, ça tue personne et les jeunes ça va les calmer de la merde sur les Nike !

Je me suis jamais autant fait chier !

Les Restos du Cœur c'est bien, des fois y a du hachis.

C'est des fauves les jeunes de banlieue !
— Les Restos du Cœur leur donnent trop de viande.

Pour aider les gens qui ont rien à bouffer, Coluche qui est mort il est encore plus efficace que Chirac qui est vivant...

Chirac pour moi est un homme à casquette.

... Vendre des trains, c'est tout ce qu'il sait faire.

... Il a bouffi comme du beignet.

... La preuve qu'il est rien c'est que personne mettra jamais la photo de Chirac sur le buffet.

Balladur c'est pas un crâne qu'il a, c'est un os à moelle.

La fatigue, il faudrait la tirer de l'organisme et la mettre en ampoule pour faire des piqûres aux insomniaques.

Il a jamais ouvert une huître de sa vie Iggy Pop.

Devenir automatiquement français à dix-huit ans, alors autant qu'ils jouent la nationalité à la loterie, c'est que de la chance !
— Vous savez, la France en a besoin des gens qui ont de la chance.

... Avec le nouveau parking, on a moins honte de dire qu'on habite à la gare...

Ils ont toujours inoculé du virus, on le sait les docteurs c'est des fous ! les mieux c'est les pharmaciens.

Moi je le comprends plus le football d'aujourd'hui.

... Je le comprends plus.

Ravanelli, c'est un fossoyeur du beau jeu.

Bond ! My name is Bond !

C'est pas pour boire, c'est pour se réchauffer.

Delarue, faudrait pas qu'il se trompe de bretelle d'autoroute et qu'il tombe en panne de bagnole à Dammarie-les-Lys...

Le blues, on dirait un dessin animé avec des champignons qui chantent.

Papa, il ramenait la sciure dans ses bas de pantalon.

La Moule ! My name is La Moule !

J'ai le même nombre de bras que James Bond !

On laisse toujours une place vide à table, c'est pas pour un pauvre mais c'est pour rapprocher la table à roulettes.

En Martinique, t'as pas de fromages.

... Si ça continue, c'est Paris qui va défigurer la tour Eiffel...

Elle est contente la bouchère, elle arrête pas de chanter.
— Ça marche leur boucherie.
— Elle qui tient la boutique et son mari qui fait la tournée...
— La tournée, tout le monde achète quelque chose même pas beaucoup mais quand le camion passe on se sent obligés même que une saucisse...
— Ils sont contents d'avance pour leur retraite ! ils doivent avoir leur maison à Cannes qui attend avec la piscine.
— Cannes, c'est le coin de France le plus cher pour les villas.
— Tous les bouchers sont là-bas !

Nous la dinde c'est sacré même si c'est sec.

Huit cents balles le kilo pour du chapon ! parce qu'on lui a enlevé les couilles !
— Le chapon, ça a le même goût que le pape.

L'Égypte, elle est aussi bien au Louvre que là-bas.

C'est honteux celui qui a fait ses besoins au pied du sapin, honteux ! et la mairie qui fait des efforts de décoration ! honteux !

Proust ? Celui qui écrit petit ?

Si je dois amener un livre sur une île déserte, moi j'amène la *Cuisine des îles*.

On a crucifié Jésus mais à côté de ça on lèche le cul à n'importe quel petit chef de service ! on aurait fait le contraire qu'on aurait moins d'emmerdes...

Bien sûr, vous ils vous disent bonjour parce que vous êtes la gardienne.

Vous le lavez avec quoi votre parquet ?
— Avec Manuel.

En offrant un livre, vous êtes sûre de faire un déçu.

Elle aime lire ?
— Un peu.
— T'as qu'à lui acheter le livre de la pouffiasse qui mange du pourri.
— Qui ?
— La fille qui vomit tout le temps.
— Tu parles d'un cadeau !

Jésus, c'est le fils de Dieu mais c'est qui le grand-père ?

Moi je ne les garde pas les pièces jaunes, je les donne, les pièces jaunes c'est des nids à microbes.

L'Islam, ils bouffent pas de la bûche.

Le chant des sirènes, qu'ils aillent se faire enculer !

Ils l'ont déterré Yves Montand ou ils ont oublié ?
— C'est les fêtes, ils ont autre chose à penser.

Aux sportifs dopés on leur analyse la pisse parce que la merde on peut pas leur toucher, elle t'explose dans le bol.

Vous avez vu Christophe Colomb à-la télé ? Eh ben… celui-là il en aura joué des films…

Vous, les Pakistanais, vous dormez tout le temps.

L'aveugle dans la rue il a une canne blanche tu vois qu'il est aveugle mais un sourd dans la rue tu vois pas qu'il est sourd tu peux pas lui donner de l'argent.
— Personne donne de l'argent aux sourds.
— Et pourquoi ? C'est des hommes.

Quand vous voyez un trio tzigane, vous pouvez être sûr qu'il y en a un quatrième pas loin qui attend dans une voiture.

Le naufrage du *Titanic*, c'était le premier accident d'avion en fait.

Vous êtes enceinte ? Houlà ! Attention à la crème de marron, ça étouffe le bébé.

Ils mangent les insectes grillés alors que nous on a le beurre d'escargot.

L'ascenseur social, non seulement il est en panne mais ça commence à chier dedans.

En Laponie, à peine t'as fini l'apéritif du midi que c'est l'apéritif du soir.

Le soleil fout rien, puisque c'est nous qu'on tourne.

Elle avait un cancer du sein et un cancer du côlon.
— C'est la caverne d'Ali Baba là-dedans !

C'est plus facile de faire des gosses que trouver des cadeaux...

Vous vous déguisez pour le réveillon ?
— Oui, le nez.
— Coupette ?
— Un million de poulets qu'ils vont tuer à cause de la grippe.
— Ils feraient mieux de les donner aux gens qui meurent de faim, quand tu meurs de faim t'en as rien à foutre d'une grippe.
— Le poulet à la grippe asiatique, on dirait une soupe.
— Moi ça y est mes cadeaux, j'ai pris des pots sur roulettes pour tout le monde.
— Vous aussi une coupette ?
— Tuer un million de poulets parce que y a eu quatre personnes qui sont mortes, c'est cher payé.
— C'est pas de la faute du poulet.
— Ce que j'aime dans les huîtres c'est le pain de seigle.
— Le poulet il est comme nous, il préférerait pas être malade.
— Moi c'est l'Aspro qui me rend malade.
— Déjà le midi elle était toute rouge ma femme.
— Nous on se restreint le midi.
— C'est du crémant.
— On oublie que Jésus est à l'honneur.
— Houlà top ça mousse il est frais ?
— Je le sors.
— Je n'ai rien contre les chrétiens parce que moi j'en suis.
— C'est devenu une fête païenne.
— Païenne païenne pour qui ?
— Les mosquées y a du monde...
— Le Sphinx qui a traversé les âges, tu mets des gens pour habiter dedans, tu verras qu'un an après c'est cassé.
— Les Grecs c'est des cons !

Noël au balcon... dégueulis sur le balcon...

Lui ! sa femme ! son fils ! une belle crèche d'enculés ces trois-là !

On réveillonne à Viroflay.
— Ahhhhhhh... c'est bien.

Léonard de Vinci, il a pas inventé le Coca !

Joyeux Noël !

... Ils égorgent des femmes, nous on brûle des voitures c'est pas mieux.

Pour le calmer le GIA faudrait lui faire ouvrir nos huîtres !

Pourquoi vous travaillez dans un bureau si vous aimez les saisons ?

Encore quatre cents morts hier soir.
— Ils égorgent les bébés et ils sont contre l'avortement.
— C'est l'armée algérienne.
— Mais non, c'est les services secrets israéliens.
— Comment vous voulez comprendre des événements qui se passent dans les déserts ?
— Y a pas d'eau.
— Ils se régulent.
— Ils ont même pas droit aux jus de fruits qui sont des péchés.
— Si, y a pas d'eau.
— Y a même pas un stade pour les jeunes !
— Si, c'est vrai ce que je dis, y a pas d'eau.
— C'est des pays à la con.
— Y a pas d'eau.
— Si ça continue comme ça, la France restera pas longtemps en Europe.

Quel vent ! On va retrouver la terre derrière la lune avec ce vent !

Ce qu'il faut, c'est du dialogue verbal.

... La torture, faut toujours mettre un peu les mains...

Le drame algérien ! et à Strasbourg, vous croyez qu'il n'y a pas des drames quand on voit ce qui se passe ?

Je supporte rien comme charcuterie, j'ai le foie arabe.

Ils ont cloué Jésus et maintenant la punition, on se fait chier à ouvrir les huîtres…

… Le pape a pas changé depuis que j'ai cette bagnole.

Le pape à Cuba, ça rajoutera pas des pinces aux langoustes !

Pour le pape c'est facile de dire qu'on bat pas sa femme, il est pas marié.

Je sais pas qui invente les fèves de la galette, mais c'est bien trouvé.
— Un chausson.
— Et nous un âne… eh ben…

Avec la chaleur il a pas intérêt à mettre une culotte en dessous le pape.

Le pape va à Cuba mais Don Camillo était déjà allé à Moscou.

De la danse classique à la télé le lendemain de Noël, franchement, je voudrais pas être le danseur…

Delacroix, au moins c'est bien peint.

Toute la France chie de la bûche, c'est la coutume…

Heureusement qu'on chie pas tout le dernier jour.

Zola, j'habite sa rue.

L'origine du mot clémentine ? Non, je sais pas.

La Grèce, nous on l'a

Rot !
— Tu franchis la ligne rouge René, tu la franchis !

Ce pâtissier, il fait la crème au beurre comme un dieu.

Y a plus d'intellectuels en France.
— Tant pis, on mangera autre chose.

Attention, Le Bourget c'est pas Le Blanc-Mesnil, moi je suis du Bourget, je ne suis pas du Blanc-Mesnil.

... Chez les Noirs le blanc de l'œil est jaune va t'y retrouver là-dedans.

Une mer déchaînée ! la houle ! avec des creux de dix mètres comme à la montagne !

Surya Bonaly, c'est pas qu'elle est noire mais j'aime pas sa mère.

Allô ? Tu m'entends ?
— Ça y est ? T'es un connard sans fil.

Payer des gens à rien foutre, on est habitué mais les augmenter à rien foutre, ah non !

... De quoi demain sera fait... déjà hier on sait pas...

Le stress, je le retourne en positif.
— Moi aussi je le retourne en énergie pour les courses.

Ce qu'il faudrait avec l'Europe c'est l'éloigner de l'Afrique.

On a pas le droit de téléphoner quand on prend l'avion parce que déjà, c'est pas une cabine.

Jean Cocteau, Jean Marais, c'est des anciens Marius et Jeannette...

Laure Adler, elle sait traire les vaches.

Même

en Corse.

Les bébés préhistoriques, ils disaient les mêmes choses que les bébés de maintenant en fait...

Leurs menus aux restaurants chinois pour moi c'est du Champollion.

Pour jeter son bébé dans un vide-ordures, il faut être vraiment dans la misère...
— La vraie misère, c'est quand on descend la poubelle à pied.

Romy Schneider, elle ne grossissait pas cette femme...

La lune, c'est fini.

On est sur terre pour travailler.
— Moi je suis détective toutes missions mais si tu veux on boit que un coup.
— Je suis pas pédé.
— Oh pardon.

Tout le monde lui paie un coup parce qu'il a la verve faconde.

La bonne année c'est basé sur l'inconscient collectif.
— Ça dépend combien on est.
— Même nous.

À douze ans ça jette des cailloux à la police.
— C'est un rajeunissement de la délinquance, un jour ça te foutra le feu au cul en naissant.

Nous les automobilistes on est des vaches à lait.

Ceux qui tuent les femmes et les enfants souvent c'est les hommes.
— Le pire c'est l'absence de dialogue.

sur Mars, je serai lyonnais.

... Deux mille ans que Jésus est pas revenu, ça commence à être louche.

La science doit être à notre service, et pas le contraire.
— Moi ça me gêne pas d'y aller aux analyses.
— J'ai pas de boulot mais je consomme !
— Tu touches plus qu'un mec qui bosse... c'est dégueulasse.
— Sans la production tout s'écroule, si, c'est vrai !
— Ta gueule Piwi.
— La société marche sur la tête.
— Moi ? je touche rien avec ma femme c'est honteux ! si on me donne une paye je consomme et je fais marcher l'économie plus que toi !
— Moi aussi je consomme !
— Sans la production tout s'écroule, si, c'est vrai...
— Ta gueule Piwi...
— Il faut la consommation c'est vrai.
— Les mousquetaires de la consommation...
— Ça fait repartir ! et les usines remarchent et ça crée les emplois, ce que je veux moi, c'est une paye qui est bien pour consommer.
— À l'aube de l'an 2000 on est la quatrième puissance du monde ! à l'aube !
— Tatos ! Portos ! Taramis !
— Et tu bosses pas ? tu manques pas d'air !

C'est mieux comme pays... Eltsine il est tout le temps malade, c'est un alcoolique et personne lui dit rien alors qu'aux États-Unis tu peux même pas sortir ta bite...

Lama, il est sur l'emballage du sucre.

— C'est plus facile d'être sur un sucre que sur un stade.

— Et les milliardaires qui paient pas d'impôts...
— Si ! je bosse ! je suis consommateur c'est pareil ! pas la peine d'aller travailler pour fabriquer des merdes de bagnoles, je les achète avec ma paye.
— Tatos ! Portos !
— Ho ! Du calme ! On s'entend plus là !
— C'est la dérive d'un bloc par rapport à un autre bloc.
— Les capitaux y en a ! quand on en veut y en a ! on sait où les trouver.
— Fais un instantané de la société, tu verras le constat...
— C'est la dynamique le secret.
— La consommation...
— Les jeunes, on leur dit, vous êtes en trop !
— Personne nous demande.
— Si tu accélères pas les mesures sociales, tu paralyses le pays.
— Alors moi je suis bien con de bosser alors !
— Tu les fais les courses ? t'as même pas le temps avec ton travail et si moi tu me payes bien j'achète des trucs... logique ah si... imparable...
— C'est du réel ce qu'on dit.
— On est un pays qui peut plus se passer de chômeurs.

Les extra-terrestres, souvent c'est des anciens de la CIA.

Y a vraiment que dans le secteur privé qu'on boit pas.

Quatre cents milliards pour le Crédit Lyonnais je m'excuse mais ils les trouvent les milliards et pour les chômeurs y a rien mais je m'en fous on ira jusqu'au bout des revendications, y en a marre des contrats de merde je m'excuse du mot mais c'est vrai, je gagne juste de quoi survivre et je suis tout seul à la maison pour vivre mais quelqu'un qui a quelqu'un à charge une famille ou quoi ou qu'est-ce il ne peut pas vivre, il a plus qu'à mourir la gueule ouverte pendant que les nantis de la Cinquième République et les patrons qui ont du fric je m'excuse l'expression mais c'est vrai jusqu'au trognon, avec les appartements de plusieurs millions de francs et nous on vit dans des cités où la drogue elle est la reine, si monsieur, la reine, et moi pour acheter du vin j'ose même plus sortir quand il fait nuit !

Bruxelles, tout ça c'est l'argent du contribuable.

Madame LA ministre, ça veut rien dire moi je comprends pas.

Un milliard pour les chômeurs c'est quoi ? C'est une goutte d'eau ! moi j'en veux pas du milliard je suis pas un clodo !

Il ne faudrait pas professionnaliser le chômage et qu'on les paye pour être des chômeurs.
— On s'en fout, si ça donne des boulots.
— Tu sais combien ça a coûté le Titanic *?*
— Chômeur payé, ça vaut bien ceux qui foutent rien dans les bureaux et qui sont payés !
— Attention, m'insulte pas !
— T'es pas dans les bureaux toi, t'es à l'entrée.
— Des milliards de milliards...
— Le chômage, c'est pas les antipodes du travail, c'est une version.

C'est pas une bonne publicité pour les raquettes cette avalanche.

On envoie pas des gosses à la neige quand la terre se réchauffe !

C'est l'avalanche à la télé qui m'a donné envie d'une fondue.

Un guide de haute montagne qui amène des gosses sous une avalanche, il mériterait d'être président de la République celui-là !
— Pour qu'ils brûlent pas des voitures on les envoie à la montagne et voilà le résultat...

Il fait beau.
— C'est toujours ça de pris.

C'est pire que l'Algérie ces jeunes qui sont morts à la montagne parce que là, c'est du hasard...

Nous au pôle Nord on a la cervelle qui gèle tout de suite.

... Il était temps qu'ils enterrent les gamins parce que maintenant c'est le foot...

La neige, il ne faut pas oublier que c'est une inondation en dur.

C'est que des profs qui vendent des livres maintenant.
— C'est les seuls qui parlent français, les autres c'est gueu gueu gueu !
— Ils font des livres pour sortir de leur merde de profs.
— C'est les profs qui achètent les livres des profs, c'est comme ça que ça fait des ventes.

*Compétitititivité…
j'arrive même pas à le dire…*
— Compétivité.
— Compéti…
— Compétivité.
— Compétiti…
— Compétitivité… compétitivité!
— C'est les titi qui font chier.

Moi je suis dragueur, alors Président des États-Unis… moi je pourrais pas.

Le couloir de la mort, à mon avis c'est du carrelage.

Moi je suis trop dragueur, c'est pour ça, Président des États-Unis je pourrais pas…

La peine de mort, ça sert à rien.
— Ça dissuade les autres!
— Vos criminels, ils s'en fichent bien des piqûres!

En France on coupait la tête et c'est moins hypocrite.

Elle est jolie la fille qui va être exécutée.
— Mais non, c'est le rouge à lèvres qui fait ça.

L'infirmière qui fait la piqûre de la mort, c'est pas une bonne pub.

Elle est tuée en trois minutes la femme.
— C'est des exécutions, personne a le temps de musarder.

Quand il tombe ici il dit qu'il est tombé chez lui.
— Ma femme elle a mis un nouveau tapis, qu'il dit!
— Il a combien de tapis chez lui à force?

On est nés le même jour mais comme il est toujours en retard, avec mon frère on a pas le même âge…

Titanic, *c'est une histoire vraie…*
— Y se fatiguent pas les scénaristes.

… Elle veut pas d'enfants, elle a l'ovule qui fait le bras de fer…

Chirac, ça lui ferait pas de mal de se taper des secrétaires.

... Si tu dors dehors et que tu veux qu'on te réchauffe, faut pas être SDF, faut être la pelouse du Stade de France...

... Un arbre, un chat, tout se ressemble...

Tous les verres que j'ai bus ça fait d'ici à la lune.
— Et le retour ?

Stade de France c'est bien comme nom, comme ça on sait que Saint-Denis c'est en France.

La Corse c'est la mafia, et l'Algérie c'est pas mieux.
— Y a tellement d'argent avec le pétrole.
— Et les émirs qui sont dans les casinos à dépenser des milliards !

C'est un pays de sauvages, l'Algérie parce que ça a été colonisé par les Français.

La France n'a pas besoin des palmipèdes de la côte arctique !

J'ai fait un ulcère à dix-huit ans moi monsieur !

Les instits en grève ! encore !
— Pendant qu'ils sont en grève, ils tripotent pas les gosses.

Shakespeare, c'est pas un livre c'est un homme.

Saint-Exupéry avec son Petit Prince, ça sent le pédophile.

À part trois cons, qui c'est qui va voir Mozart ?

L'imaginaire, si ça se

Je n'y comprends plus rien aux gens, on invite madame Mahon, elle ne vient pas.
— Il n'y a plus rien à comprendre sur cette terre.

Le pain tout le monde aime ça.
— Le beurre tout le monde aime ça.
— Pas la mésange.
— C'est une granivore.
— La Corse ! t'as vingt mecs en bonnet qui donnent une conférence de presse et soi-disant personne ne sait qui c'est... vingt mecs en bonnet !
— Un grillage autour de l'île et basta.
— C'est notre Tibet.
— La Corse île morte, c'est tous les jours après manger...
— Il a besoin de sous Jospin.
— Il a qu'à travailler...

Ernest Chausson ! Mais si ! Ernest Chausson !

... Sans les deux guerres mondiales t'imagines le chômage qu'on aurait aujourd'hui ?

Quand ça sera l'euro je m'en fous, j'achèterai plus rien...

Oh là là sa femme moi je trouve qu'elle a du courage... et toujours bien coiffée !

L'euro, ça va leur redonner encore un coup de vieux aux petits vieux.

Un pétrolier d'eau de fleur d'oranger, ça serait écœurant comme naufrage.

Moi je veux bien me familiariser avec l'euro, tu m'en donnes et je me familiarise.

trouve c'est pipeau.

Ils l'ont vu ils ont adoré, ils disaient, jusqu'à la fin on était avec eux alors j'ai répondu, vous êtes pas noyés ?
— C'est une histoire d'amour, on y croit ah si, c'est la qualité si.
— Titanic *oui mais l'autre là ! ah non ! Clavier pour qui il se prend ? il gonfle ! il gonfle ! il va exploser ! trois heures à regarder ce monsieur pour qui il se prend ! je peux pas !*
— Titanic *c'est le plus gros succès mondial.*
— Mérité mais Clavier ce monsieur, il va se prendre pour cet... imbécile qui moi franchement il ne me fait pas rire, c'est criard ce qu'il joue, moi je le fais, c'est idiot.
— Complètement idiot !
— Ah oui... Woody Allen je les vois tous mais je voulais que ma belle-sœur elle en voie un, mais elle n'aime pas, moi je me tape sur les cuisses de rire !
— Il est venu à Paris.
— Il faudrait l'envoyer en Corse !
— C'est un travail de professionnel la tuerie du préfet.
— Y a que pour les bêtises qu'ils sont professionnels en Corse.
— Il l'avait fait dans Bananas.
— Alors ce film-là, ma belle-sœur... c'est même pas la peine d'essayer de lui faire comprendre rien du tout.
— Ç'est pas mon préféré.
— À côté des Visiteurs, *c'est du génie.*
— Il joue mal de la clarinette.
— Je sais, il le dit.
— Ça fait des débats, toujours...
— Évidemment, c'est toujours le même film qu'il fait !
— Les Visiteurs *aussi.*
— C'est normal puisque c'est le 2.
— Ah oui pardon...

... Ceci dit, la vie est courte...

Je n'ai jamais dit non, moi !

Même un char peut pas rentrer dans un palais à cause des chenilles.

...Chez moi, rentrez avec la boue aux chaussures vous allez voir.

Les armes chimiques c'est pas sale puisqu'il les range dans les palais.

Après tout Saddam Hussein c'est nous qui l'avons mis là où il est sur son trône, quand je dis nous je dis pas nous, je parle des politiciens.
— J'avais rectifié, je suis pas une ourne.
— Une huître.
— Une outre.

Saddam, il est rusé.
— Bien sûr, ils le sont tous.

Si on est en guerre contre les Arabes tu verras qu'on regrettera les Allemands.

Quand tu descends cette route, tu domines toute l'Union soviétique.
— Quelle route ?
— J'y ai vécu, je le sais.
— Quelle route ?
— Au-dessus.
— Justement.
— C'est un problème de frontières l'Azerbaïdjan.
— Justement.
— Les cultures bougent.
— Chacun est un nationalisme en fait et tant qu'ils ne résolvent pas le problème, ils auront des problèmes de culture.
— Ça renvoie au fait que c'est pas la même histoire.
— Quelle histoire ?
— Les découpages historiques.
— Et les rivières... la frontière ça change selon les guerres.
— Soit un côté soit l'autre.
— En plus ça change l'économie, d'un côté ça sera du bois, de l'autre côté ça sera la pêche.
— Tout le temps on fait cette erreur de ne pas respecter comment dire... chacun.
— Pour la navigation.
— En outre oui.

L'Irak une fois que tout le monde sera mort au moins on aura le pétrole... je n'ai rien contre les Irakiens... tout le monde a le droit de vivre même eux mais au moins ça sera utile pour ça.

En temps de guerre, la mort c'est la bonniche à tout le monde.

Le gaz moutarde, c'est pas une bonne pub pour la moutarde.

Monsieur Saddam Hussein ! Les oreilles ça se lave !

Si ils les bombardent les installations ça va pulvériser des armes chimiques dans tous les sens.
— Ils bombarderont pas.
— Une bombe là-dessus vous imaginez ?
— Ils bombarderont pas, d'ailleurs c'est l'avantage de les fabriquer ces armes chimiques, c'est une protection nucléaire.
— Mais chimique.
— Moins chère.
— Le chimique moi...
— Vous préférez le nucléaire ? Le chimique ça se rince.

L'Irak, tu bombardes mais ça sert à rien, c'est du sable qui se reforme.

Quitte à mourir avec une bombe je préfère une bombe normale que une bombe avec des produits.
— Tout le monde.

Pourquoi ils me font chier moi ! qu'il s'occupe de Saddam Hussein le tribunal de Nanterre !

L'Irak, tu peux pas l'avoir par usure, c'est déjà tout usé.

Ça va être la guerre.
— Si c'était la guerre, ils auraient déjà augmenté l'essence.

Le golfe Persique, c'est la Corse multipliée par mille.

Le portable, faut l'avoir à la ceinture parce que si tu le mets dans le panier des courses ça te fait les poireaux qui sonnent.

C'est la NASA qui cherche la vie extraterrestre je sais ! je suis pas une idiote ! mais est-ce qu'elle cherche bien ?

Le piano sans le bruit c'est que des doigts qui bougent partout.

Mourir d'un coup sec derrière la tête pendant mon sommeil.
— Tu veux pas la télé au pied du lit non plus ?

Le transport de l'information, moi ça fait longtemps que mon chien porte le journal.

Faut les chasser les chevreuils, faut en tuer, y en a trop, on en a qui entrent dans le jardin.
— Et alors ! les gosses aussi.

Moi je respecte la nature plus que la ville.

Elle a rien pour manger ! rien pour vivre ! son minimum vieillesse c'est des petites rides au bord des yeux.

C'est les palmiers qui font mafia.

Quand on voit les taxes sur l'alcool, ça fait longtemps que c'est la mafia qui dirige le pays !

Chez nous vous verriez, c'est le triomphe de la patate !

Tous les assouplissements de Jospin devant les patrons on a même pas les mêmes pour not' linge !

J'ai appris le français en Bourgogne, je suis né là-bas.

Le plus grand polluant, c'est le soleil, on l'a mis un jour sur deux !

N'empêche ! les hormones féminines on fait pas des bouquets avec.

Les JO d'hiver au Japon alors que c'est pas leur spécialité l'hiver aux Japonais.

La grande peinture et la grande musique… à la télé on a *La Grande Vadrouille* quand même…

C'est quoi la preuve de la réponse dans les jeux ? ils peuvent dire n'importe quoi les mecs… « en Nouvelle-Guinée ils parlent grec » et alors comment tu peux vérifier ?

« *Scorpion, santé, attention à votre foie capricieux.* »
— Depuis quand ça a un foie les scorpions ?

La terre qui tourne toute seule, un jour on va tomber sur un moteur planqué quelque part et on aura l'air bien con tiens…

L'ambre, c'est la merde de la baleine, ils font des bijoux.
— De la merde de baleine chez Cartier, ça m'étonnerait.

Le plus beau, c'est le carnaval de Limoux.

Je suis pauvre et j'ai pas honte.
— Toi, tu es fier d'être pauvre.
— Pas du tout ! je suis entre les deux.

Le geste qui sauve, c'est le pied au cul.

Elle prend des cours par correspondance pour passer un diplôme dans l'univers de la beauté.
— Elle serait aussi bien dans la boucherie, toutes les crèmes c'est fait avec la viande des vaches.

… Le mec il a vingt ans, trente ans il dit je suis vieux, non, jusqu'à une seconde avant la mort t'es pas vieux…

Moi quand j'expose mes fossiles les profanes peuvent interroger.

Les États-Unis ont des grands espaces alors qu'en France on a que de la province.

Son chien est noir, il l'a appelé Black, franchement un nom pareil le chien aurait pu se le donner lui-même.

En vingt ans, une seule fois j'ai dû lui dire, je suis pas ta bonne !
— Je ne sais pas comment vous faites…

… Notre époque est un tournant par rapport aux autres époques…

La démographie, en France, on peut pas dire qu'il en reste.

T'es un exclu de la terre toi ? Qu'est-ce que tu fous là ?

… Il parle professionnellement puisque c'est un ancien footballeur.

Pourquoi tu fais pas un syndicat des chômeurs ?
— Pourquoi moi ?

Le jeune il fume, il fume, il connaît pas ses limites.

La mondialisation, c'est plus facile à faire avec la guerre qu'avec le bifteck.

Quand je suis heureux je suis malheureux.
— Tu devrais jouer du violon.

Pour moi, le Français est frileux.

… On est jamais mieux servi que par une serveuse…

Vous allez où pour le docteur pour les yeux ?
— Chez Marquiller.
— Ah oui je vais aussi chez lui… il est bien ce docteur des yeux, il dit ce qu'il pense.

Si l'homme est un loup pour l'homme, on est tous des loups alors c'est quoi le problème ?

… Il nous fait son rêve érotique le Clinton…

On achète du boudin, elle dit dinbou, comme dans les cités.

L'horoscope chinois est bien plus ancien que l'horoscope chrétien.

Le ronflement, c'est la preuve que tu dors et que tu es pas mort en fait.

La seule planète qui travaille, si tu regardes, c'est la terre.

On ferme ! On ferme ! On ferme ! On ferme ! On ferme !
On ferme ! On ferme ! On ferme ! On ferme ! On ferme !
On ferme ! On ferme ! On ferme ! On ferme ! On ferme !
On ferme ! On ferme ! On ferme ! On ferme ! On ferme !
On ferme ! On ferme ! On ferme ! On ferme ! On ferme !
On ferme ! On ferme ! On ferme ! On ferme ! On ferme !
On ferme ! On ferme ! On ferme ! On ferme ! On ferme !
On ferme ! On ferme ! On ferme ! On ferme ! On ferme !
On ferme ! On ferme ! On ferme ! On ferme ! On ferme !
On ferme ! On ferme ! On ferme ! On ferme ! On ferme !
On ferme ! On ferme ! On ferme ! On ferme ! On ferme !
On ferme ! On ferme ! On ferme ! On ferme ! On ferme !
On ferme ! On ferme ! On ferme ! On ferme ! On ferme !
On ferme ! On ferme ! On ferme ! On ferme ! On ferme !
On ferme ! On ferme ! On ferme ! On ferme ! On ferme !
On ferme ! On ferme ! On ferme ! On ferme ! On ferme !
On ferme ! On ferme ! On ferme ! On ferme ! On ferme !
On ferme ! On ferme ! On ferme ! On ferme ! On ferme !
On ferme ! On ferme ! On ferme ! On ferme ! On ferme !
On ferme ! On ferme ! On ferme ! On ferme ! On ferme !
On ferme ! On ferme ! On ferme ! On ferme ! On ferme !
On ferme ! On ferme ! On ferme ! On ferme ! On ferme !
On ferme ! On ferme ! On ferme ! On ferme ! On ferme !
On ferme ! On ferme ! On ferme ! On ferme ! On ferme !
On ferme ! On ferme ! On ferme ! On ferme ! On ferme !
On ferme ! On ferme ! On ferme ! On ferme ! On ferme !
On ferme ! On ferme ! On ferme ! On ferme ! On ferme !
On ferme ! On ferme ! On ferme ! On ferme ! On ferme !
On ferme ! On ferme ! On ferme ! On ferme ! On ferme !
On ferme ! On ferme ! On ferme ! On ferme ! On ferme !
On ferme ! On ferme ! On ferme ! On ferme ! On ferme !
On ferme ! On ferme ! On ferme ! On ferme ! On ferme !
On ferme ! On ferme ! On ferme ! On ferme ! On ferme !
On ferme ! On ferme ! On ferme ! On ferme ! On ferme !
On ferme ! On ferme ! On ferme ! On ferme ! On ferme !
On ferme ! On ferme ! On ferme ! On ferme ! On ferme !
On ferme ! On ferme ! On ferme ! On ferme ! On ferme !
On ferme ! On ferme ! On ferme ! On ferme ! On ferme !
On ferme ! On ferme ! On ferme ! On ferme ! On ferme !
On ferme ! On ferme ! Merde à la fin ! On ferme, j'ai dit !

Y sait plus où il habite.

Rond comme une bille !

Pleins comme des boudins !

D'équerre !

Cuits. Fait comme un rat.

Recuits ! Nazes.

Comme un haricot. Une outre.

Cramoisi. Dans un état...

Comme une tomate !

Il était vert... À la petite cuillère.

... Dans l'escalier chez lui.

Comme des queues de pelle.

Lamentable ! ... Sur le trottoir devant !

Plus un gramme de place.

On ferme ! Un monstre.

Sous la table !

Déjà ?

Jusque-là !

Encore ?

Deux mille ans que ça dure que ça ferme.

... et le café ferme. Se vide des gens. Des mots. Des reflets sur les verres. Sauf un reflet qui reste là, sur la carafe près des bouteilles, un reflet pris dans le verre et qui ne part pas. Le patron ferme la porte de son café après le dernier sorti. Repasse derrière le comptoir. Voit le reflet qui ne part pas. Il met son nez sur le verre, tout près. C'est le reflet de René. Merde alors ! se dit le patron. Une ambulance passe. Le patron lève les yeux vers la rue. Le verre glisse. La carafe tombe et se brise sur le sol, mille petits bouts de reflets, le reflet de René qui aime tant se regarder dans les glaces ! Merde et remerde ! Le patron regarde le sol jonché du reflet de René en petites étoiles. Le patron confus se gratte derrière la tête. Il réfléchit longtemps et il sourit. C'est juste avant de commencer son ménage qu'il trouve l'idée, on va pas se morfondre, on va mettre la main à la poche, on va se cotiser ! dit le patron dans le silence gêné de son café, on achètera un reflet nouveau pour René chez le marchand de vitres et reflets, en plus c'est pas perdu, dit le patron, ça fait marcher le petit commerce ! Puis il se sert un peu de bière à la pompe. Soupire. S'énerve un peu, merde, dit encore le patron, s'il voulait pas qu'on lui casse son reflet, le beau René, il avait qu'à partir à la rivière et se regarder dans l'eau ! Tous ces gars qui viennent là se regarder dans les bouteilles et dans les verres, se fixer la vie durant le bout du nez, parler, parler, parler, obligé que ça finisse à la casse un jour ou l'autre, les reflets de ces gens-là ! Le patron s'allume un petit cigare, tire dessus, louche sur le bout rouge qui lui fait le soleil pour trois fois rien, pourquoi dépenser des sous pour un nouveau reflet ? Le patron pose son cigare sur le bord du zinc, prend dans la main une carafe, il ouvre le tiroir sous la caisse et saisit un autocollant qu'il place sur le plat du verre bien sec. Quasimodo de Chez Walt Disney. Il repose la carafe sur l'étagère, face à l'endroit du comptoir où s'accoude René. Puis il se regarde dans l'autre carafe, il fixe son reflet rond bien content. Il cligne des yeux. Y a que moi pour avoir des idées pareilles, se dit le patron en frottant ses mains, que moi !

Jean-Marie Gourio

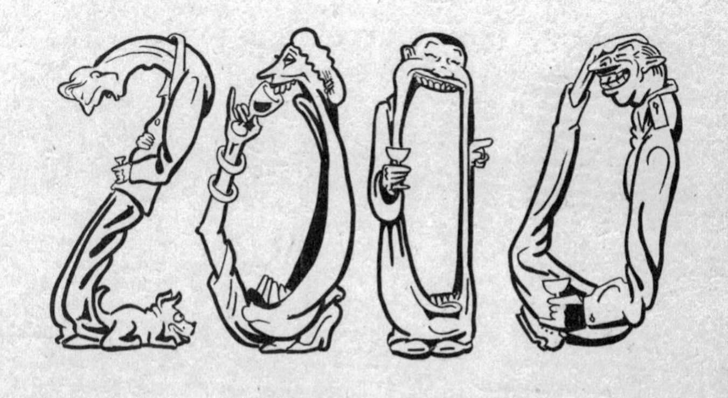

À Bouvard
et à Pécuchet

On ne l'a pas revu...

... **a**ucune idée... peut-être en face ? ou sur la grande avenue après le périphérique ? dans les Alpes ? à Rouen ? c'est pas les bars qui manquent ! je sais... nous aussi il nous en doit monsieur ! des bières et des bières et des kirs aussi ! des milliers ! une ardoise comme ça monsieur ! il a écouté les gens qui parlaient dans les cafés quinze années durant, quinze années ! notant tout ce qu'il entendait sur un carnet pour en faire des livres, au nombre de douze ! douze livres monsieur ! douze livres ! une étagère pleine ! pour savoir ce que les gens disaient, simplement pour savoir ça... et aussi comment ils le disaient, et aussi à quel moment de la journée ils le disaient, et aussi pour savoir ce qu'ils ne disaient pas, et pourquoi ils ne le disaient pas, et ce qu'ils ne savaient pas, ce qu'ils croyaient, ce qui leur faisait peur, ce qui les amusait, ce qui les faisait rêver, il en a noté des mots et des mots et des mots encore ! des choses idiotes que même nous on écoute pas ! de la poésie aussi, il paraît, des choses absurdes ! un monde ! oui, il disait, un monde en mots ! un autre dessin des choses ! une planète de mots superposée à la nôtre, comme une couche de nuages sur nos têtes, au ras des cheveux, pas haut du tout ! tous les jours pendant quinze ans monsieur ! je sais, je sais... on ne l'a plus revu... il boit ailleurs ! le salaud d'artiste ! bien sûr ! mais où ? où ? alors dites-moi monsieur, qui va payer tout ce qu'il me doit ? allez... c'est pas le tout, vous prenez quelque chose ? comme on dit...

... **bon an 2000 monsieur, bon an 2000... comme on dit...**

QUAND VOUS ENTREZ

Il y a ceux qui parlent juste à côté de vous.

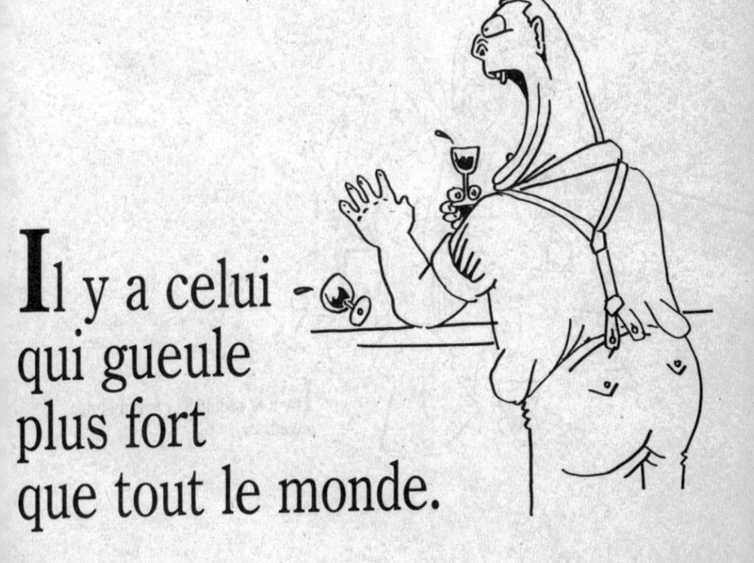

Il y a celui
qui gueule
plus fort
que tout le monde.

Il y a le brouhaha continuel des buveurs.

Il y a celui qu'on n'arrête plus.

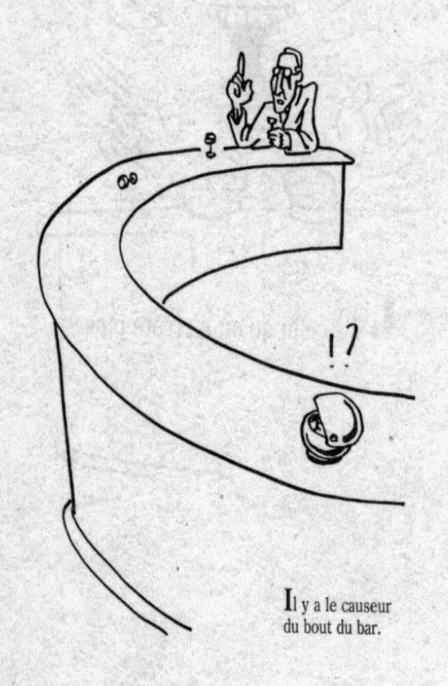

Il y a le causeur
du bout du bar.

C'est pas donné à tout le monde de boire.

Le chirurgien esthétique peut voler de la jolie peau sur les autres femmes pour la poser sur la sienne.

Je suis bien contente de voir l'an 2000... déjà que j'ai pas vu l'an 1000.

L'an 2000, moi je m'en fous, je serai chez ma sœur.

L'an 2000, c'est surtout pour les gosses qu'on va le faire.

Y a pas de quoi être fière de donner la vie, la vie y en a trop.

Dans les douches du rugby, on a pas besoin de rideau.

On voit bien que c'est pas l'alcool puisque t'as qu'un œil rouge.

Pastis contre Ricard ? halte à la guerre des polices !

Moi j'ai vu le film de Clint Eastwood, j'ai pas aimé mais c'est bien.

La tête du Japonais c'est son assiette.

Cacahuètes, olives, j'ai pas de tabou.

Le Chinois était sur terre le premier, c'est pour ça qu'il est sage.

J'ai le même prénom que Jules César, c'est facile à trouver.

Edwige, tout le monde sait l'écrire.

Ma cicatrice de l'appendicite, on dirait qu'on m'a plié un parachute.

Les gens mangent pas de cheval parce qu'on peut monter dessus.

Il ne faudrait pas qu'il pleuve comme ça tous les jours sinon quand est-ce qu'il va faire beau ?

Rien qu'en se frottant les ailes c'est les cigales qui mettent le feu.

Les trottoirs larges, c'est bien pour les brocantes.

Nous à Aulnay on s'en fout du pape.

Le dos, on ne le voit que pendant la vaisselle.

Son secret à Sinatra, c'est la glotte avec un trou dedans.

Les Turcs sont plus proches d'eux que de nous.

Je suis optimiste parce que je suis français.

Le théâtre, si t'y vas, un conseil, vaut mieux aimer ça.

Il a fallu l'apprivoise

La viande la plus chère, c'est le footballeur.

C'est pas une victoire pour une femme d'aimer le foot.

Un Pastis soprano et un Ricard ténor !

L'ancêtre du football, c'est des villages qui se volaient un jambon.

Sur le terrain avec le ballon au pied, tu peux plus mentir.

Coup de boule !

Tout est de la faute de la machine !

Le bistro fermé le jour de la brocante, j'ai jamais vu ça de ma vie !

Il attaque des jeunes filles, il leur ouvre le ventre et il sort les tripes comme si il les connaissait.

Hé !
— Je m'appelle pas Hé, je m'appelle papa.

Ils veulent me faire fermer pour l'hygiène ! moi !

C'est toujours joli une mariée quand on passe devant.

L'Europe, ça sera une sorte de grande France...

la boulangère.

Le pied, quand tu sais t'en servir, c'est une main.

Le chou-fleur, c'est une maladie du chou.

L'hormone de croissance, avant, c'était la soupe.

À la belote mon mari, c'est le lion dans l'arène.

Légalement, l'arbitre a aucun droit.

Un écrivain, ça met des grands pantalons.

La préférence nationale c'est la nature, tu fais un gosse par exemple il est français, il est pas turc.

Moi, je pense pas pareil.

Le dimanche je reste toute la journée dans mon état sauvage.

La pêche, ça m'aère la tête.

Les femmes, elles se détestent entre elles.

Le Viagra, moi il m'en faut qu'un demi.

Une randonnée chantée, ça se prépare.

Le football, c'est un état d'esprit.

Un et un font deux, celui qui a compris ça, il a tout compris.

Le football c'est démocratique, tout le monde a la télé.

De toute façon, le Français est jamais content.

Des rapports sexuels par-derrière, ah non ! ou alors on me fait la péridurale.

Quand tu vois ce que consomment les bagnoles, c'est pas un exemple pour les chauffeurs.

Central Park, c'est le poumon, comme on dit.

Les billets étrangers, moi je les montre à mon pharmacien.

Je mets toujours des câpres, ça fait la fête.

Le labrador c'est le plus beau chien, on voit bien la forme.

À l'hôpital d'Auxerre, ils volent les foies.

Son mari est mort du cancer mais y a déjà longtemps, avant la mode.

Déterrer Yves Montand, franchement, ça vaut pas Toutânkhamon.

Je devais me faire opérer mais j'irai pas parce qu'ils vous endorment et ils vous violent.

C'est pas sa fille à Montand, elle ressemble à une grenouille.

Tout le monde aime la vieille pierre.

Sur Internet c'est la foule, avec l'avantage qu'il n'y a personne.

Une famille normale, ça tient dans une cuisine.

Après la gastronomie, moi je somnole.

Les jeunes facteurs

On peut très bien être nazi et aimer le football !

Rien qu'avec le football on est le centre du monde, alors c'est pas la peine de se faire chier.

Le football, ça change un peu de leurs conneries de d'habitude.

Je n'aime pas le football quand il va dans l'excès théâtral.

Chez Peugeot, ils ont de l'honneur !

La forme de la Russie, ça change tous les jours.

Maintenant, il faut le bac pour vider les poubelles !

Un chanteur qui ouvre pas la bouche, t'achètes le disque ?

Quand ils dispersent les cendres des morts, on en respire.
— C'est les bébés dans les poussettes qui respirent le plus de cendres des morts.

C'est facile de pas être raciste quand on habite un pavillon !

Les gènes, t'en touches un et après c'est les dominos.

Il est lunatique en ce moment le soleil.

Respecter les gens, c'est vraiment pas la peine.

C'est des lapins les pédés.

c'est la lie.

Les pédés, c'est pas eux, c'est une glande.

Le fromage de brebis ça vient des Cathares.

Les pédés ne peuvent pas fonder une famille, ils sont tout le temps en boîte.

Je suis chômeur occasionnel et en ce moment c'est l'occasion.

On a de moins en moins de spermatozoïdes.
— Le mec qui compte les spermatozoïdes peut se tromper.
— C'est des femmes qui font ça, et après elles se touchent les cheveux.

Un camion de quatre cent mille bornes, c'est un perdreau de l'année.

Des millions par mois pour pédaler !
— Sur des jolies petites routes en plus.

C'est la fête du ballon rond, comme on dit.

On est les successeurs de nos ancêtres en fait.

Faire les courses, au moins c'est un sport utile.

Au Portugal, vous trouverez facilement à dormir mais c'est pas propre.

À part marcher sur la Lune...

Le naturisme, sur le dépliant c'est des jeunes filles à poil sur la plage mais quand tu y es, c'est que des retraités de la SNCF.

La toile cirée, ça fait le silence sous la table et on y met bébé qui dort.

Les théoriciens, c'est des cons.

Un cadavre ça pue mais tu t'en fous, quand t'es mort c'est pas pour aller danser.

Un fruit mi-homme mi-femme c'est la tomate.

Moi je vends ma Lancia.

Deux mille morts, faut quand même de l'eau !

Le château de Versailles, c'est un caprice de fou.

On a étudié Sophocle, et voilà le résultat !

C'est l'argent qui salit tout !

Mon mari et moi on mange que si on reconnaît la forme.

Le golf, c'est la moitié du temps à chercher ta balle.

Nous pour le manger, on aime pas les surprises.

Va dormi

J'aime pas le train quand ça sent l'œuf.

Ah Léon Léon Léon ! Roi de Bayonne ! Roi de Bayonne !
Ah Léon Léon Léon ! Roi de Bayonne et des couillons !

Du violon ils en mettaient partout à cette époque.

Elles ont toujours des gros culs les assistantes sociales.

Pour moi le plus grand couturier c'est celui qui a inventé le slip et les chaussettes.

Excuse-moi mais la mémoire c'est pas extensible.

Un con qui est pas méchant c'est Raymond Barre.

Pour les jeunes le seul légume qui existe c'est la pizza.

Des attentats le mois d'août, tous les médias sont en vacances...

Avec moi, deux et deux font quatre.

Du soleil du soleil du soleil jusque par terre !

Avec cette robe, j'ai que des compliments.

Il fout des roustes à sa femme, c'est le pot de fer contre le pot de fleurs.

quand y a une mouche !

Quand t'es con c'est à vie.

T'aurais idée de devenir chanteur toi, avec les yeux qui louchent ? mais non franchement ! on marche sur la tête ! Joe Dassin c'était différent, il a commencé à loucher après un accident, ah non ! c'est différent ! c'est un accidenté ! c'est courageux de chanter après un accident même surtout si tu louches, en plus.

Ma femme est originaire de la patrie de la coquille Saint-Jacques.

Le yen, ça vaut pas un pet de lapin.

Une journée en autocar, c'est pas le bout du monde.

Je suis ici en tant qu'individu.

Moi je suis mieux avec moi qu'avec les autres gens...

Les Américains sont encore moins cultivés que nous.

Sur un mètre de comptoir des fois j'ai vingt cons.
— Ah dites donc, ça marche.

Je parle pas pour rien dire.
— Vous savez, moi ça ne me dérange pas.
— Vous êtes de quelle région ?

Le pire, c'est les femmes juges.

Le goudron des routes, c'est une sorte de Coca.

En moto tu peux boire plus qu'avec la voiture, le vent ça dessoûle.

Diana c'est un complot.
— Quand on voit la Mercedes.
— Une voiture française on aurait rien retrouvé.

La famille Picasso, ils ont pas le portefeuille de travers !

Qui met encore des chaussons de nos jours ?

C'est comme si t'appuies sur un bouton de ta montre pour faire avancer les secondes, la respiration, c'est ça.

Je donnerai mon sang quand ils offriront le plein d'essence.

On a banni tout ce qui est graisse.

La guitare sèche, c'est celle qui a un trou ?

Y a trop d'argent dans le sport, et y en a pas assez à côté.

Pour notre liberté le petit fromage emballé c'est un plus.

C'est pas du racisme de dire qu'ils sont trop nombreux.

Jamais je mettrai un franc en Bourse, c'est trop le yo-yo.

Je vais boire un verre de vin rouge, je renoue avec la vieille tradition.

Le plus grave c'est quand le cerveau est bouché.

Chaque grossesse j'ai pris plusieurs kilos, c'est l'avantage pour moi qui ne mange rien.

L'important, c'est de se voir en dehors du travail.

Faut pas être normal pour être gynécologue.

Ce qui manque à la France, c'est un ambassadeur comme Mickey.

Si je bois pas, je m'endors.

Dans la cité, tout est cassé, y a plus de portes, c'est moi la porte.

L'apéritif concert j'y vais pour la musique parce que de l'apéritif j'en ai à la maison.

D'Artagnan, c'est un personnage qui restera toujours, y a même un armagnac.

Pour avoir un ovni qui se pose, faut un jardin.

Le tchador, ça leur sert surtout à pas se laver les cheveux.

La plus grosse femme que j'ai vue c'est dans la région de Dourdan.

La nature c'est un bien grand mot.

Tout ça c'est de l'hypocrisie.

Un œil vert, un œil bleu, comme à l'église.

En Allemagne, ils parlent allemand !

C'est la capitale de l'anchois, on se baigne et on en voit pas.

Les livres que je préfère c'est quand la couverture est molle.

À part Depardieu, cite-moi quelqu'un comme Catherine Deneuve ?

J'ai dormi dans le local à poubelles.

Mon nombril, je l'ai bouché avec du plâtre parce que j'aime pas ma mère.

Il n'y avait que des vieux enterrés dans ce cimetière, plus personne s'en occupait, la moto a tué des jeunes et la mairie a envoyé quelqu'un.

Au Japon, c'est interdit d'avoir des poils.

La foire aux vins c'est toujours bien, parce que c'est l'idée qui est bonne.

Bonjour camarades humains !

Chacun doit faire sa police !

D'abord, je tiens à m'excuser pour hier soir…

Moi je veux pas de religion parce que je veux pas d'ornière.

Un Noir, le train il l'a coupé en deux. — C'est du Coluche.

Plus ils sont pauvres, plus ils ont de paraboles à leur balcon…

Moi je suis pour la société actuelle telle qu'elle est.

Tout finit par se savoir de toute manière.

À boire ou je tue le chien !

À la naissance le nain est normal, c'est en grandissant qu'il rapetisse.

C'est mon mari qui décide de tout alors moi j'ai une vie pas tellement autobiographique si vous voulez...

Vous voulez une aspirine ? Le cerveau, faut pas jouer avec ça.

Il est né, tout de suite il est mort, alors là y a pas eu d'entracte.

Il doit avoir un problème, il ne fait des émissions que sur le sida.

Toutes les guerres, c'est le même schéma.

Le problème, c'est qu'on est pas dans une époque à chefs-d'œuvre.

Toutes les crêpes-parties, j'en suis.

T'as lu ton horoscope ? tu peux boire du blanc ?

Marcher droit dans un train ça relève de la gageure.

L'eau chaude au robinet, on fait même plus attention...

Les jeunes n'aiment pas les rognons.

Le pigeon il a un gésier à la place de l'hôtesse.

Un beau carrelage, ça change tout.

L'applaudissement, ça vient de l'otarie.

Pour la taille des rosiers je copie sur les mairies, ils ont tout le temps des jolies fleurs.

Y a un moment la coupe est pleine.

Je préfère péter que le garder dans mon ventre, je suis pas une poule.

Les oreilles qui sifflent, ça marche pas.

À l'incinération on te donne la boîte des cendres, vaut mieux prendre la voiture.

Le mariage des pédés, ça va obliger le patissier à poser des pédés sur le gâteau.

Le nez, c'est de profil qu'il est.

Les chefs-d'œuvre de la littérature, plus le temps passe et plus c'est toujours les mêmes.

Un cognac le matin ! un cognac le soir, moi la boucle elle est bouclée.

La Joconde, un ver à bois et ça sonne au commissariat.

Quelqu'un qui pleure, c'est un bruit que je ne regarde jamais.

C'est pas mon style les médias.

On a fait des photos du gâteau, on vous les montrera.

Si j'étais un génie, j

On peut rien dire maintenant sans se faire traiter de raciste !

C'est pas à La Mecque que tu boiras ça !

Quelle forme a l'hiver ?

Avec les tabourets de bar, j'ai l'impression d'arroser mes fleurs.

Dès que quelqu'un bâille, ça me fait tache d'huile.

Un demi c'est un euro, c'est comme ça que je me le mets dans la tête.

Souvent quand c'est drôle, c'est des conneries.

L'Amérique maintenant c'est une majorité de Noirs, je critique pas, c'est leur problème.

La tête pensante ici

Je bois toujours le café ici et le blanc au PMU.
— Vous buvez pas le café ici, vous buvez le blanc cassis.
— Peut-être.
— Tous les matins le blanc cassis.
— Le blanc cassis je le bois ici et le blanc toujours au PMU.
— Peut-être que le café vous le buvez au PMU ?
— Au PMU je bois toujours le blanc cassis.
— Peut-être que vous ne buvez pas de café.
— Peut-être.

e saurais.

Je m'appelle Marinette, si j'avais été un garçon c'était Roger.

La femme la plus intelligente que je connais, c'est une connasse.

Le Bartissol, il faut remonter aux années soixante pour l'engouement.

Dans *Alien* pareil, c'est le Noir qui est con.

L'an 2000, j'y crois pas.

Il pue de la gueule par le nez tellement il pue de la gueule.

c'est moi !

Le short, je le mets dans le Puy-de-Dôme.

J'ai un don, je grossis pas.

Pas besoin de pulsions sexuelles pour coucher, ça me vient tout seul.

Je veux bien arrêter de fumer, mais qu'est-ce que je vais faire ?

C'est une histoire de culture, t'as des pays qui torturent et c'est pas notre culture.

Y a des cons partout ! moi je suis pas manichéiste.

Le pipi-room s'il vous plaît ?
— Je vous préviens, y a quelqu'un qu'est passé, princesse.

Picasso, tout de suite il avait trouvé son truc.

Moi j'ai vécu l'amour avec un grand mou.

L'an 2000 redonne envie de téter son pouce.

Heureusement que ça fait pas mal de se couper les cheveux.

La musique est obligée de changer, on mute de l'oreille.

Soixante-treize ans aujourd'hui...
— Ça ira mieux d'main.

Un petit vieux tout nu, c'est comme un bébé qui brûle.

Un vieux monsieur dans un bistrot, un vieux bistrot dans un monsieur.

On a commencé à se plaindre quand on est devenus cons.

Si t'aimes Pau-Orthez, forcément t'aimes pas Villeurbanne.

Shakespeare, c'est pas du Tchekhov.

Babar, c'est culte.

J'étais chiant hier soir ? ah bon ? parce que moi, ça allait.

Vous avez les mules ?
— C'est des pieds confort.

L'hémiplégie d'un côté, ça te laisse quand même l'autre côté.

J'aime les gens, d'ailleurs je mange à la cantine.

Ici, c'est une ville où on a des quartiers.

J'adore les huîtres, et pourtant j'aime pas l'eau.

Marguerite Duras, depuis qu'elle est morte, j'en lis plus.

C'est incroyable que pour enterrer tous les morts le monde ne manque jamais de fleurs.

Dans les tests génétiques ils font parler un cheveu, mais je préférais quand ils faisaient parler le coiffeur.

Jeanne Moreau, elle fait euro avec son nom je trouve.

C'est malheureux à dire mais on y passera tous.

J'ai changé mon carreau à la nuit tombée du coup j'ai plein de moucherons dans le mastic.

Quelqu'un qui attend un rein, tu sais pas quoi lui offrir.

Mon mari est passé ? repassé ?

Je les sers plus les diluviens...

On voit tellement de vieux dans le quartier, on dirait qu'ils ont ouvert une maternité de vieux.

Quand ils sont mal coiffés sur la photo j'achète pas le journal.

Dans la famille c'est pas un cordon ombilical qu'on a, c'est un tuyau.

La boue je sais ce que c'est, on en a eu dans le garage.

La soupe obligatoire tous les soirs et personne est devenu voyou.

Il est énervé quand il a bu mais il est pas méchant, on l'a connu tout petit.

L'Île-de-France... c'est pas tellement une île... même pas du tout.

Faut profiter de la vie pendant qu'on est vivant parce qu'après...

L'alcoolisme est une bonne maladie, par rapport à ceux qui peuvent pas boire parce qu'ils sont malades.

Le futur, ça tombe à l'eau.

J'observe beaucoup les jeunes qui viennent et je vois bien ceux qui vont vieillir ici...

Les femmes ont de la chance, elles ont le cœur dans un nichon.

Tu connais Sacha Distel toi Jacky ?
— Bois ton scoubidou et fiche-moi la paix.

Je risque pas d'être voyeur, je vois rien.

Les cerveaux qui fuient la France, c'est plus la peine de revenir.

Trente pastis par jour, il est au sommet de son art…

Boire de la bière avant la soupe ça tient pas debout.

Il faudrait qu'à l'auto-école on nous apprenne à conduire bourrés, on apprend bien la conduite sur glace.

Je garde mes idées pour moi !

Milou est plus de droite que Tintin.

Il n'y a pas beaucoup d'homosexuels à la campagne… on a le bon air.

On nous met à la retraite en pleine forme et Chevènement qui est mort il est encore ministre !

Jésus était complètement suicidaire...

Tu peux attraper le sida en étant pédé ou pas pédé ou transfusé, y en a pour tous les goûts.

Je suis le plus grand auteur maudit, j'ai jamais écrit une ligne !

Je suis pas parano, mais on sait jamais.

Y a un esprit, dans le quatorzième arrondissement.

La grande muraille a retenu la pluie et l'eau est montée comme dans une piscine.

Le ballon ovale rebondit plus sans réfléchir que le ballon rond.

La forêt tropicale disparaît au rythme d'un stade de football par minute et d'ailleurs, ils ont de très bons joueurs là-bas.

Un flocon tous les deux mètres, on ne peut pas appeler ça de la neige.

J'ai mon cercle de famille qui fait des huit.

Je bois le dernier et après tu me mets dehors.
— Une carotte ! et un bâton !

Je sais pas comment je fais, je connais que des pochetrons.

À la naissance je pesais quatre kilos et aujourd'hui je voudrais bien les perdre.

Moi ça ne me choque pas les massacres.

L'amour sous toutes ses formes, ça fait trop de formes.

On peut pas nous confondre, mon frère fait le double de moi, ma sœur habite à Reims, mon père est mort et ma mère est remariée avec un Corse.

Y en a qui choisissent leur sexe, mais moi je préfère qu'on me serve.

Un œuf et un demi ! j'ai une formation classique.

Ici, faut se faire greffer le limonadier !

Le parfum c'est cher pour l'odeur que c'est.

Des pédés t'en as chez les animaux mais pas chez les légumes.

Oui et non...

Avec mon mari, on va organiser une marche contre le cancer de la prostate.

Moi ça m'arrange de dire ce que je veux.

Un gamin élevé par des lesbiennes voudra mettre des robes, forcément.

Je ne sors plus beaucoup de chez moi, madame, et plus personne ne vient me voir, si vous saviez, madame, je suis tellement seule, madame...
— On n'emmerde pas les clientes !

***2000** c'est pas une vraie date, c'est une date publicitaire.*

Ce qu'il faudrait pour les jeunes c'est un apéro culte.

Vous êtes toute rose.
– C'est l'effet beaujolais.

Le kir c'est à la mode, la femme qui a roulé dans les gens avec sa voiture, elle en avait bu sur les Champs-Élysées.

Moi j'y crois pas aux pneus pluie.

Il ne faut pas prévoir en pensant aux générations futures parce que si ça se trouve, elles ne naîtront jamais.

Je suis en pleine forme ! j'ai chié du lion !

J'ai l'habitude de l'Europe, je suis en face du Centre européen du pneu.

L'exposition Picasso, le premier étage c'était bien, mais le rez-de-chaussée, c'était une catastrophe !

Je n'ai pas à me plaindre, mon mari digère bien.

Je ne suis pas raciste… en tout cas, pas à cent pour cent.

Vous reprenez un pastis ?
– Non, un demi, je n'aime pas faire deux fois la même chose.

U*n café.*
— Une eau sale !

Dans sa morgue, y a autant de rosé au frais que de morts.

On a un reste d'ouïes de poisson dans le nez, et c'est pour ça qu'on ronfle.

La lire ça vaut rien c'est comme la peseta, mais la plus grosse connerie ça sera de faire disparaître le mark, le franc tu multiplies par vingt et après tu divises par trois mais c'est en 2002, on sera peut-être morts.

Immédiatement j'ai le pipi qui sent l'asperge.

Il est né le jour des soldes.

Il a ses pieds, on dirait des mains de garagiste.

Les jeunes vous parleront des mines parce que c'est à la mode, et les vieux vous parleront des obus parce que c'est leur jeunesse...

Je sais pas comment on est rentrés, mais on est rentrés, puisqu'on est rentrés.

L'Amérique centrale, c'est en trop.

On cherche quelqu'un.
— Servez-vous, tout est là.

Londres, que des cons.

Je veux pas qu'on m'emmerde ! je bois mon verre à huis clos !

Le voile islamique c'est fait pour cacher la féminité, comme le rideau de douche.

Apprendre la géographie à l'école ça sert plus à rien ! Vous croyez que Boris Eltsine il sait où elles sont les villes ?

C'est pendant le ramadan qu'ils sont le plus dangereux parce qu'ils ont faim.

On est jamais mieux desservi que par soi-même !

À soixante-dix-sept ans ils l'envoient dans l'espace, soi-disant qu'ils font des études sur les vieux, pourquoi des vieux y en a pas sur Terre ?

Chaque roi avait son surnom, comme Pépin le Brave.

Mon deuxième prénom, c'est Pierre… tu me crois pas ?

J'ai les doigts de pied qui tournent vers la droite, quand je suis dans mon bain on voit bien que ce sont des anciennes nageoires.

Si y a que ça à manger, vous en mangez du boa, ça a goût de lapin.
— Si ça a goût de lapin, je vois pas pourquoi c'est un serpent.

Les danseurs de l'Opéra ne sont que des singes bien dressés finalement.

J'aime bien manger tout seul dans mon coin, je suis une dent du fond.

Je m'appelle Rubens

Si on m'avait dit qu'un jour on serait en 2000, je l'aurais pas cru !

Ils peuvent se doper autant qu'ils le veulent, je m'en fiche, j'adore le cyclisme.

T'attrapes le sida en boîte de nuit alors que la tuberculose il fallait un travail.

Moi j'ai beaucoup de bon sens.

À la Bourse, ils gagnent des milliards sans rien faire, juste en passant un coup de téléphone et, d'ailleurs, j'aimerais bien l'avoir le numéro...

Tu gagnes dix milliards au Loto tu peux plus vivre pareil, tu t'achètes dix châteaux, et après faut rentrer chez toi.

Enseveli sous une avalanche, tu sais plus où est le haut ni le bas.
— Le haut, c'est le bonnet.

comme les grosses à poil.

Le plus doué des architectes c'est la termite.

C'est un nom rigolo

Il a eu un problème cérébral.
— Jacques Martin, c'est pas son genre de se plaindre.

Les fourmis ne connaissent pas la boussole, elles se dirigent à coups de jus qui sent.

Soixante-huit ans j'ai toujours habité au rez-de-chaussée et ça me suffit.

Pour une fois, je suis d'accord.

Les chiens d'avalanche ont plus du mal à retrouver ceux qui mangent pas de viande.

J'ai souvent mal à la tête, je suis d'origine migraineuse.

Il en avait tellement marre d'attendre un rein qu'il voulait aller le chercher.

Les riches son

En Mai 68, les seuls fils d'ouvriers qu'on voyait dans les rues c'étaient les CRS.

Avec les cerises à l'eau-de-vie on n'a pas l'impression de boire et pourtant c'est de l'alcool. Moi je fais ma police et j'arrête dès que je commence à avaler les noyaux.

Je suis mon seul objet personnel, sinon j'ai rien.

Pinochet pour un dictateur.

Y a pas deux personnes qui font la même choucroute.

Qui demande son avis à la vache ?

Y a choucroute et choucroute.

Il faut rendre à la vache le droit de manger de l'herbe.

Dans notre village on a encore des valeurs humaines, on s'échange les bouteilles de gaz.

Les guerres en Afrique sont pas vraiment des guerres, les gens se tuent et c'est tout.

On envoie des fusées dans le ciel et à Lille y a pas de bus...

incinérés au feu de bois.

La religion oui mais le pape jamais ! Je n'attaque jamais l'homme.

Elle parlait pas, elle était bien cette chanteuse, et à la fin elle a fait comme tout le monde elle a raconté qu'elle avait été violée par son père, quelle honte, moi qui avais ses disques.

J'aurais pas voulu être le père de Shakespeare !

J'ai vu un ovni une fois, mais en fait, c'était un avion.

Ce qui ne va pas dans la société c'est les gens.

On finira par avoir plus d'ennuis avec le sang que des avantages.

Le Danemark...
— Oui, le Danemark.
— Dans le concert des nations...
— Oui, dans le concert des nations.
— C'est le grand absent.
— C'est le grand absent... c'est vrai.
— J'ai rien contre vous.
— Je suis hollandais.
— Eh ben... vous êtes plus grand qu'eux !
— Oui... peut-être oui.
— C'est pas du tout culturel le reproche que je fais.
— Non.
— C'est économique.
— Oui... c'est bien.
— Faut pas te foutre de ma gueule toi !
— Moi, non.

Je suis jamais tout seul, quand je me déplace en province je bouffe avec mon portable.

Pour moi, les dieux, c'est grec.

L'aide internationale, ça va toujours que dans un sens ! c'est pas vrai ce que je dis ?

Je les laisse tout le temps devant la porte, c'est des gardes républicains ces chaises-là.

Je vis avec depuis cinquante ans et mes meubles ont autant de droits que des êtres humains qui viennent.

Représentant chez Ricard on est presque dans le spectacle, des fois on rentre dans le café, on est applaudi.

On est réveillés par les oiseaux qui vivent dans le lierre, on dirait des portables qui sonnent.

Le veau a pas de chance, il naît en même temps que les morilles.

Le père d'un côté, la mère de l'autre, avec les parents séparés le gamin c'est le cornichon qui tombe du sandwich.

La maladie, la mort, c'est les inconvénients du direct.

J'en ai fait tuer un hier, il me foutait toutes les clôtures en l'air, c'est beau un cheval, ils me l'ont bien tué, c'est moi qui l'amène et hop un coup de pétard fini, ça va vite, plus vite que nous, ils sentent pas la mort, pas plus que nous, c'est le meilleur ami de l'homme, quand on le tue ça lui fait rien.

On se comprend tous les deux... on est pareils... on vient du même quartier... tous les deux on a pas de père... toi non plus t'as plus ton permis...

Pour réussir dans le porc, il faut penser porc vingt-quatre heures sur vingt-quatre.

Ils ont qu'à faire des porcs en forme de tour Eiffel.

L'alcootest c'est pas fiable, c'est du matériel français.

Mourir de faim, c'est une bonne maladie.

Une bière avec la mousse au fond !

Le homard, c'est de la couille.

Les notes de musique c'est toujours en français.

Avec les mots croisés, je sens que j'ai un cerveau.

Le sang contaminé, ça finira comme un souvenir à la Perec.

Quand vous lisez la littérature du dix-neuvième, franchement, c'est un autre siècle.

On s'est assis dans le pré à côté d'une herbe qui sent mauvais et après on est allé poser les fleurs au cimetière. J'aime pas le dimanche après-midi.

Tous les pots de fleurs qu'elle a mis sur le rebord de sa fenêtre, un coup de vent et hop ! c'est des bombes volantes.

Le *Boléro* de Ravel c'est le même genre que la *Truite* de Schubert.

Il va être content Gilbert, j'ai pris des gâteaux.

Une fois je suis bourré ! une fois je suis pas bourré ! je suis le Masque de fer !

Je suis né un mercredi et quand je vous dis ça, je sais de quoi je parle.

Dans la pornographie, ils font de ces rictus des fois !

Un critique de théâtre ne paie jamais sa place, c'est le contraire de la psychanalyse.

Quand tout Chamonix mange une fondue, c'est un volcan en fromage.

Ça vient du Congo comme perroquets, y en a neuf sur dix qui meurent dans la valise, c'est pareil que l'esclavage sauf que en plus ils parlent.

Tout le monde aime regarder de la vieille pierre.
— La vieille pierre est souvent en meilleur état que la neuve !

C'est idiot de faire le patinage artistique sur roulettes le même jour que le rassemblement de 2 CV.

Je serais une cigogne, j'irais jamais à Strasbourg.

Quand vous voyez les insectes entre eux, c'est pas des saints !

Elle a refait son nez cette chanteuse et du coup elle a disparu, personne achète plus ses disques, comme quoi le nez c'est important.

Je voudrais mourir pendant mon sommeil mais pas pendant la sieste, pendant la sieste je dors pas, je rêvasse.

Tous les jours ils trouvent des nouveaux insectes, comme si on en avait pas assez.

Les chanteuses pauvres, il ne faudrait pas qu'elles s'enrichissent.

Le comble ! on bat son gosse on a un procès maintenant... Moi mon père me frappait je disais merci, et je lui dis toujours merci !

Y se tape son chien, comme Tintin.

À mon époque, on faisait rentrer un jeune à la maison rien qu'avec un clafoutis !

C'est ce que je dis ! les chefs d'État africains c'est des sanguinaires, mais dans leur tête c'est des enfants... c'est ce que je dis.

Les problèmes de l'Europe, c'est de l'eau à mon moulin.

Le Portugal c'est bien pour passer les vacances mais c'est impossible d'y vivre.

En banlieue, y a pas de doyen.

Le tiers-monde a toujours eu du plomb dans l'aile.

Y a pas tellement de différence entre l'Allemand et l'Anglais, c'est comme entre l'Espagnol et l'Italien, le Chinois et le Japonais, tout ça c'est pareil.

Le pire danger quand on est bourré, c'est les routes droites.

C'est à la cantine qu'on voit vraiment les comportements.

Le coupe-papier, le dimanche, il est bien content de couper du saucisson.

C'est des gens, le maillot de bain, inconnu au bataillon !

Dès qu'on s'est mis de la crème solaire on pense plus qu'à rien toucher.

La maîtrise des quantités de lait, c'est pas à la vache de l'avoir.

Le théâtre c'est bien, mais c'est le public qui est con.

Moi ça me gêne pas d'être con du moment que tout le monde reste poli.

Ils vous opèrent le ventre en faisant rentrer une petite caméra.
— Eh ben moi j'aimerais pas trop être opéré par un cameraman.

On trouve un os de dinosaure sur ton terrain, tout de suite ils veulent te virer de chez toi pour faire les fouilles ! merde...
— On était là avant l'os.

Le docteur Gachet lui a volé plein de toiles, et encore, les pires, c'est les dentistes.

Les cochons qui trouvent les truffes, on pourrait s'en servir pour les mines.

Il connaît le français et l'espagnol, c'est langue à la carte avec lui.

Sur les photos noir et blanc, on voit mieux la fatigue.

Un café ? merde… je viens de nettoyer la machine… merde…

Les plus grandes catastrophes du siècle, à partir de l'an 2000, faut tout refaire à zéro.

Je suis français, et en plus c'est vrai monsieur !

C'est un doigt que j'ai perdu dans la famille du côté de ma femme.

Si quelqu'un est grand public, c'est bien moi.

Le temps, c'est très important quand même…

Elle est fendue la glace ?
— Non, c'est vous.

Tant qu'elle est pas ouverte, l'huître sait pas qu'elle est dans la cuisine avec des gens qui la regardent.

Il a refermé la banquette-lit avec le chat dedans ! J'en ai marre de ce mec, sa femme l'a foutu dehors et je peux pas le virer, il a un double des clefs.
— Houlà !

La Cocotte-Minute, c'est une idée que j'aurais pas eue.

Allons descends de cette chaise Kiki, on est pas au cirque !

Les aires d'autoroute c'est ouvert le midi alors avec mon mari on mange là, souvent c'est meilleur et c'est moins cher que dans le pays, on trouve tout, si on savait pas qu'on est dans l'aire d'autoroute, on se croirait dans le pays.

Je n'achète rien quand c'est fabriqué par des enfants du tiers-monde, ça se casse tout de suite.

Les femmes en prison pensent tout le temps aux autres femmes qui font les courses.

Vous voulez vous asseoir ?
— Ça va, je m'assois dans ma tête.

Le suicide c'est un bon garde-fou quand on veut pas vivre comme un con.

Avoir le sida maintenant c'est plus honteux, ça devient même glorieux !

Avant et maintenant, plus tard, on dira, c'était pareil.

Le pire racisme maintenant, c'est contre les piétons.

Ça les gêne plus
qu'autre chose
leurs grands doigts
aux pianistes.

Si on était une grande puissance, on déciderait de la taille de l'andouillette à Paris, et pas à Bruxelles !

La mort du pape ça fait réfléchir.

À la télé le plus important c'est la coiffure et à la radio c'est les dents.

Je ne suis jamais allé à l'étranger, et je n'en suis pas mort !

Elle attend des jumeaux, et elle trouve encore la place pour du gâteau.

Les États-Unis, il faut regarder mais rien manger.

Vous avez vu la barbe de l'otage ?

On leur met un œuf en plâtre pour qu'elles perdent l'habitude de manger leurs œufs.
— Les poules mangent leurs œufs ? Ah bon ? Moi je croyais que pour elles, c'était sacré.

Pour le bébé dans le ventre c'est déjà trop tard pour l'euro puisqu'il a déjà l'automatisme avant la naissance à force d'écouter les francs à travers le ventre.

Quand il rigole Chirac c'est qu'il a bu de la bière, je le sais, mon mari c'est pareil.

Deux mille cinq cents francs le séjour aux Baléares, huit jours et en plus le vin inclus.

C'est pas en surfant sur Internet que les gamins vont se mouiller les espadrilles !

Chercher un travail, c'est du plein-temps.
– Moi je cherche un mi-temps.

Le Kilimandjaro leur sert à rien, une fois ils ont fait un film avec mais c'est tout.

Sur Internet, je saurais pas où aller.

Intuitivement je prends plutôt la Suze.

Ils ont dit qu'il allait pleuvoir, et ils l'ont fait.

Les hooligans font autant de mal à l'alcoolisme qu'au sport.

C'est bien, les patates peintes comme de l'or qu'ils ont mises devant le restaurant, ça fait magique.

Quand on voit une baleine de près, ça nous ramène à la grosseur d'un grain de sable.

J'ai horreur des connasses au volant.

Plus on parle des bonnes femmes, plus ça leur suffit.

À Thoiry on ne descend pas de voiture, et on veut marcher sur Mars !

J'aime pas boire quand j'ai soif, tout le monde fait ça.

On avait des Antillais à manger, la neige du toit n'a pas tenu.

Je m'en fichais du sèche-linge, eh bien maintenant je peux plus m'en passer.

La grande galerie de l'évolution, pour moi c'est pas tellement évolué ce qu'on voit, je trouve.

Y en a partout ! et même ici nous aussi on en est des mathématiques, puisqu'on est deux.

Les condamnés à mort veulent toujours manger un gros bifteck.
— Oui mais aux États-Unis, ils ont la meilleure viande.

Moi j'ai marché très tôt.
— Je suis témoin, il était là à sept heures !

Vous avez bonne mine.
— On s'est fait une cure de salade.

C'est dans les pays où y a pas de libertés qu'on sait apprécier les bonnes choses quand y en a...

Je connais pas un pays où y fait trop chaud le midi et que ça m'empêche de manger, moi faut que je bouffe.

Elle est en train de me tricoter un pull qui imite la gendarmerie pour quand je me fais arrêter.

Je vous l'amène à table votre chocolat ? — Je peux me lever, je suis pas une princesse.

Il faut mourir pour laisser la place aux autres mais franchement, dans le quartier, on se marche pas dessus.

Bonjour ! non non ! restez assise ! je vous disais bonjour de loin ! on est à l'ère du satellite !

C'est pas ma bouche qui boit, c'est ma main.

C'est même plus du scandale, c'est pire.

C'est pas possible que le cerveau de Kennedy soit dans le formol, la balle a tout fait exploser, c'est le cerveau d'un autre qui est dans le bocal, de toute façon un cerveau c'est un cerveau, à deux-trois trucs près, on pense tous pareil.

Le problème au départ, c'est qu'on a des mœurs.

J'aime bien ranger, au bureau on m'appelle « le tiroir ».

Quand tu gagnes les milliards du Loto, tu es protégé par les lois de l'anonymat qui sont derrière le ticket, c'est une loi à eux, elle est écrite, bien sûr, et si le Loto respecte pas, tu leur fous la loi dans la gueule, ah si !

Holiday on Ice, rien qu'y penser, j'ai froid aux pieds.

Moi les cons ça me fait plus rien, c'est comme les antibiotiques.

La choucroute était pas bonne et en plus y avait des grosses connasses habillées en cigognes.

Le dentiste m'a mis une dent qui a un goût.

La fête des Mères c'est bien, mais la journée de la Femme c'est de la merde.
— Au moins la fête des Mères ça veut dire quelque chose.

Les animaux sont nos bébés finalement...

Les goûts et les couleurs sont dans la nature, sauf le Ricard tomate, tu l'as en ville.

Un but d'enfer !
— Le ballon lui est tombé sur la tête, c'est un coup de pot.
— Il a placé la tête.
— La tête, elle est toujours à sa place.

Ici on s'est toujours bien comportés avec les étrangers, je dis pas qu'on les sert en premier mais on les sert, c'est déjà bien, on est pas des sociologues non plus !

C'était un peuple fier et c'est devenu des clochards ! y a du pétrole en Sibérie mais évidemment, si messieurs-dames les Russes ne veulent plus se baisser...

Un grand écrivain, ça se tait, pour moi, ça écrit ses trucs et ça se tait.

Le grand génie de Napoléon c'était ses tiroirs dans sa tête.

Les pédés ça se voit, alors que pour les hétéros, ça se voit pas ce qu'on est.

Au Mexique, on mange pour rien.

C'est pas pour dire du mal de Van Gogh, mais faut être con pour se flinguer pour des tournesols.

Les sept péchés capitaux, vous pouvez rajouter comment je me gare.

Le dopage, c'est la poutre dans l'œil, on s'attaque au comment mais jamais au pourquoi, et tout leur jargon c'est de la fumée qui cache le mal, tout finit par se savoir de toute manière, souvent c'est pour payer les traites de la maison qu'ils ont construite, et les docteurs c'est des intérêts énormes avec ceux des laboratoires qui sont souvent hors des frontières, c'est mondial ! Vous reprenez quelque chose ? Ça change tellement vite les lois, il faudrait dire au sportif, si vous prenez ça, voilà la sentence, c'est rendre service, ils se cachent souvent derrière le secret professionnel... vous voyez un médecin dire, lui c'est une brebis galeuse, lui, lui, c'est difficile à régler, il faudrait qu'ils fassent leur propre police et c'est ce qu'ils font dans le judo, le judo c'est réglo réglo, mais au fond c'est des problèmes de pays riches, l'argent, l'argent, le pire c'est qu'ils se font plumer, ils finissent alcooliques à la rue ! y a une championne de ski qui vient de tout perdre tenez des millions et des millions.
— La petite ? la grosse ? la sœur je sais pas quoi ?
— Non, une normale.

Tu mets pas quelqu'un à l'hospice parce que tu l'adores.

Diderot, c'est le neveu ?

Une bouchère faut que ça soit blanc ou rose, pour faire confiance.

Houston, t'as rien, mon fils y est allé, y m'a ramené des chaussures.

Les bêtes c'est comme les gens, ça les énerve le mauvais temps.

Le vide-ordures dans la cuisine aura évité plus de viols que la police !

L'Occident a mangé son pain blanc, vous verrez ! et après ça sera l'Orient, tenez... prenez le cas du Japon... vous avez vu la merde économique dans laquelle ils sont ? hier ça clôturait en baisse, en plus c'est pas la première fois que ça leur arrive l'aventure de vouloir bouffer la planète et qu'ils n'y arrivent pas... autre exemple, prenez la politique du gouvernement américain, celui d'aujourd'hui, hier c'était encore autre chose comme prouesse, non, maintenant, vous diriez quoi vous là votre première réaction sans réfléchir ?
— Qui ?

Vous avez vu ces giboulées ? c'est de la rillette.

Le poisson ça rend intelligent, c'est plein de phosphore comme dans les feux d'artifice.

Tout le monde peut pas être riche, c'est pour ça que des pauvres il en faut.

On a des avalanches mais là-bas c'est des coulées de boue, remarquez, chacun a les coulées qu'il mérite.

L'idéal, faut pas le mettre trop haut, mais faut pas non plus le mettre trop bas.

À midi pile y a une connasse qui s'était garée juste devant, je sais, j'étais là.

Quand on est à la retraite, on mange pas de viande.

À la naissance on sort de notre mère, et à la mort on devrait rentrer dans notre grand-mère !

J'espère que je serai plus là, quand ça sera l'euro.
— Mais non mémé, faut pas dire ça !

L'an 2000 c'est rien puisque c'est en 2001, l'an 2000.

Ça vient trop tôt l'an 2000, on est pas préparés.

L'an 2000 était prévu par ceux d'avant mais nous, on y est pour rien.

C'est la fin du mythe d'avant, cette date.

L'an 2000 c'est quelque chose qu'on va créer qui correspond à rien.

Moi, de toute façon, j'aurai soixante ans en 2010, alors 2000, ça m'impressionne pas.

C'est pas tous les jours l'an 2000 non plus...

T'as vu ? ça sent bon.

Pour les calendriers des éboueurs 2000, on aura pas un Martien sur le palier, vous verrez.

Elle aime pas son bébé, elle lui change la couche on dirait qu'elle change le papier du fax.

La journée internationale de la Femme, nous, on la fait pas, d'ailleurs je sais pas pourquoi j'en parle, on la fait jamais.

Elle est morte la dame qui boitait ?
— Hier.
— Elle est morte de ça ?
— Vous lui demanderez... je suis pas légiste... je vends même plus la vignette..

Y en a plus des vieux cerveaux comme nous.

Le permis de conduire, c'est le seul papier de la préfecture que je comprends.

En principe, le Canada, tout le monde parle avec l'accent.

À Rio, tout ce qui est canalisation ou sanitaire, si vous regardez dans l'hôtel, rien n'est aux normes.

Je vous offre un verre ?
— Non, je vous remercie, j'en ai déjà pris un à titre personnel.

Dans le bouddhisme, c'est pas les plus maigres.

Dans tentation y a tation ! attention !
— Embêtez pas les gens.

Pour ce qui est de la question de la fin du monde, pour moi j'y crois pas, alors y a pas de problème.

T'avais un nounours toi ?

La francophonie qui finira par gagner, c'est celle des Anglais.

Une poule, ça pollue plus qu'un homme, ah si ! en Bretagne, ah si !

Son cœur s'est arrêté une heure !
— Exagérez pas… ils ont dit aux informations, cinquante minutes.

À la NASA ils ont des écrans pour surveiller la trajectoire des fusées parce que sinon les mecs qui suivent la fumée, bonjour les vertèbres !

Si on fait des lois c'est pour les respecter, sinon c'est pas la peine d'en faire.

Bientôt ils mettront des handicapés au bord des routes pour qu'on ralentisse ! y m'en faut plus.

L'assiette anglaise, elle est anglaise comme moi !

La cuite, le lendemain de cuite, la cuite, le lendemain, c'est la poule et l'œuf.

Moi si j'avais découvert l'Amérique, je me la gardais.

J'étais saoul mais pas bourré.

Moi ça ne m'intéresse plus, tout ça, vous savez, moi j'ai la bite qui a un pied dans la tombe.

Les Noirs, c'est pas une qualité non plus ! y en a que pour eux.

L'équivalent du télégramme, c'est les emmerdes.

Au-dessus d'un mètre quatre-vingt-dix, tu es géant.
— Pas du tout ! le géant c'est deux mètres.

Quand t'es mort, t'as plus rien à faire, finalement.

Moi je ne veux pas être prisonnier d'un état d'esprit.

Du moment que je bois qu'un verre à la fois, ça va.

Moi je vis dans le monde d'aujourd'hui.

Quand je suis bourré, je fais attention à ce que je dis, par respect de l'autre, et je trouve que c'est normal quand on vit en société.

Vous savez pas si y a des enlèvements de bagnoles dans le coin ?
— Aujourd'hui ?
— En ce moment.
— On a enlevé votre voiture ?
— Je sais pas.
— C'est quoi comme voiture ?
— Une R quelque chose.
— Dans cette rue ?
— Je sais pas.
— Vous vous êtes garé quand ?
— Hier, je crois.
— Ici ?
— Je sais pas… je la retrouve pas.

Dans les grandes salles je me mets à côté de la porte des toilettes, j'ai pas envie de refaire ce que j'ai vécu au bal à Reims quand j'ai eu envie d'y aller.

Personnellement pour moi j'ai pas peur de l'alcool, mais c'est pour mes enfants.

Au moins une épluchure tu reconnais le légume, alors qu'à la place on se mélange tout le temps les habits.

Le facteur humain, tu es encore plus déçu si tu tombes sur un connard.

Elle a sucé Clinton, mais c'est pas elle qui a écrit son livre.

Je suis catholique et musulman parce que si y en a une qui s'arrête, j'ai l'autre… comme de toute façon je pratique pas… je crois en tout moi ! je m'emmerde pas ! tant qu'y faut pas payer…

J'ai vu votre chien l'autre soir, tout seul dans la rue.
— C'est rien, il est somnambule.

La tendance générale, c'est quand même au laisser-aller moi je trouve.

Elle est partie où maman ?
— Acheter des timbres.

En tout cas, c'est pratique l'ADN..

Je dors au boulot sinon j'y arrive plus.

Historien c'est facile, t'as qu'à recopier.

Le Salon du livre c'est comme le Salon de l'agriculture, tout le monde repart pas avec une vache.

Moi si j'étais handicapé, je me ferais pas chier à faire du sport.

Heureusement que le soleil se lève à l'est, sinon faudra changer le côté des fenêtres.

Le racisme, c'est une exagération des médias.

Dans les films, ce que je préfère c'est les extraits.

À l'hôpital ils ont dû me refiler du sang contaminé, deux pastis et je suis bourré maintenant.

C'est réputé comme endroit, Mitterrand y allait tout le temps passer des vacances à Belle-Île et même Chevènement après qu'il soit mort il est allé là-bas.

En Amérique c'est des Indiens qui vont sur les échelles parce qu'ils ont pas le vertige.

Moi le printemps ça m'énerve, faut pas me faire chier !

Il y a mille façons de... de... de... de... de... de... faire du théâtre.

Ribambelle ça fait penser à bretelle, plus maintenant, mais quand j'étais petit.

Penalty pour Nancy à douze minutes de la fin ! si ça, c'est pas de la magouillle....

Avec l'apéritif, ma vision elle est doublée à la puissance mille.

La reine d'Angleterre, en France, elle serait même pas ministre !

Mais les gens se foutent de tout !

Les auteurs russes, c'est vieux.

Ça sera la fin du monde l'an 2000, peut-être pas 2000, mais en 3000 en tout cas.

Moi ça me gêne pas

C'est grâce à la bière qu'on a les reins qui font pipi.

C'est le siècle qui veut ça, à la pêche faut que ça morde.

Les garçons, c'est à partir de quinze ans que ça devient intéressant.

Président de la République, tu peux manger ce que tu veux, ah si !

Quand ils sont en voyage les grands présidents font caca dans une sorte de pot qu'ils ramènent dans leur pays, pour pas que les services secrets puissent faire des analyses.

Les pigeons vont toujours chier sur les statues, ils ont un œil au cul ces oiseaux.

Quand je bois l'apéro je paye mais y faut une obligation de résultat.

C'est dans les pays protestants qu'on roule à gauche.

Ça me fait peur tous ces ordinateurs qui nous surveillent.
— On y est à Big Robert, on y est !

Les paysans mettent le bras dans le cul des vaches, si ! bien sûr ! demandez-leur ! encore aujourd'hui, y a pas de machine pour faire ça.

C'est toujours un gouffre les travaux dans la salle de bains.

L'euro, je m'en servirai quand ça sera obligé, et encore c'est pas sûr.

Je serais chercheur, moi je saurais pas quoi chercher.

d'être radin.

La rue avec les tables dehors et les bières au soleil, c'est un vrai champ de blé.

Pinochet, trois mille morts et il va s'en sortir !
— Remarque en France, Fabius, c'est pas mieux.

Si t'es connecté sur Internet, la police peut savoir que t'es chez toi.
— Quand je rentre j'allume la cuisine, c'est pas difficile à savoir.

Celui qui sort du café a la priorité par rapport à celui qui entre.
— Pas du tout, c'est celui qui entre qui est prioritaire.
— Il faut laisser passer celui qui a bu, c'est logique.
— C'est celui qui arrive, comme ça on ne se fonce pas dedans.

C'est pas dans les monastères tibétains qu'ils feront de la Bénédictine !

Si vous voulez gagner de l'argent faut écrire de la merde, les gens ne lisent plus que de la merde.

Quand je lis un livre, je veux être payé autant que le con qui l'a écrit.

Sur Internet on est surveillés, c'est plein de caméras partout.

Le mec qui se jette sous le train, il a fait l'effort d'aller à la gare.

Elle sait pas dessiner une poule, et pourtant son bébé il est né normal.

Les Noirs ont plus d'enfants que nous, évidemment, ils arrêtent pas d'en faire.

Depuis qu'on est envahis par tous les jeux qui se grattent on dirait un hôpital en Inde son bistrot.

Les guerres, ça fait de la place.

Au Kosovo, c'est que des vieux immeubles.

La guerre en Yougoslavie, c'est les mêmes Yougos qu'on voit dans le métro ?

Avant de faire la guerre au Kosovo, les Américains feraient mieux de balayer devant leur porte et indemniser les Peaux-Rouges.

C'est pour moi le café.
— Ah non ! c'est moi !
— Vous avez déjà payé hier.
— Rangez votre billet ! c'est moi !
— Ah non, j'y tiens !
— Garçon, vous ne prendrez pas son billet !
— Tenez, prenez le mien !
— Non non non !
— Ah si !
— Je vous préviens si vous payez encore je ne viens plus avec vous.
— C'est ça ! on sera bien tranquille !

Tu verrais chez lui, c'est Venise ! il a un bassin.

Dans la boutique je suis très équilibriste, j'attrape des choses partout.

Le vrai bonheur, c'est d'être content.

La guerre, ça fait des morts.
— Encore heureux !

Il est malade, il boit un kir avec de l'eau à la place du vin blanc, ça lui fait un semblant de vie.

Je pourrais pas conduire en écoutant de la musique orientale, ça me fait tourner les roues.

La poésie dans la rue, vous savez, hier le trottoir était plein de cartons alors moi, plus rien m'étonne.

Si tu veux faire le bébé de l'an 2000, va falloir que tu penses à rentrer chez toi un jour.
— Hein ?

Entre soixante-dix francs et quatre-vingts francs, tu peux acheter quoi de nos jours ?

Le Chinois qui se regarde, il se voit blanc... ah oui ! même si le Chinois sait qu'il est jaune il se voit blanc, ah si !

Elle est pas loin cette guerre.
— Plus de deux heures d'avion, ça va encore.

Y a trop de pays dans les Balkans... c'est pour ça.

Un bombardier, t'as pas besoin de permis de port d'arme.

C'est les gendarmes du monde les Américains, eh ben moi, j'ai moins d'emmerdements avec les gendarmes du monde qu'avec les gendarmes normaux.

Le retour de la barbarie ? avant de revenir, faudrait déjà qu'elle s'en aille.

Bombarder des cons, c'est pas ça qui va changer la face du monde, vous croyez pas ?

L'Inde, c'est dépaysant, même pour eux.

La pluie, ça gâche tout.

Des casse-couilles ici ? ah oui ! j'ai l'armada.

Hi ! hi ! hi ! hi ! hi ! un vin blanc et ça y est.

Verseau... Il est possible qu'on sollicite votre arbitrage... ça serait bien la première fois !
— T'es pas arbitre non plus.

On va muter à force de dire des conneries.

La musique classique, c'est comme le latin si tu veux.

Les Américains bombardent que des villes moches, ils pourraient même nous en bombarder une ou deux en France, ça serait pas un mal.

Tout ce qui est ancien, ça périclite.

Roméo et Juliette, ça retombe bien sur ses pieds.

Avec leur système de congélation, les poulpes sont dans le coma.

Même si vous la regardez pas faut l'allumer votre télé, sinon l'humidité va se mettre dedans.

Faut pas en acheter du Lepetit ! c'est un camembert qui a du sida.

C'est les Russes qui parlent tout le temps de leur caca, si ! si ! ils en parlaient l'autre jour sur une radio de leur culture.

Le Loto, par rapport au tiercé, c'est une vache.

Pendant une époque, la quiche lorraine était une recette allemande.

Je considère qu'il y a un minimum d'éducation à avoir.

On est jamais fixé sur l'heure avec le temps qui passe.

Le foie c'est un muscle, si, le mien c'est un muscle.

Le virus du sida, tu lui poses une mouche dessus, y te la bouffe.

Un bel accident de voiture, ça fait autant parler qu'une guerre.

Leur pire ennemi à la Légion, c'est le champignon des pieds.

Je reconnais les régiments rien qu'aux oreilles des soldats.

Vous avez vu les morts brûlés dans le tunnel ? Et les avalanches ? Les Balkans ça me fait pas peur, mais alors Chamonix, j'y foutrai plus les pieds !

Lire le soir, moi ça me fait comme le café, je dors plus.

On a parlé des tunnels quand y a eu l'accident de Diana, sinon on en parle jamais des tunnels à la maison.

C'est un poisson que j'ai en viager, dès qu'il meurt, je me garde l'aquarium.

Un feu dans un tunnel, c'est une cigarette dans le cul, tu peux rien.

Mille degrés dans le tunnel ! vitrifiés les gens ! morts assis dans leur voiture comme à Pompéi.

À force d'incinérer les cadavres, vous verrez qu'on aura des incidents respiratoires.

Un demi, deux demis, trois demis, quatre demis, cinq demis, six demis, sept demis, après c'est l'engrenage.

Quand c'est trop printanier en avance, ça sera automnal en avance aussi forcément puisque les saisons vont ensemble.

Les pompiers devraient ouvrir un musée pour exposer les plus beaux morts.

Je voulais pas boire et je picole, c'est typique.

On l'a cloué une fois, on l'a plus jamais revu du coup !

Moi je suis chez moi partout.

Jésus, c'est quand même gnangnan comme histoire, tu crois pas ?

À peine il est né son bébé qu'il a fallu l'opérer.
— Comme Beaubourg ! juste c'était fini de construire, ça se cassait de partout.

Jamais on a décrié la propreté de mes verres.

L'œuf, c'est un petit animal déjà.

Les Noirs ont des lignes de vie aux mains et aux pieds aussi, ah si !

Il est bien pointu le ventre à votre dame, c'est pour bientôt le bébé ?
— Elle fait ce qu'elle veut.

Le chômage on est des millions, à la retraite on est des millions, en arrêt maladie on est des millions et ici on est que deux ?

Après neuf mois dans le ventre de la mère, la première chose à donner au bébé, c'est des lunettes de soleil.

Toi, t'es anticonformiste !

Personne a été jeune !

Un Stradivarius, tu chiales, surtout si tu t'assois dessus.

Mon signe c'est Poissons, c'est pour ça que j'ai toujours mal aux pieds.

Des réfugiés, j'ai que ça ici.

L'inspecteur Derrick ? c'est l'âge de la pierre taillée ce feuilleton.

Je généralise pas puisque c'est vrai que c'est tous des cons en Suisse.

À notre époque on est vieux plus tard.
— Ça dépend qui, pas moi.

Vous ressemblez à Belmondo.
— Je sais, je le connais.

Fin mars a une particularité, c'est un petit peu avant le poisson.

Quand elle fond j'ai envie de la tuer cette neige

Attention ! aujourd'hui on passe à l'heure d'été.
— Ah bon ? ah bon… alors un pastis.

Lui on l'appelle Virage, c'est facile à comprendre pourquoi.

Je n'aime pas les films avec un scénario qui se voit.

On s'en va ?
— Mentalement je suis pas prêt.

Les gens qui laissent leur chien faire sur le trottoir, je leur attacherais une pancarte autour du cou, moi si !

James Bond, c'est un sujet universel.

Dès que le docteur voit la tête du bébé qui sort, les parents changent de régime fiscal.

On lui dit bonjour, il gueule ! le lendemain il te paye des coups… on peut jamais savoir sa météo.

Les bombardiers, faut bien que ça serve.

Vous savez, les Africains sont comme nous, dès qu'on les nourrit, ils bouffent trop.

Ça existe encore la coqueluche ?

Ils veulent les interdire parce qu'ils sont jaloux de nos fromages.

C'est les gardiens du temple paysager, les ploucs.

Ça n'existe plus de faire rétrécir un pull à la machine.

Le Kosovo, c'est le genre de petite guerre à la con avec plein de noms à la con qui vont bien faire chier les gamins à l'école.

Quand on rentre chez les gens, ça sent toujours quelque chose.

Mon signe particulier ? j'adore les pommes sautées.

Ça sert à rien de bombarder si les gens restent pas en dessous.

La nuit on l'enferme dans les cabinets pour pas qu'il dorme sur les fauteuils, on sait pas comment il fait, tous les matins on le retrouve au pied du lit, c'est un chien qui fait de la magie.

Les cons moi je les sens.

C'est mon verre ça ?
— Non, c'est le mien.
— Putain, c'est Yalta !

C'est la forme ?
— Olympique !

J'aimerais bien des jumeaux.
— La maternité, c'est l'auberge espagnole.

Si c'est pas une polémique sur un tunnel qui a fait quarante morts c'est une polémique pour une guerre, en France on adore ça la polémique !
Moi je peux pas boire le café chaud, rien à faire ! et comme je peux pas mettre un calva dedans à cause des flics, je suis en retard au boulot, voilà le résultat de leurs conneries.

Des Tsiganes dans un magasin de violons, c'est normal et en même temps c'est pas normal.

Je vois pas pourquoi ils ont construit la tour Eiffel à Paris, y a pas un Parisien qui la visite.

Plus le droit de conduire après deux verres... putain ! en France, on est vite dépassés par les événements.

Tous les jours la vie c'est un cadeau mais on est vite emmerdés par les emballages.

Pour moi Balzac c'est d'abord un grand buveur de café.

Je suis peut-être un gros con mais je suis logique.

Ça peut arriver à n'importe qui d'avoir des microbes dans le fromage.

La truffe a fait un bond.

C'est une tueuse de fromages l'Europe qu'ils nous préparent.

Si j'avais pas été un voyou, j'aurais fini délinquant.

Avec le changement d'heure, j'ai le cœur qui accélère.
— C'est normal, on avance d'une heure.

Les tunnels, c'est mille fois plus risqué que n'importe quoi.

Ça fait combien de temps qu'on se connaît ?
— Onze ans.
— Vous ne vieillissez pas beaucoup vous.
— Vous ne payez pas beaucoup vous.

Le vrai bout du monde, c'est quand on est au lit.

Les souffleurs de verre, dès qu'ils sont à la retraite, ils aspirent.

Je dis jamais merci quand on m'invite ! Si tu veux m'inviter tu fais ce que tu veux tu m'invites... je vais pas dire merci en plus ! c'est ton problème.

À l'entraînement commando ils ont de la torture, on leur apprend à pas se braquer.

J'ai toujours mal au crâne avec cette marque de champagne.
— Vous avez le cerveau fragile.

Je vais vous faire l'analyse de la situation : rien a été payé.

Si tu portes des lunettes et que tu regardes une vitrine de café à travers le pare-brise, ça en fait du verre.

Tous les souvenirs que j'ai, ça va de la rue du marché à ici.

La moitié des poissons que t'as dans l'eau servent à rien.

Un Vittel.
— Un Perrier.
— Putain ! c'est les grandes eaux !

Les faux Picasso ? tu parles ! des Picasso, y en a pas un seul de vrai.

Cette femme, c'est une chambre d'hôtes.

Un joli souvenir, je l'ai toujours dans ma tête comme si j'étais un vase.

Moi c'est le pastis qui me réveille.

Quand c'est en panne c'est en panne, l'électricité, tu peux pas discuter.

Un jour ça va arriver, le chirurgien te recoudra et le lendemain t'auras le ventre qui sonne parce qu'il a oublié son portable.

Le cinéma je m'en fous et comme j'y vais jamais du coup ça me manque pas.

À l'hôpital psychiatrique, c'est comme si on nous enfermait les uns dans les autres.

On est nés au monde mais on aurait pu naître ailleurs, si tu vas par là.

On a mangé du boudin antillais fabriqué par un sorcier et mon fils a gagné un vélo.

Mon plus grand plaisir cérébral, c'est quand on me coiffe.

Chirac, il est très bien quand y a une guerre.

Même si t'achètes des choses sur Internet, t'auras toujours besoin d'un con qui livre.

Quatre cent mille réfugiés c'est pas beaucoup, si tu fais le même score à TF1, l'émission est virée.

Vous savez, des guerres, c'est pas la première, et c'est pas la dernière !

La maison bretonne est une architecture qui est vraiment éolienne.

Pour les réfugiés la guerre c'est tout bénéfice, on les nourrit gratuit.

Milosevic c'est pas Hitler... on en pense ce qu'on en veut, mais Hitler était quand même plus intelligent.

C'est pas une guerre tellement violente.

Ça vaut toujours le coup d'acheter du bordeaux.

C'est simple, y a autant d'apéritifs que de jours du calendrier.

Comment avec ma femme on fait les enfants, c'est un secret de famille.

Le cerveau, ça se forme dans l'enfance, et tout le reste du temps, ça se déforme.

Des soldats capturés par l'ennemi avant on les fusillait, maintenant on les passe à la télé...

C'est un entraînement grandeur nature de bombarder Belgrade.

De toute façon, le Kosovo, c'est un pays de merde.

Mais bien sûr ! c'est évident ! c'est que de la politique cette guerre.

J'ai eu tellement de mal avec mes enfants que j'ai pas envie de recommencer avec un chien.

Oui ! l'artiste dérange !
— C'est sa femme qui range.

En France, on est la vache à lait.

Zibulon tête de con !

Elle s'en est bien remise l'Allemagne des camps de concentration.

Quand ton père est alcoolique, t'es obligé de l'être.

Un joli bois exotique, c'est la jambe de nègre.

Sur terre, personne me manque.

Pour l'instant, officiellement, j'ai qu'un bouton de rose.

Pour se gratter, c'est mieux d'être droitier.

Vous m'attendez pour traverser !

Ça sert à rien de changer d'avis.

Les huîtres à volonté, tu peux pas finir.

Nous, on nous voit de loin, on est le balcon fleuri.

Une cordée d'alpinistes, c'est du liseron.

Elle est propre la chienne, elle fait son caca garé comme une voiture.

C'est pas les dates qui manquent.

L'art, c'est surtout les murs qui en profitent.

C'est pas la femme à Ulysse qui va changer la face du monde.

Il faut souffrir pour être belle, et pour être laide c'est pareil, c'est pas à vous que je vais apprendre ça.

Un truc qui est vraiment pas pareil en prison en plus de la liberté, c'est les cabinets.

Tu peux pas faire mieux que du foie gras avec un foie.

Je mets quoi sur la carte ?
— Cher René…
— Attends ! on écrit pas un roman !

C'est un vrai pédé, il pense qu'à sa femme.

Un demi ! un kir ! une Suze ! un pastis ! un blanc !
— Ils ont combien de bras aujourd'hui ? !

On vous a cherchés partout.
— Ah bon ? on était à la ronde des salades.
— Ah d'accord !

C'est un immeuble calme… on a eu un déménagement au deuxième, des nouveaux locataires… on aime pas beaucoup les mouvements, même le chien était affolé.

Le guidage laser, c'est avec ça que je rentre.

Je suis né en France mais je suis d'abord né à Roubaix.

La vraie Afrique pour moi, c'est celle des éléphants.

Faudrait arrêter de faire des livres et attendre qu'on ait lu tous ceux qui y a déjà, on a pas encore mangé qu'on te ressert déjà.

J'ai pas de complexes, je suis une grosse merde et c'est tout, j'ai pas de complexes.

La plume au cul c'est de la poudre aux yeux.

Sans la boîte, pour moi c'est pas une sardine.

Monet c'est joli, il a fait des coins de pêche.

Chaque fois que je refuse un verre, ça me fait un cheveu blanc.

Tu mets pas d'eau ? — Non, comme ça… a cappella.

C'était trop rigolo ce que je buvais quand j'étais gamine, de la grenadine avec du citron, c'était trop rigolo !

Le beau temps, ça change de la banalité ambiante.

J'ai une belle vue d'ici, je vois tous les verres.

Je veux absolument pas que tu dises qu'on a vu Jeanine !

Astérix est plus connu que Chirac, si tu vas par là.

On vient, on boit, on disparaît, on est un commando.

La Russie d'aujourd'hui, tu manges un cornichon sucré, t'as vite fait le tour.

Il est rose comme une bite ce matin ! — Ah oui, j'ai bien dormi.

Ils peuvent y aller avec leur langue de bois, on a l'oreille de bois.

Chambourcy, c'est pas si loin que ça.

Marcel ! on a soif !

Après la mort de sa femme, il a continué à payer l'apéritif.
— C'est une leçon de vie.

Je l'aime beaucoup, c'est une housse porte-habits qui a fait l'Egypte avec nous.

Personne va jamais à Dijon.

Ça me gêne pas qu'ils se dopent, du moment qu'ils pédalent.

Avec ce qu'ils touchent comme pognon les cyclistes, le minimum c'est qu'ils se cament pour faire le spectacle.

Les Espagnols de France et les Espagnols d'Espagne c'est pas pareil, les Espagnols qui sont en France sont mieux...

Avec toutes ces frappes chirurgicales, ça donne pas envie de se faire opérer.

Ils s'en foutent que tu les bombardes les Yougoslaves, ils sont tous locataires.

Le Kosovo, c'est la taille de la moitié d'un département français, le Cantal en plus.

Le problème de toutes les maladies c'est la mort.

Y aurait pas la mort les gens vivraient mieux.

Vu le nombre de morts sur les routes, le réseau routier français c'est un réseau sanguin.

Si Milosevic c'est Hitler, y a longtemps que Jospin boufferait avec, Mitterrand bouffait avec.

Je vais faire un testament et après ma mort, je me donnerai tout.

Ils sont bien traités les animaux dans ce zoo, d'ailleurs y a une panthère qui a arraché le bras à une vieille.

Ça fait pisser la bière.
— Ah mais c'est fait pour ça !

Le monsieur des lapins, en face des fromages, c'est un petit Jospin.

Les champignons que tu trouves dans les grandes surfaces, qui c'est qui s'y connaît là-dedans ?

Traducteur, c'est un beau métier, tout devient français.

Avec une jambe plus courte que l'autre, dans le désert tu tournes en rond.

Les carreaux, on peut plus les faire, ils sont trop dégueulasses.

... la mentalité.

Une bière !
— Pas besoin d'hurler ! moi je les sers pas les Milosevic !

Pour moi une quinzaine de jours ça a toujours été quatorze, mais je sais que pour d'autres c'est seize.

Pour le tiercé je me débrouille tout seul, je suis un autodidacte.

Neuf mois de plus dans le ventre de la mère, on naîtrait avec les habits.

Il va pourrir à Amiens vu qu'ils l'ont enterré là-bas.

Après cinquante ans on vaut plus rien ! mais moi je m'en fous, j'ai le temps, j'ai quarante-neuf.

Les préfets ont des casquettes, ça fait partie du travail.

Une cure thermale, tu pisses dans l'eau, faut que tu rembourses tout le monde.

Le musulman est contre l'humour.

Les Américains ont balancé toutes leurs bombes, alors que nous les Français, faudra qu'on rentre avec.

Les Américains, quand ils font une guerre, ils ramènent jamais les vieilles bombes.

Oser boire quand t'es la femme du président des États-Unis, alors là, faut en avoir.

C'est énervant de pas se souvenir d'un prénom, surtout quand c'est André.

L'Europe, alors dans ce cas-là, autant être américain, tant qu'à faire

Le maximum de pouvoir qu'on devrait donner aux gens, c'est de vendre des fromages.

Je vais plutôt aller chercher mon linge et mettre d'autres chaussettes à laver.

Spécialiste du Second Empire, c'était bien à l'époque du Second Empire mais maintenant...

Un mini-parapluie, même si on est pas d'accord, c'est pratique.

Tu donnes les allocations familiales à quelqu'un qui a plein de gosses qui finissent au chômage, au final, ça coûterait moins cher à la société de les donner à quelqu'un qui a pas d'enfant à condition qu'il en fasse pas.

Ah ! bonjour ! il me semblait bien que c'était vous !

Avec les Allemands, on ne rit pas des mêmes choses.

Faut que j'y aille !
— Mais non, vous avez le temps, ça cuit vite les épinards.

J'aime pas mon nez.
— C'est rien le nez.

D'un côté ils reculent l'âge de la retraite et de l'autre ils avancent l'âge du chômage !

Je dis toujours la même chose mais c'est souvent vrai.

La poésie, c'est pas la peine d'être vrai à chaque fois.

C'est la composition chimique à l'intérieur de la bite qui fait bander.

Avec le Viagra, c'est terminé la bite cyclothymique.

La tour Eiffel, je peux en parler, je suis passé en dessous.

... Chez René, chez Francis, chez René, chez Francis, j'ai plus l'âge d'être nomade...

Les histoires de dopage, ça ne m'intéresse pas, c'est pas arrivé jusqu'à mon *Télé Poche*.

Devant la télé je m'endors, c'est mon inconscient qui regarde.

Tu vois, comme quoi, l'idéal ça existe pas.

Moi comme cadeau je vais offrir à maman son opération parce que sa prothèse elle déconne.

En France, c'est tout le temps congé.

Le normal, c'est pas les os, et pas le gras.

Mon bébé c'est un Sagittaire, à peine il est né il était scrupuleux.

Le poisson plat sera toujours à la mode.

L'évolution, si c'est juste pour le plaisir d'évoluer, c'est idiot.

L'OM, c'est dans mes gènes.

Dis-moi un truc qui a pas été inventé par l'homme, un !

Même la cuisine la plus moderne, tu la bouffes en mangeant.

J'étais petit, j'ai grandi, je me vante pas, c'est comme ça.

Une bombe guidée par laser peut dévier de sa trajectoire et se tromper de cible, comme n'importe quel guide.

D'habitude on ne met pas la date mais pour l'an 2000 les gens la mettront la date sur la bûche, vous verrez...

Si c'est bien présenté, les gens, n'importe quoi leur suffit.

Je peux pas dormir, toute la nuit je pense boulot, je travaille de nuit.

Les kirs c'est qui ?
— C'est nous madame.
— Oui parce que je suis pas médium !

Ça va Trucmuche ?

... et Machin Chouette ?

Picasso il avait une grande gueule, n'empêche, il avait qu'une bouche.

Des fois on naît avec pas de bras, quatre jambes, un œil en moins, mais avec un chapeau, jamais.

La télé, c'était une invention formidable mais maintenant, c'est oiseux.

Avec la dégénérescence du cerveau, ça doit pas être beau à regarder là-dedans.

Je t'ai toujours connu à la bourre.
— Non, je suis relativement à l'heure.

Ils peuvent pas donner l'indépendance à la Corse, parce que si ils donnent l'indépendance à la Corse, ils sont obligés de la donner à la France.

Un apéro, ça

Si je dois mettre le feu à une paillote, je demande pas à un gendarme, je demande à un pompier.

Les gendarmes ont qu'à faire brûler les contredanses si ils veulent foutre le feu quelque part !

Si les gendarmes agissent comme les truands, eh ben…
— Mais oui ! et en plus ils sonts armés pareil.

Les Corses, qu'ils aillent se faire enculer chez les Grecs, c'est le même climat.

La machine humaine, inventez-la, vous !

Les préfets, c'est comme les ambassadeurs, l'été, ils sont habillés en blanc et ils foutent rien.

Dans les capsules spatiales, tu peux pas manger les plats en sauce.

C'est deux frères qui parlent jamais, on pourrait en faire un seul avec les deux.

Au Yémen, ils mangent des petits pois.

J'ai le même déodorant depuis toujours, ça fait aucun effet.
— Pourquoi vous n'en changez pas ?
— Celui-là, c'est le mien.

prend pas à la légère.

Le saut à l'élastique, c'était toute une époque, ça...

Le plus de dons d'organes, c'est en Espagne.
— Ça ne m'étonne pas.

Bien sûr, avec toi si on t'écoute, je suis plus con que la moyenne...

Un tueur en série volera pas ta bagnole, c'est interdit par ses gènes.
— C'est déjà ça.

Trois mois d'attente pour un foie neuf, c'est pas cher payé.

J'ai acheté un petit pot de basilic, d'habitude ça sent, le mien ne sent pas.
— Le basilic n'a pas d'habitudes, madame.

J'ai eu le pied coupé, ils me l'ont recousu.
— Ils font de jolies choses maintenant.
— Un ami à moi, il s'est coupé la jambe avec la tronçonneuse, ils lui ont remis, avec un centimètre en moins.
— Vaut mieux un centimètre en moins et garder la jambe, enfin je crois.

Quand tu vois les cuisses des cyclistes, y a même plus la place pour le vélo.

Je suis allergique à la pénicilline, il doit y avoir un problème quelque part, ça ne vient pas de moi.
— C'est jamais de votre faute !

C'est une erreur depuis Aristote ces conneries !

L'Amérique du Sud, c'est comme pour nous l'Espagne, c'est en dessous.

Me doper, ça ne me gêne pas, mais c'est faire du vélo qui me plaît pas.

Je buvais des pastis alors que moi d'habitude je bois que du Ricard. — C'est pas très grave comme erreur médicale.

Sans aucun engagement d'achat, on en a pris un carton de douze.

Y a que dans les films que les gens rigolent comme des fous quand ils ont bu.

Ils ont l'impression qu'ils sont les seuls sur la route.

La bombe à fragmentation, c'est fait pour les familles qui sont à table.

Ton détecteur de métaux, avec toutes les bagnoles garées sur la plage, il a pas fini de sonner.

Pendant toute la visite du château elle s'est curé le nez, c'est pas la peine de construire avec des gosses pareils.

L'armée est obligée d'obéir, garde-à-vous au soleil, faire le lit, et plein d'autres ordres.

Une armée de métier, si c'est comme les profs de métier, ça promet.

Tout est faisable, ou presque.

C'est pas si bien fait que ça la nature, hier il a plu.

Les plus heureux, c'est les Français.

C'est une guerre pas dangereuse, on les bombarde et c'est tout.

Pour moi, l'Europe militaire, c'est un nain !

Pendant que ça se bat au Kosovo, ça se bat pas ailleurs.

J'ai la gueule de bois, mais si il fallait vraiment pour sauver la planète, j'arriverais à boire un kir.

La plus belle peau que j

On avait honte de péter à l'église, la religion avait du pouvoir...

Faut que je fasse attention, je viens d'avoir un bébé qui est tout jeune.

L'essentiel dans la vie, c'est d'être vivant.

Cinq minutes, avec toi, c'est toujours une heure !

Vous êtes juif ? Alors pourquoi vous en parlez pas ?

Je ne sors pas avec la pluie, parce que ça mouille.
— C'est pas une raison.

On cherche des artistes qu'on s'occupe hormis les chanteurs, ceux qui chantent, c'est pas nous qu'on les a en charge.

Moi, l'Europe, j'y comprends rien.

Si l'Europe ne marche pas, on pourra toujours revenir à la France normale.

Dix mille morts en deux mois avec les bombes, rien qu'avec la bagnole en France, on fait plus.

Quand je fais pas mon marché, c'est pire que si j'étais un déraciné.

Je sais toujours combien j'ai bu de verres, j'ai une mémoire d'éléphant pour ça.

Tous les chemins mènent à Rome.
— Mènent à quoi ?

Un film sur Chopin, moi je trouve que c'est une fausse bonne idée.

vue, c'était un poisson.

Un poisson qui mange trop de sucre, il fond tout de suite dans l'eau.

Un chat noir qui me traverse devant la voiture, cent mètres plus loin y avait les bleus qui me font souffler...

Quand je vais à la campagne je fais meuuuh, je parle dans la langue du pays.

Un Américain égale quatre Français, c'est mathématique.

Je peux rentrer mon vélo ? j'ai arrêté l'antivol.
— Ça doit être chiant de traîner un vélo ?
— Moins qu'une voiture.

Dans le cochon, tout est mauvais.

Les ultrasons, c'est silencieux, parce que ça repousse les sons.

Les chapeaux des généraux de Napoléon, c'était pas pratique du tout, et ça a fini en débâcle.

Les élections européennes, beuh ! tout ça c'est de la politique.

deux grammes quarante...

Un réveil de voyage et une montre de plongée, c'est pareil.

La dioxine dans le bœuf, dans le poulet, dans les œufs, on sait plus quoi manger ! moi c'est simple, je me couche sitôt après l'apéritif.

Mon père porte des lunettes et mon fils aussi, c'est la copie conforme les deux.

***J**'ai pas une once d'alcool dans le sang.*

Entre le régime et regrossir, je sais plus quoi faire !

Février, mars, avril, c'est pareil, c'est des mois.

La grande couture, ça va sur les handicapés.

Un qui est vieux, c'est Philippe Noiret.

L'an 2000 va être affiché sur la tour Eiffel.
— C'est bien d'avoir choisi la France.

La Deviers-Joncour et le Dumas, moi je ferais pareil que les Chinois, un an à la campagne à vider la merde de cochon.

Houlà ! et t'as monté en plein dedans.
— Le pied gauche.

Dès qu'ils se dopent, ils se font prendre.
— C'est des apprentis connards, ces sorciers.

Tout ce dopage, c'est la faute des muscles.

Les interviews, c'est de la blague, parce que le footballeur, c'est ses jambes qui parlent.

Pour l'Europe, faudrait un roi, un roi qui dirige toute l'Europe.
— Le roi, ça fait que des fêtes et ça s'habille comme un con.

La magie j'en fais moi… j'enlève la veste et je te fais de la magie…
— Enlève pas la veste… fais la magie avec la veste…

Ma femme, quand elle est contente, elle fait le dindon.
— Goulougoulougoulougoulou !
— Fais-y le dindon.
— Goulougoulougoulougoulougoulou !
— Dans la cuisine elle parle à l'ail.
— Ça m'occupe.
— Vas-y, parle à l'ail.
— Bonjour la tête d'ail.
— Fais le dindon.
— Goulougoulougoulou.
— Voilà.
— Eh ben c'est bien.

Vous ne me piégerez jamais sur une date de naissance

Une guerre qui s'arrête, ça fait un trou dans les infos.

Chirac, il parle comme un strapontin.

Vous avez vu ce soleil, eh ben ! il est pas feignant ! ça traverse tout le ciel pour faire briller le carrelage !

Ça fait quatre fois que vous allez en pèlerinage.
— C'est la prostate.

En Égypte, tout est conservé.

Les flics ont pas le droit de t'arrêter dans le métro, il faut dehors.

Tiens ? il a mis son pantalon à manches courtes.

On ne peut jamais rien savoir avec les médias !

Kosovo, le nombre de cons qui l'écriront avec un w, vous verrez...

Les plantes, c'est des êtres vivants.
— Pour moi les êtres vivants, c'est ceux qui ont des bagnoles.

Comme je disais à la dame de tout à l'heure, le temps va rafraîchir avant de se réchauffer...

Moi ils ont qu'à m'y exclure du RPR ! si ils veulent ! ils le peuvent m'exclure du RPR ! qu'ils m'excluent ! ah si monsieur qu'ils m'excluent ! en plus j'y suis pas au RPR !

Le mariage, on y va les yeux fermés, mais pour rentrer...

On leur fait bouffer de la farine animale alors que même les poux mangent pas nos pellicules !

La langoustine au microscope on la mangerait pas, on chercherait un vaccin.

En Grèce y a que des ruines, y a pas d'hiver, y a que des scorpions et des bêtes qui piquent.

Il est idiot, je trouve pas d'autre mot.

Un des trucs que je déteste le plus au monde, c'est tourner dans Auxerre pour me garer.

Mordu par le chien, mordu par la chienne, c'est du pareil au même.

Des éclipses, nous, on en a une par soir.

Elle s'est fait épouser par un ancien ministre alors qu'un postier de chez nous, il en voudrait pas.

Je dors debout...
— Debout... pas tellement...

Les meilleures tomates, c'est celles de Théodore Monod.

L'autre jour j'ai marché dans la crotte de chien, j'aurais pas été un bon démineur.

À l'époque sur la bouffe y avait pas les dates, et personne était malade.

Handicapé mental, je donne pas de sous, c'est rien, ils peuvent marcher.

Le cabillaud, ça existe pas, c'est de la morue.

La France, à l'échelle mondiale, c'est même pas la taille d'ici.

Le *Titanic*, ça marcherait pas de nos jours parce que le bateau coulerait pas.

... Si ça continue ce temps, on va remettre les chaussettes.

Pour moi le sexe, c'est pas le corps, c'est un truc rajouté dessus.

On mourra de notre connerie, vous verrez !
— Pas du tout ! c'est manuel.

Je parle au nom de la déesse Raison.
— Ta gueule !

Tomber à la mer, c'est la mort assurée.
— Oui mais ça les marins le savent, celui qui tombe à l'eau, c'est pour sa poche.

Les gens, ils veulent bien dépenser mais ils veulent pas payer !

Si tu veux t'écraser au sol, faut un avion.

Si vous en mettez partout vous aurez rien ni le sida ni rien, c'est formidable l'huile d'olive.

Quand t'es un petit veau, c'est pas la peine de tirer des plans sur la comète.

Ce qui manque pour bien réfléchir, c'est un guide pratique.

Pas la peine de se doper si c'est pour mettre des maillots de pédé !

Avec cette chaleur, y a que dans les voitures qu'on est bien.

Quand c'est Alain Decaux qui raconte, tu peux être sûr que c'est pas de la géographie.

Ils ont trouvé des traces de pieds de trente mille ans, dans la grotte.
— Bientôt ils vont trouver des clefs.

Le téléspectateur ne compte plus pour rien, à la télé, ils sont au service des médias.

Le transsexuel, c'est le premier transgénique.

À la Banque de France elle avait une robe à pois et elle m'engueule pour mon découvert !

Ils ont dit de l'orage, pas une goutte !
— Ils inventent pour justifier la paye.

J'aime pas des footballeurs qui sont tout le temps chez le coiffeur !

En Chine il n'y a pas tellement de caves, là-bas, c'est des greniers.

Nostradamus, il avait même pas prévu la Pentecôte !

La poignée de main bien franche, souvent c'est faux cul.

J'ai été mordu quatre fois, alors leur « Trente millions d'amis » !...

Les secrets, c'est en coulisse.

Quand je lave mes verres, ça me libère l'esprit.

Une infirmière qui tue tout le monde, vous allez pas me dire qu'elle aime son métier !

Je préfère pas répondre que dire n'importe quoi quand c'est un étranger qui demande.

Vaut encore mieux les égouts de Paris qu'habiter en Belgique.

Il a marché sur un cactus, il a fallu le rapatrier.
— À l'étranger, tout devient compliqué.

Une bonne bière avec les moules, c'est l'apanage.

À Orly, vous n'avez quasiment que du personnel au sol.
— C'est bien la France…

On a même pas le droit d'ouvrir les fenêtres du car, ils traitent les gens comme du bétail !

… elle était belle la boulangère, mais maintenant… si c'est le Ricard… ça fait peur…

Je me sens profondément différent que les États-Unis.

Les Chinois, quand ils vont découvrir le cinéma, ça va leur faire drôle.

Moi, personnellement, l'anglais, je ne le comprends pas.

Moi, je vote quand c'est la France.

Le dimanche matin, on a pas envie de s'acheter des chaussures.

Le dimanche je reste toute la journée en robe de chambre... moi ça me dérange pas de revenir un peu à l'état sauvage...

On se demande pourquoi c'est Venise qui s'enfonce, c'est pas la plus lourde.

La bouffe chinoise, c'est du poulet de Belgique.

Les dialogues au cinéma, une fois sur deux, je l'avais déjà dit.

Leur meilleur client, c'est un Noir, ça devient vraiment bizarre les campagnes.

Et tous ces morts serbes qui ont servi à rien.
— Moi je ne suis pas de votre avis, ça m'a beaucoup intéressé.

Le facteur est déjà en vacances ?
— Tu parles, il est à Tahiti, aujourd'hui c'est eux les plus heureux.

Le pape est tombé dans sa salle de bains.
— Faut qu'il arrête, ce gars-là.

Qui ?
— Le pape, dans sa salle de bains.
— Ah bon ? c'est nouveau ça encore.

Le jour où t'as pas envie d'aller au bistrot t'y vas pas, le patron il est coincé là.

À l'hôpital de Sens, tu as cinq entrées, carottes râpées, céleri rémoulade, charcuterie, œuf dur, salade de tomates, plus trois plats de viande, cinq légumes, fromages, desserts, ils passent dans la chambre le matin et tu mets des croix dans les cases que tu veux manger, j'y étais deux mois pour ma percée d'estomac.
— À Auxerre, pour ma jambe, c'était que de la viande hachée.

Le canard, en fait, c'est les jambes en haut et les bras en bas, puisque ça se plie dans l'autre sens...

C'est difficile l'anglais, ils mangent les mots.

Deux kirs sur la terrasse avec Dédé et moi, ça ne te gêne pas ?

Tu votes pour l'Europe toi ? pourquoi ? t'es grec ?

On diminue l'épaisseur des plages, c'est à force d'en ramener dans les espadrilles.

On a des têtards dans notre bassin, c'est comme les jeunes de maintenant, les pattes poussent pas.
— À vingt ans, ils savent pas faire cuire un œuf !

Je sais pas ce qu'il a mon ordinateur, il ne parle plus.

L'union, c'est force, comme on dit.

Si c'est pour voter des conneries, je préfère rester chez moi !

Le gaullisme, tu parles ! ça fait longtemps qu'on met plus des grands pantalons comme lui.

J'aurais eu mon chômage, j'aurais pu partir en vacances.

En 1234, y avait pas le Loto, sinon ils auraient joué la date.

Les patates sautées, je savais dès le début qu'on les ferait jamais.

Dans les rues piétonnes, c'est la politique du « moi je ».

On a passé la journée à boire de la bière, et mon régime ?
— D'un autre côté, on a rien mangé.

C'est joli les échelles dans les cerisiers.

C'est pas moi qui vendrais un rein pour payer mes dettes !

On profite des balades pour respecter la nature, parce que le reste de l'année, on a pas tellement le temps.

Un avion sur deux du Bourget, il est installé avec la vue vidéo des mouches.

Votre bière, elle est périmée.
— Ça m'étonnerait, c'est interdit.

Mettre un bulletin dans l'urne, ça me rappelle la mairie quand j'étais petit.

Les surgelés, c'est un faux problème, à mon avis.

Quimper, ça ne change pas.

Les poules sont élevées, pire que des esclaves !

Le médecin généraliste, il te regarde de loin, c'est son boulot.
— Comme un général.

Le nez, c'est un reste qui nous reste de l'embryon.

Le plus grand multimédia c'est le kiosque à journaux.

On a tout en France, même des châtaignes.

Tu crois que dans l'Antiquité, ils se nettoyaient les ongles...

Jésus il est trop gentil, moi j'en aurais niqué plein avec mes pouvoirs.

Il a même pas gagné au Loto ton Jésus !

Si la guerre est finie, on va se faire chier.

L'Europe, t'as pas un Européen qui en veut, faut la faire pour qui ? pour les Chinois ?

C'est une bonne idée, à condition qu'il y ait moins de pays.

Le mariage c'est comme le réveillon, ni plus ni moins.

Tous les mariages depuis tout le temps tout le monde fait pareil, on klaxonne, et pourtant, ça s'apprend pas à l'école.

On a pas besoin d'un million de profs pour apprendre le klaxon, ça se transmet naturellement…

L'Europe, à part la paella que j'aime bien.
— Et la choucroute.
— Pas toujours.

De toute façon l'Europe, c'est une vieille idée.

L'Europe, de toute façon, j'y vais jamais.

J'ai pas envie de donner de l'argent pour un pays comme l'Espagne !

Quand on meurt, j'y crois même pas qu'on va au ciel, alors l'Europe.

Ça va être l'Europe de l'argent, comme il y avait l'Afrique des négriers.

L'Europe, si il faut faire quatre mille bornes pour acheter de l'huile !

2000, on regrettera vite nos 1900…

Le Prozac c'est dangereux, je préfère mon litre de Ricard.
— C'est parce que vous avez l'habitude.

Faut les voir ramasser les myrtilles, c'est tout un sacerdoce.

Pour les chats à vendre, *déborde de tendresse*, c'est un casse-couilles.

Le Coca-Cola c'est la boisson reine, mais moi je suis républicain.

La source de toutes les choses, quelqu'un a dû pisser dedans.

C'est esclavagiste les publicités avec des Noirs !

Moi ce qui m'intéresse c'est de rencontrer les gens qui font le fromage plus que le fromage lui-même à la limite...

Les peintures de Lascaux on trouve ça génial, mais si ça se trouve à l'époque personne en voulait chez lui.

Qu'elle est bête des fois !

La psychanalyse bon marché, au moins, c'est pas cher.

La princesse de Clèves, ça me dit quelque chose... mais quoi ?

Si ils virent tous les camés du Tour de France, on va se les récupérer dans les rues.

L'air dilate avec la chaleur, c'est pour ça qu'on ballonne.

Le Larousse, oui, mais le Petit Robert, il faut toujours vérifier.

C'est Élise qui chapeaute la culture à *Bonne Soirée*.

... je cite souvent l'exemple des Touaregs.

Je ne vois pas pourquoi vous dites du mal du Caprice des dieux !

Sur les vieux disques, on entend la poussière des micros.

Avec ces soldes, j'ai marché toute la matinée !

... Ça fait des années que j'ai pas vu un harmonica.

Un joli panier verseur en fer forgé.
— Eh ben… il vous aime votre fils.

C'est dans le ventre de la mère qu'on apprend à glander devant la télé.

Nous, on commence par le melon.

Ce que vous voyez là, c'est que la face cachée de l'iceberg.

Tertonn.
— Prinquetonn.
— Non, l'Université c'est Tertonn.

Si on peut plus rien manger, ça fera des économies.

On est pas à l'hôpital pour manger du homard.

C'est quand j'ai cassé ma jambe que j'ai vu qu'on est en os.

… Je m'en fous qu'ils se dopent les cyclistes, de toute façon moi ce que je préfère c'est les chutes.

La littérature c'est mondial, n'empêche que c'est toujours un Français qu'a le prix Goncourt.

Le soleil, ne vous mettez pas en dessous surtout !

Les vieux maintenant, faut les piquer dès la naissance.

Télé 7 Jours, c'est les plus forts pour les portraits d'artistes.

Ceux qui écrivent des poèmes, c'est souvent par flemme.

Le sosie de Johnny, pour ici, ça suffit.

Souvent, c'est les mêmes qui se noient que tu retrouves sur le mont Blanc en socquettes.

Les profs, quand tu les vois à la cantine, t'as tout compris.

Vous venez ? sur le parking de la salle polyvalente, y a un lâcher de ballons.
— Je vous suis.
— Finissez finissez prenez votre temps.

... Si il dit que la caisse claire elle casse un peu la tête, c'est constructif comme critique.

Les idées c'est intéressant comme sur les plateaux de fruits de mer, sinon une seule crevette on s'en fout.

Une machine à remonter le temps, tu pars, tout de suite tu veux rentrer le soir.

Le soleil, si il se tourne et qu'il éclaire des autres planètes, on l'a dans le cul..

On naîtrait par le haut, ça serait quand même plus propre.

Les moustiques je les reconnais, ils ont une aiguille.

Les fantasmes, une heure après, t'y penses plus.

Le cerveau c'est pas gros, on dirait un hérisson.

Bleu ? tu rêves comme un chat.

On n'a pas

Le Préfet, c'était un apéritif ?
— L'Ambassadeur.

Moi je suis mieux avec moi qu'avec les autres gens...
— Vous faites ce que vous voulez.
— Quand on est seul, au moins on mange à l'heure qu'on veut.
— On vous a mis au fond, comme ça personne vous dérangera.
— C'est quoi pour midi ?
— Côte de porc charcutière.
— Et puis d'autre ?
— C'est tout monsieur, si vous voulez du choix, vous avez le self de la gare.
— Moi ça me va ! tout me va ! quand on est seul on est pas difficile.
— Ça va être l'heure si vous voulez manger, monsieur.
— Je finis ma Suze, j'y vais.
— Prenez-la avec vous.
— Je peux ?
— La serveuse attend, monsieur.
— En avant mauvaise troupe !
— Les cacahuètes restent là, monsieur.
— C'est que le comptoir ?
— C'est pour tout le monde, les cacahuètes s'assoient pas.

J'ai téléphoné dans un théâtre, ça répondait pas !

Il boit pavillon français...

Dix milliards anciens ?
— Cent milliards nouveaux.

... moi j'y perds mon latin.

Y a pas un pays qui a un nom de chocolat ?

Si vous le voulez bien, je vais commencer la journée par un dicton.
— Ta gueule !

Il a appelé sa gamine Mélusine, je le sais, c'est le nom d'un fromage de chèvre.

Si on me demande, je suis descendu changer la pompe !

droit d'avoir un pingouin.

Pour nous qui vendons des sandwichs, une seule bactérie, on est piégés.

Même sans le vouloir on leur a inoculé notre mentalité aux Papous, ils ont des bassines en plastique.

Par les déformations que j'ai de la bouche, je suis apte aux langues étrangères.

Au Festival de Cannes, tu gagnes même pas une belle coupe !

Ils nous surveillent avec les factures d'électricité, ils savent où on habite quand on allume.

Je suis moderne, dans mon genre.

Je suis usé avant l'âge.
— Ça, ça veut rien dire

On arrête pas de se perdre dans ce bois.
— C'est les mystères du chemin.

Les jumeaux ne s'engueulent jamais, ils ne peuvent pas, c'est comme si vous vouliez vous marcher sur les deux pieds, vous ne pouvez pas.

Pour qui ? pour moi ? le téléphone ? personne sait que je suis là.

Y en a un qui a fait une OPA sur mon demi !

Tu m'embrouilles.

De Gaulle est mort, il a rien dit.
— C'était pas le genre de se plaindre, le Général.

Il a les mains noires le nouveau poissonnier.
— Elles ont gelé.

La forme de l'eau, on la sait quand ça gèle.

On fait des ennuis aux cyclistes pour trois cachets et aux sumos qui sont des monstres, on leur dit rien !

Rien m'intéresse.
— Vous avez raison, ça évite les problèmes.

Tous les ans ils recommencent une vente des tableaux de Picasso.
— La famille en refait...
— C'est pas difficile à refaire.
— Comme vous dites !

Sur terre, tout le monde peut trouver son compte.

T'as l'étoffe des héros toi, t'as mis ton acrylon.

Tout est concentré, Elf, non seulement c'est le pétrole mais c'est aussi les biscuits Lu.

Eltsine ils vont pas l'embaumer, ils vont le foutre dans le vinaigre !

Entre la vie et la mort, y a un pont, et sous le pont ?

La mondialisation, c'est pas d'hier.

La veste, le manteau par-dessus, le chapeau, c'est la tour de Babel ce mec.

Moi pendant les vacances, je me mets entre parenthèses !

Le canard gavé ne souffre pas plus que nous quand on a mal au foie, si si ! on me l'a certifié dans un élevage porte-ouverte.

Ça va mieux toi ?
— Oui, un peu.
— Le fils Labarre il est mort.
— Euh ! le fils ?
— Labarre, ils lui ont coupé les doigts de pied, le plus beau c'est qu'ils ont cru à une mycose, c'était la gangrène, clac !
— C'est la même couleur.
— Oui, c'est la même couleur, c'est un gars qui avait fait de la taule, les docteurs de la pénitentiaire ils sont pas jojos les gars, ils s'en foutent, ils ont que le nom, c'est pas des docteurs... la femme qui habite en face de chez moi elle a toujours voulu se marier avec un docteur, elle a attendu cinquante-sept ans et elle est mariée avec le docteur qui fait les autopsies à Troyes.
— Le légiste... à cinquante-sept ans...
— Oui.
— C'est un mariage... euh...
— Oui.

Marié cinq fois, divorcé cinq fois, il les tue pas les bonnes femmes, il les fait chier.

Une année de psychiatrie, c'est trop, ou alors, c'est pas assez.

Elles trichent toutes sur leur âge... moi je les ferais passer au carbone 14 les chanteuses !

Ils ont plus de pression sur les épaules que dans les pneus les cyclistes de maintenant !

Moi j'aime bien prendre les transports en commun, vous montez dans le bus, tout le monde vous regarde.

Pour moi le trou du cul c'est le nombril qui te relie au père.

Quand t'es mariée avec un légiste, tu sais pas quoi faire à manger !

L'œuf, il est sa

Les femmes voilées, c'est pas pire que les Alsaciennes.

Les Tables de la Loi, pour quelqu'un qui est tout le temps debout...

À vingt kilomètres à la ronde, que du hareng.

On se demande pourquoi on se bat pour le Kosovo, y a rien ! y a pas de pétrole, rien !
— Y a que des gens, en plus.

À égalité, on était plus jeunes.

Avec les clients que j'ai, des fois j'ai l'impression d'être antiquaire

Vous ne trouverez pas du bon théâtre de boulevard dans une petite rue.

Plus le sens de l'hospitalité est grand, plus la bouffe est dégueulasse.

L'homme parle avec les mains, le chien avec les yeux.

Charcutier, tu peux prendre du jambon pour toi, mais fossoyeur, tu peux pas te servir.

Toute l'actualité importante, en général, on l'apprend le lundi matin.

On était Persavon, mais on en trouve plus, alors on prend Monsavon.
— De toute façon, on ne trouve plus rien.

Blou blou blou
Blou svette chou !
Blou blou blou
Blou svette chou !

propre casserole.

Sandwich aux trois viandes ? c'est la fosse commune ton machin !

Changement de siècle ! changement de siècle ! putain ! on le saura !

Ce que je hais chez les gros, c'est les jambes en X.

J'adore la pêche.
— On se refait pas.

Et l'argent de la recherche il est où ? c'est la même aspirine depuis qu'on est né... soyons sérieux, une fois...

Le sida... franchement... sans me vanter, je connais personne qui l'a.

Tu savais que dans le rétroviseur de la camionnette ton bistrot s'appelle NIOC NOB UA ?

La tragédie, c'est dans l'homme, t'as pas besoin de décors alors que la comédie, c'est mieux avec les meubles.

Avec la trompette, on ne sait pas où mettre sa langue.

T'es plus fort que tout le monde toi ! t'as une grande gueule ! alors vas-y ! fais-le le choix de la haie décorative !

... après tout c'est possible que Jésus se soit déjà fait clouer par les hommes préhistoriques avant de revenir...

L'an 2000, ça arrive que tous les mille ans.

Le grand livre des arbres, je l'ai, le grand livre des vins de France, je l'ai, le grand livre des fleurs, je l'ai, j'ai tous les grands livres.

Je suis moins chiant depuis que je rebois, tu crois pas ?

On peut pas tenir un garage et picoler.

Si j'étais dans c't'état, c'est qu'on m'a rajouté un produit dans mon verre.

Les deux jambes cassées, il portait son casque, alors le casque, c'est pas non plus le miracle hein... bon...

Visiter le désert, on ne peut pas partir quinze jours, c'est pas possible.

L'Orient, c'est la poésie de l'imaginaire qui vaut le déplacement.

Découvrir les autres c'est s'enrichir mais attention de ne pas se laisser bouffer non plus...

La France, à la limite la Belgique, mais après les traditions changent.

Les cinq premières années on se rappelle de rien, je vois pas pourquoi on naît pas directement à cinq ans.
— C'est pour la mère.

Le pire, c'est quand tu te dopes et tu perds quand même.

Je suis une visuelle, et si je parle avec quelqu'un d'auditif ou qui est tactile, la personne ne comprend pas, chacun a son canal de perception à lui.

À quatre-vingts pour cent je suis français, le reste c'est des habits qui sont fabriqués je sais pas où, et je m'en fous...

Les avancées techniques, on commence à se rendre compte qu'elles ont servi... strictement à rien.

N'importe quel bled à la con, c'est une région du globe.

Comme d'habitude ?
— Non, comme autrement.

La Suède, c'est typiquement le genre de pays où y a pas d'hôtel.

Laisse mon nez tranquille.
— Je t'emmerde !
c'est les journées du Patrimoine.

On m'a dit qu'à un an, j'aimais déjà le velouté de tomates, alors voyez.

Notre corps est une prison mais faut pas trop se plaindre, on est qu'un par cellule.

Une activité culturelle, pour moi, c'est culturel mais c'est pas actif.

Les paiements en euros, si je peux éviter, j'éviterai.

Il y a des choses que je ne peux pas expliquer.

Du vin à table, ça fait un effet aggravant, si tu as pris l'apéritif avant.

Un qui n'empêche pas de conduire, c'est le vin de pays.

Il est mort ? bravo très bien ! un de moins qui dira plus de mal de mes chiens !

Le yaourt c'est pas du fromage, ou alors au sens large.

Le psychanalyste, faut y aller, ils ne livrent pas.

De l'équilibre, c'est le contraire, moi j'en ai trop.

Quand on mange du fenouil, ça me fait penser à un monastère.

Tu fais ton Loto au Chat Noir ? tu risques pas de gagner !

Après dix mille ans les momies sont intactes, alors que nous, après un mois, faut qu'on jette nos yaourts.

L'an 2000, on verra, y fera jour !

Avec la pluie, les odeurs tombent par terre.

Ils vont au cinéma pour la musique, les jeunes.

Moi, j'ai des images intérieures.
— J'aimerais bien voir ça, t'aimes que le foot !

À l'aube du vingt et unième siècle, j'ai même plus des bonnes chaussettes.

... un potiron de trente kilos dans le jardin, comme une météorite.

Il était pas ventilé le tunnel du mont Blanc, c'est comme si on roule dans une cigarette.

C'est important le ventre des escargots, c'est avec ça qu'ils marchent.

J'aime bien marcher à pied, au sens philosophique du terme.

... à la montagne, on redécouvre ses jambes.

Il y a des gens qui savent monter sur les montagnes, et d'autres, c'est le contraire.

Mais si ! c'est une femme écrivain qui a la langue en chewing-gum...
— Je connais pas d'écrivains.
— Mais si vous la connaissez bien sûr...

On est rentré de Clermont-Ferrand dans la nuit, je sais pas si vous voyez !

Ce soir, si tout va bien, je serai à Melun.

Le plus important, c'est de vivre l'instant sans réfléchir.

Ça dure tellement longtemps la vie que je conseille à tous ceux qui naissent de bien dormir.

T'es rien qu'un glandeur.
— On les voit pas travailler les glandes.

... Ils ont copié sur l'aubergine pour faire les chaussures de clown.

Je ne suis pas de ma génération !

Où va le monde, j'en sais rien, je mentirais si je disais que je savais... je mentirais.

Le *Lem* sur la Lune, ça doit plus être que de la ferraille rouillée.

Moi je suis bien habituée à la musique électrique, alors l'autre musique maintenant, ça me fait plat.

Toutes les abeilles ont du diabète.

Une chanson que j'aime, je pourrais l'écouter trois quatre fois de suite.

Deux fois sur trois, c'est la femme à côté du chauffeur qui provoque l'accident.

La mafia italienne c'est pizza, spaghetti, alors que la mafia russe c'est caviar, caviar...

Le théâtre de rue, quand c'est bien tu peux pas t'approcher, quand y a de la place pour voir c'est souvent de la merde.

Dans un ballet de danse classique, moi je les vois, ceux qui fumen

Le Petit Père des peuples, c'est une chanson d'Aznavour.
— C'est Staline.
— C'est une chanson d'Aznavour.

À force, t'as plus de morts à Chamonix qu'en Yougoslavie, en plus la guerre elle est finie, alors que Chamonix ça continue.

Six amis, trois et trois, pas plus, sept, ça commence les bisbilles.

L'enfance de l'art, ça va jusqu'à quel âge ?

Quand c'est écrit, *c'est prouvé*, neuf fois sur dix c'est pas prouvé du tout !

Internet, quand vous y êtes dedans, vous ne pouvez plus sortir, et le compteur ça tourne, je vous le dis !

Les excès de vitesse, c'est pas pire que le tabac, et t'en as qui font du deux cents à l'heure avec le cigare, ils ont rien.

Les seuls vieux qui profitent de la vignette, c'est ceux qu'on écrase en auto.

Un festival d'animaux marins... eh ben... faut mettre l'imper !

Il aime pas le sucre ?
— Oh vous savez, c'est un chien qui vit dans sa bulle.

Tiens... v'là l'armada du siècle !

À la naissance, je pesais deux kilos.
— On dirait pas.

La tête vide, tant qu'on a pas le front qui rentre...

Les gens adorent s'entre-tuer, qu'est ce que vous voulez y faire ?

Un accouchement, vous montreriez ça à vos enfants vous ?

Ils vous font boire de l'huile d'olive, parce que sur l'échographie c'est plus joli, ça fait briller l'embryon.

... Comme j'ai dit à ma fille, je ne veux pas mourir avant qu'on ait repeint la façade !

Onze morts dans un trou, ils appellent ça un charnier ! il leur en faut pas beaucoup.

L'hélicoptère, ça marche, mais personne a encore compris le système.

Pour moi de toute façon, Beaubourg a toujours été en travaux.

Les gens qui aiment la soie, c'est un retour au cocon, en fait.

Ils font des embryons mi-homme mi-vache.
— Si ça continue, on va tous habiter à la montagne.

Les embryons, moins on y touche, mieux ça vaut.

L'embryon, c'est fragile, c'est du biscuit.

On aura vécu la dernière décennie...

Shakespeare, quand y en a plus, y en a encore !

On ose plus descendre, on reste en haut de l'imme comme les singes.

Je me porte comme une fleur !

Tout le monde est français, au fond.

Le cinéma à moitié prix, moi je me méfie.

Les Marx Brothers, on a pas eu d'équivalent chez les femmes.

Je ne suis pas du tout physique, je suis mental.

Leur éclipse… eh ben… comme si on en avait pas assez déjà, des camions qui croisent…

Il peut faire ce qu'il veut à l'école, du moment qu'il ne fume pas… c'est important tout de même… son père est mort de ça.

Les photos, ça veut rien dire, tout le monde sourit.

Notre gardien, il est pire qu'Hitler, eh bien, ça ne suffit pas.

Moi je suis pas du matin, je suis plutôt quelqu'un de l'après-midi après manger.

Les chiffres, on leur fait dire ce qu'on veut.

Les poules, l'articulation, elle a pas été prévue pour courir, franchement, c'est pas le jaguar.

Il avait la grosse tête, des mèches de Napoléon t'en trouves partout !

Y a pire que nous.

Vous partez ?
— Faut que je rentre ma poubelle sinon les voleurs vont croire qu'on est pas là.

Les bulots, moi c'est quatre.

Le préfet qui était en taule, ça a rien changé, alors ils servent à quoi quand ils sont dehors, ces gars-là ?

On est très famille, ce qui nous permet de faire des grillades.

À vingt-sept ans ils habitent encore à la maison !
— Moi j'ai de la chance, la mienne est anorexique.

Je partirais jamais à l'étranger dans un groupe où il n'y a pas l'alchimie.

Si on faisait la vaisselle sur Internet, ça aurait moins de succès.

Ils ont pas des belles femmes les gendarmes.
— Pourtant c'est des super-gendarmes.

Des sardines grillées...
— La sardine, c'est la naine des mers, comme je l'appelle.

La vue nocturne, comme moi je me couche tôt, j'en aurais pas tellement besoin.

À neuf heures, si jamais je suis rentré, j'ai plus envie de sortir.

Si c'est pour rester un mois couché sur une serviette, je préfère rester debout au comptoir un mois comme un con !

Il est enceinte de maître Kanter !

2000 ça fait peur parce que c'est pas naturel les chiffres ronds.

Quand on est en maillot de bain, y a plus d'ouvrier, plus de patro

Nous on est tout rouges mais on triche pas en faisant des UV avant...

C'est une rue avec des platanes qui fait apéritif piétonnier...

À la plage c'est tout le temps le contraire, des mignonnes petites têtes et des gros culs.

On essaie de faire sortir la mouche ! alors vous mettez pas là, vous êtes sur la route !

Ils distribuent des préservatifs gratuits sur les plages, mais si vous offrez un Coca à une fille, c'est trente francs !

Quand on va dans un restaurant vietnamien avec lui, tu le verrais, c'est Tintin en Chine.

Au théâtre, ce qui ne va pas, c'est la séance obligatoire.

Vaut mieux être plus intelligent que lui parce que c'est un con !

Ça fait une espèce de serre, la casquette.

C'est pas le pays du sourire ce matin !

Ça fait vingt ans avec ma femme que chaque année, on fait nos cornichons.
— Ah oui, ça fait une date.

On en a dans une poutre, ça fait de la sciure en dessous.
— Oui mais les fourmis volantes sont raisonnables alors que les termites ne savent pas s'arrêter.

Mon père, on savait jamais où il était, et même maintenant au cimetière je sais jamais la bonne allée.

C'est souvent à cause des grèves de trains que je picole, je peux pas rentrer !

C'est le côté sportif de la chose que j'aime dans le vélo.

Ils se font greffer de la peau de cochon sur les fesses, là où la selle ça leur fait mal.
— Ça veut rien dire, on sait pas si un cochon il aurait pas mal sur un vélo.

Et il boit quoi Internet ?
— WW France pastis point com !

Pour moi, une Ford Focus, ça ne représente rien.

Ils arrondissent toujours par excès les test du sida, les socialistes touchent du pourcentage dessus.

Midi jusqu'à treize heures, dix-huit heures à dix-neuf heures, pas plus, sinon je bois trop.

Au niveau de l'heure, je vais pas le boire tout de suite.

Elle m'a fait un chèque en chiffres romains, on est en France ici !

Je peux pas me battre avec des lentilles.
— Tu disais pareil avec les lunettes.

Contre l'Europe, moi je suis unanime.

L'Europe c'est minuscule, tu fais quatre cents bornes, t'es déjà en Turquie.

L'Europe c'est pas grand-chose, ils l'ont mise à Strasbourg.

L'apéritif... le lendemain de l'apéritif... c'est un point de mire.
— Y a pire.

Le château de Versailles est pas loin de la poste.

Un petit avion pareil, c'est pas fait pour s'atterrir dans les bois.

En Martinique un vrai mariage, c'est minimum neuf cents personnes.

Marseille, c'est l'oralité, pour moi.

Là-bas à Tahiti, ils vivent dans l'eau.

Le rap, ça repartira par où c'est venu !

Les Américains ont marché sur la Lune alors qu'un Marseillais, il se serait tout de suite assis.

Ils y sont allés sur la Lune, n'empêche qu'ils y sont pas restés.

Tout le programme scolaire, je le ferais sous forme de petites pubs, puisqu'on se rappelle que de ça.

Je fais vingt kilomètres, je visite une curiosité, je refais vingt bornes, une autre curiosité...

C'est la galère pour photographier les feuilles au fond de l'eau, avec les reflets.
— Pas avec les appareils sophistiqués qu'ils ont, quand tu vois les photos des camemberts qu'ils font chez Leclerc, t'es scié.

Des faux jambons de Bayonne ! on aura tout vu sur cette terre.

Ah oui ! le homard c'est bon, c'est comme la langouste.

Le caviar c'est que des œufs, ce qui coûte cher, c'est le nom.

Quand il digère, c'est une vraie chaudière.

Ce qu'on peut espérer de mieux pour les critiques, c'est qu'ils se fassent pas chier à aller voir les spectacles.

Y a de la CGT dans la haute couture. — Et quand on voit comment ils sont habillés !

Les dernières luttes ouvrières qui nous restent, c'est qu'on se bouscule dans le métro.

Je sais pas si c'est un bon gardien de but, mais son sac de sport est au bistrot depuis vendredi !

Il aime bien ses gosses, c'est déjà pas si mal...

On est tous conditionnés, en fait.

Je m'oblige à laver la voiture le samedi, et ça marche.

De toute façon, pour moi, rien vaut le détour.

Tu parles d'un animateur de vente, il te parle, il se gratte les couilles.

Pour aller sur la Lune, au moins, on sait où c'est !

Pour moi l'école c'est le cartable sur le dos, et le boulot c'est le crayon sur l'oreille, c'est pas compliqué.

Nous on est en l'an 2000 mais les juifs, ils sont déjà en 5759 !
— Ils l'ont déjà eu la fin du monde, eux.

La médecine fait des bonds, mais les malades restent toujours dans le lit.

... et dix qui font cent...

C'est pas la peine d'arrêter de fumer cette année, vaut mieux arrêter pour l'an 2000, tant qu'à faire...

Le foot féminin, vous verriez, elles courent comme des oies.

L'humanité, elle a toujours allé de travers... excusez-moi de vous le dire...

Les bombardements chirurgicaux, comme son nom l'indique, ça ouvre le ventre.

C'est pas moi !
— Quand c'est un défaut corporel, c'est jamais personne.

Je vais au bistrot en vélo, comme Virenque.

On le voit sur les routes, plus la vie s'allonge, plus y a de cars.

Les gens des mairies ne réfléchissent pas.

... putain je sais pas ce que j'ai bouffé mais c'est les Walkyries !

L'odorat est moins con que celui qui pète et souvent c'est le même

Dès que je suis bourré, j'ai envie d'être pompier.

On fout le feu mais une inondation, c'est rare que ça soit criminel.

Les allocations familiales, ils les boivent.

Tu bois rien ?
— T'es pas mon directeur sportif !

C'est chiant président de la République, à la limite, vaut mieux être patron de Canal +, t'as plus de pouvoir.

Le mieux qui pourrait lui arriver à Chirac, c'est de revenir à la mairie de Paris.

Ils remettent des ours pour le tourisme, quand il y a des ours, tout le monde achète du fromage de chèvre.

Tous les jours je l'insulte, tous les jours, y revient.
— C'est le syndrome de Stockholm.

Jamais vu un Néo-Zélandais ailleurs qu'à la télé, jamais.

T'en achèterais du camembert Chanel ?

Ça fait toujours chic dans les romans, la chambre bleue, la chambre verte…

Les navettes spatiales, tu parles, ça marche quand ça veut !

La momie tu la gardes des siècles, c'est comme l'emballage plastique.

Madame ! votre collier ! vous allez le perdre !
— Merci jeune homme… vous êtes un saint.

L'Amérique latine, ils ne parlent pas plus latin que moi !

Vous inquiétez pas mémé ! si vous l'avez l'Alzheimer, on vous le dira que vous, c'est du Picon.

Faut être un enculé pour manger une poule naine !

Les vacances, c'est une autre façon de respirer… pour moi.

Elles sont molles vos chaises.
— Elles ont pas l'habitude du chauffage, c'est des chaises de dehors.

Attention ! la fête de la Bière, y a du vin, si t'en veux.

… ils ont les vélos de la guerre des Étoiles…

Des opposants togolais, c'est un pléonasme !

Il leur faut une piqûre dans le cul pour faire dring avec la sonnette !

Pastis ! pastis ! ça arrêtait pas ! le beau-frère ! le cousin ! j'avais plus aucune marge de manœuvre !

Avignon pour ceux du théâtre, c'est comme nous la fête à Chablis.

C'est en Bretagne que je lis.

L'euro, ça finira comme le Concor

Je voudrais pas trop rêver, mais je crois qu'on va s'offrir un sèche-linge.

C'est rien le RMI, en

... je me suis excusé, alors recommence pas à pleurer...

... en plus j'ai rien dit, alors arrête.

... en plus j'ai rien fait.

... arrête de pleurer ou je t'en remets une !

Y a le camion du sang sur la place.
— Moi, y voudront pas.
— L'alcool ils s'en foutent, c'est le sida qu'ils acceptent pas.

Sept ans, c'est trop long, c'est pas moi qui le dis, c'est Giscard.

J'en ai marre d'habiter tout seul... je vais me privatiser.

J'en bois toujours trois, c'est depuis la Coupe du monde.

Il fait chaud à Montélimar.

La pyramide du Louvre, on l'a vue hier, ça fait pas tellement égyptien.

Des ovnis, il y en a, mais ils nous le disent pas, pour pas nous effrayer.

Il est malade du cœur, tout est bouché.
— Faut lui enlever pour mettre un rond-point.

T'as pas besoin de l'école, si tu veux traduire du grec, tu gagnes au tiercé et tu paies quelqu'un pour le faire !

Quand on voit les ventes qui grimpent, la sardine relève la tête.

Où c'est qu'il y en a du Web ?

J'en ai pas besoin de l'euro, j'achète français.

... Ça finira mal leur histoire d'éclipse...

une semaine c'est bu.

Je vous embrasse pas, j'ai des microbes.

Une guerre avec que des avions, personne peut dormir.

Marcher sur la Lune ! nous on peut même pas traverser le quartier !
— C'est vraiment se moquer du monde.

La Belgique, moi je lui changerais son nom

Certaines moules se collent aux autres moules en croyant que c'est un piquet.
— Y a des cons partout, même chez les moules.
— Si ! je l'ai vu.

Tu fais le Tour de France toi ? t'as déjà le maillot jaune !

Faire de la musique et être payé en plus, je ne comprends pas.

Si y a tout sur Internet, c'est plus la peine qu'ils nous demandent de l'argent pour sortir en boîte !

Et mon glaçon ? ça suit pas la logistique aujourd'hui...

Toujours le même trajet... Noyers-Paris... Paris-Noyers, il a tellement l'habitude qu'il conduit les yeux fermés.

Vous avez mis le short ? c'est l'opération séduction ?

La guerre psychologique, c'est comme quand tu traites un mec de pédé.

Le mec qui louche, ça lui sert à rien une moustache.

Le soleil c'est très mauvais pour la peau vous savez.
— Mais oui... ils disent pareil pour les trente-cinq heures.

La solidarité, c'est à sens unique.

Avec mon mari, on a toujours un très bon contact avec la population.

Faut attendre l'automne pour les boutures.
— Vous avez un jardin ?
— Non, mais je me souviens.
— Ça sert à rien d'avoir la mémoire jardinière si on a pas de jardin.

Les pays pauvres, c'est eux qui ont la plus belle architecture, souvent.

La fête de la Musique, moi, je vais mettre mes boules.

Bonjour messieurs-dames ! s'il vous plaît une pièce messieurs-dames ! pour me garder propre et pour boire un coup !

L'arrière-pays, c'est comme si on arrive dans un autre temps.

Le football, à la limite j'aime bien quand la France gagne, sinon c'est des cons en short...

Bordeaux contre Nantes, c'est André contre Goliath.

Dominique Voynet elle en mange de la viande, mais si, tu parles !

C'est pas le commun des mortels ce bonhomme, Michel Drucker, il conduit un hélicoptère.

Au moins en Afrique, personne le contredira Chirac.

Le Tour de France c'est le Tour des étrangers cette année, y a pas de grimpeurs, je le vois bien si les gars sont dedans, rien qu'à regarder pédaler je vois, celui-là il est dedans, celui-là il est pas dedans, moi je courais, un jour je me suis fait passer par une femme, terminé le vélo, mais c'est rien, le pire, j'avais un copain qui était pas bien physiquement, il se faisait passer sans arrêt par les femmes, il s'est suicidé, faut pas déconner avec le vélo.

C'est quand on va à l'étranger qu'on se rend compte qu'on a tout, en France.

De toute façon,
je ne dis jamais le
contraire, alors…

Le Tour de France en vélo, c'est du Tati.

C'est pas des héros ces gars-là, ils se mettent de la pommade au cul.

Je l'aime pas cette chanteuse, celle qui s'est fait refaire le nez et qui fait Houuuuuuuu ! dans une chanson.

… C'est pas un sportif, c'est un prof de gym.

À la limite il vaut mieux boire et pas faire de sport que fumer et pas faire de sport, j'ai pas raison ?

Une femme, au Maroc, c'est moins qu'un buffet chez nous.

Il faisait du vélo avec ses palmes, alors bien sûr, il est tombé.
— Ah les gosses… les gosses…

Si l'avion s'écrase, c'est dans la queue que t'as le plus de chances de survivre, là où ils mettent la bouffe.

On est pas tout seuls sur la terre… c'est même le contraire.

Quand on voit l'état de certaines routes, on se demande qui fait quoi en France !

Les guerres, la famine, c'est pas le pire.

Je lève le coude, c'est mon mouvement de consommateur.

Attention ! c'est à cause de la lecture qu'on s'endort au soleil.

Ce qui est bien dans les films américains, c'est que c'est en français.

C'en est plein des flamants roses dans les canadairs.

... Ça s'arrose.

À la radio souvent ils sont plus moches, mais ils sont plus intelligents.

Y picole en plongeant dans le verre comme un canadair...

Deux mille ans de connerie ! voilà où on en est !

Même la bouffe, c'est que des atomes.
— Chez Bocuse, ils sont bien préparés les atomes.

J'adore ça, les gambas.
— Nous on aime pas ça, c'est des crevettes pas normales.

On pleure dans le désert, le lendemain, y a une herbe.

Les plis du ventre, c'est rien... c'est pas la Muraille de Chine !

Tout le matin, je bois pas, mais j'ai l'apéritif larvé.

Kouchner au Kosovo, ça fait deux fois un *k*, vous avez remarqué ?

La France, c'est nous, Chirac il est au guichet mais c'est tout.

Un alcoolique qui chante *La Madelon*, c'est un bidon.

Je regarde jamais le ciel, c'est pas avec une éclipse que je vais commencer...

Va falloir faire attention à son portefeuille... tout le monde regardera pas en l'air !

Ça attise le soleil tout ce vent...

Tu la regardes l'éclipse ?
— Oh là là non ! je ferme les stores, les volets et pourtant j'ai les lunettes !

À l'intérieur du soleil, c'est le bordel.

Mes rideaux, je les laverai après l'éclipse.

Faut rentrer la voiture au garage, il paraît que la peinture, avec leur éclipse...

Une éclipse de quoi, d'abord ?

Avec l'éclipse, on sait pas ce qui peut se passer dans les quartiers à majorité arabe, on sait pas.

Tous les hôtels sont complets sur le trajet de l'éclipse.
— C'est les cons qui prennent l'hôtel, ça dure deux minutes.

L'éclipse, ça vaut pas un beau but.

Midi, pas une minute de plus !

C'est dangereux l'éclipse, faut mettre les lunettes ! surtout vous qui avez la peau claire.

Il a joué que des conneries de Funès mais n'empêche, c'était un génie.

Vous y allez à l'éclipse ?
— J'ai jamais visité la tour Eiffel, alors leur éclipse...

Impossible de se garer dans le village médiéval !

Je bois de saison.

Ça fait moins pochetron d'aller au bistrot avec une casquette, ça fait tradition.

... Surtout, les temps ont changé.

Quand je connais la route, j'arrive à dormir en conduisant, c'est ma technique.

Tout ça c'est de l'attrape-gogo !

On a revu Francis, il est devenu con ! il est raciste...
— Au moins il est pas malade.

La réalité, c'est de la fiction, souvent.

Si tu lui mets rien dans ton ordinateur, il sait rien, c'est comme un gosse.

Pour une fois que c'est une femme qui commande la navette spatiale, ils mettent sur orbite un truc qui sert à rien !

C'est la grande nouveauté ça, les événements à distance !

Vingt-deux milliards pour un footballeur ! à ce prix-là, je m'achète le stade.

C'est plus facile de faire la grève que des heures supplémentaires, ah oui ! c'est ça la vérité madame !

... C'est triste à dire...

Ils profitent qu'on est en vacances pour augmenter les prix.
— Moi je suis pas en vacances et ils augmentent quand même, alors vous plaignez pas.

... mais c'est comme ça...

Il a été maillot jaune du début du Tour à la fin du Tour, si vous trouvez ça normal vous ? un cancéreux ! je dis pas du mal.
— C'est les produits qu'on donne pour le cancer qui dopent.

Les fourmis, quand elles sont que deux c'est la merde, mais à quatre milliards, ça va.

Si t'écris dix mille cartes postales, ça te fait un roman.

Le pilote d'avion fait plus rien, ça se conduit aux appareils, c'est comme si tu regardes un réveil.

Un maître à penser ? même pas un centimètre !

Une laitue en pleine forme a besoin d'un litre et demi d'eau par jour !

La sieste, c'est le parachute ventral pour si t'as mal dormi.

On était à côté du paradis de l'huile d'olive.
— Ah dites donc... ça fait loin non ?

Quand tu aides à porter les courses, c'est déjà de la sexualité, en fait.

Pour boire autant que lui, faut prendre des amphés.

Excusez-moi, j'y retourne, j'ai mis les œufs à chauffer.

Tu pourras pas mettre douze œufs dans le désordre !

Je croyais connaître l'Essonne, et j'en découvre encore.

Picasso, c'était une ordure avec les femmes.
— T'es pas obligée d'être la femme de Picasso non plus.

Ce qui fait le plus joli sur les tombes, c'est les photos de mariage.

Les Kennedy, c'est une famille qui est maudite.
— On va pas à un mariage en avion ! voyons...

Il est mort dans la nuit de jeudi.
— On peut pas tout avoir.

Son fils a été à l'école jusqu'à vingt-huit ans mais attention ! il parle les langues.

Il a fait tous les rades de la rue.
— Ça... quand il a ses chaussures de pèlerin.

Cinq francs plus cinq francs ça fait dix francs mais tu vas voir avec l'euro le bordel.

Je serais raciste encore, je pourrais me défendre contre eux, mais même pas !

Si tu veux perdre ton chien, faut l'appeler Kennedy !

Ils l'ont dit à la télé qu'il a été incinéré.
— Ça on sait pas ! ils disent tellement de bêtises.

... On saura jamais.

Après une semaine dans l'eau, ça va pas être de la tarte à incinérer, le Kennedy.

Les Kennedy, c'est un peu notre famille royale américaine à nous.

Ils lui ont fait des obsèques planétaires !
— Les obsèques planétaires, ça arrive pas jusque dans notre rue.

Elle veut que je lui achète des pinces à linge en bois, c'est pas mon rayon.

Tu prends l'Algérie, tu rajoutes des palmiers, t'as le Maroc.

En thalasso t'as du vin blanc, si tu demandes.

Ils ne vous le diront pas, mais les gens font pipi dans l'eau, bien sûr.

Dans un canal, l'eau est plus droite.

Dans le désert, vous avez plus de respect humain qu'en ville !

Dis donc, tes toilettes, tout à l'heure...
— C'est la dioxine, ça...

Tu ne sais pas ce que c'est une femme qui dépense !

C'est mon sang arabe qui bronze.

Le sida, maintenant, ça s'opère.

Ils taxent le foie gras, on a qu'à taxer le Coca-Cola, après tout.

C'est pas avec la politique étrangère qu'on gouverne un pays !

... C'est un genre de caoutchouc qui fait comme la marche sur la Lune...

Si c'est pour couler à pic, autant aller à la montagne.

Il aime pas se baigner, il flotte pas.

Sur le dépliant, ils appellent ça « l'Œil du cyclope », tu parles, c'est un trou où tout le monde va chier.

L'apéritif, c'est sacré.

Les billets s'abîment vite mais les pièces, c'est toute une vie.

En voiture, c'est pas toujours ceux qui vont boire l'apéro qui sont les plus pressés.

Moi quand je suis en voiture avec mon mari, je ferme les yeux jusqu'à ce qu'on meure.

Les trente-cinq heures ! les trente-cinq heures de quoi ? !
— De travail.
— Trente-cinq heures ? c'est plus du boulot.

Le tatouage, c'est à vie.
— Le nez aussi.

J'ai pas besoin d'appareil photo, j'ai pas de famille.

Avec l'aïoli ce qui se boit le mieux, c'est l'eau de Cologne à la lavande.

Des fois je suis juillettiste, des fois je suis aoûtien... avec moi c'est comme ça...

Le pastis sans alcool, c'est une idiotie.

Le pastis, je le bois comme un étranger qui trouve ça original.

En vacances, on vit mi-dehors, mi-dedans, on est sous l'auvent.

C'est bien quand on est mort, on pense à rien.

On le trouvera jamais l'assassin du préfet Érignac, évidemment, c'est les services secrets.

Ils vont construire des nouvelles prisons.
— C'est plus pour nous, on est trop vieux, c'est pour les gosses.

Une guerre en Europe, c'est quand même plus pratique, pour les journalistes.

Elle arrose jamais ses tomates.
— Déjà qu'elle embrasse jamais ses gosses…

C'est les peurs du millénaire en ce moment.
— Si on avait peur que tous les mille ans, faudrait pas se plaindre !

On va pas au restaurant pour manger pareil qu'à la maison !

La flexibilité du travail, c'est pour nous tortiller comme des roseaux…

C'est un nouveau blanc et moi je suis toujours ravie de goûter un nouveau vin blanc.

Passé l'an 2000, la pluie sera de l'eau de pluie de l'autre millénaire.

La pluie battante ? on voit que t'as jamais été battu !

Aujourd'hui, on est tous dans le même wagon.

Y a un étage où y a tout et un étage où y a rien, j'y suis monté je sais plus combien de fois sur la tour Eiffel avec les gosses, tu verras bien…

Elle a de la chance, elle a la maigreur grecque.

Le danger pour une équipe, c'est un ego par personne.

Ho ! Tu me sers ou quoi ? il est sourd comme Tapie celui-là !

Il a rien répondu.
— Ça veut tout dire !

J'aime bien écouter quelqu'un d'intelligent parce que comme ça, je suis pas obligée de parler.

Les distributeurs de capotes dans les chiottes, ça donne pas tellement envie.

Le pape, ça le gêne pas de répéter.

Il est vieux, il a un disque de Michel Legrand.

Pour un nain, c'est facile de passer l'aspirateur dans la voiture.

... mais alors du coup avec mon opération, je perds quatre jours de congé, tu comprends ?

Le RER jusqu'à la mer !

Martine Aubry elle avait dit, une paire de lunettes par Français ! tu parles ! les gosses de ministres ils doivent pas en manquer, eux... c'est l'arnaque du siècle cette histoire d'éclipse ! en plus maintenant ça approche, ils nous disent qu'il y aura du mauvais temps ! ben tiens... les lunettes qui marchaient pas on les trouvait dans les pharmacies ! les Colombiennes, les Taïwanaises, ça promet pour les capotes !

Lui, il comprend rien, et elle, c'est encore pire.

... elle croit qu'elle le pense mais elle s'entend même pas le dire.

Quand y a une éclipse en Afrique, tu crois qu'ils courent après les nègres pour leur mettre des lunettes ? !

Vous êtes la sœur à Robert ? vous lui ressemblez. Non ? Vous êtes sa femme alors ?

Paris va être détruit juste le jour de l'éclipse.
— Si on devait croire tout ce que disent les journalistes !

C'est la Lune qui fait de l'ombre.
— À qui ?
— Au Soleil.

Je regarde jamais le soleil, je vais pas commencer le jour où y en a pas.

Avec l'éclipse, on va boire deux fois le café.

L'éclipse, ça changera rien pour EDF, ça dure pas assez longtemps.

La Lune ça nous appartient, alors que le Soleil, il appartient au système.

... C'est les Américains qui passent devant le soleil puisque c'est eux qui ont marché dessus...

À Marseille on a pas l'éclipse, on en a jamais eu.

C'est la première fois qu'on voit le système solaire en action.

C'est la première éclipse européenne.
— Sauf la Turquie, elle est pas dans l'Europe.

Vous en avez encore des Parisiens ?
— Plus un ! c'est la ruée à cause des lunettes ! j'avais la queue devant à sept heures ce matin ! allez au Leclerc à Migennes.
— On va pas aller jusqu'au Leclerc à Migennes pour une éclipse !
— Moi je vous dis ça, parce qu'ils en ont un gros paquet là-bas.
— C'est aux mairies à en distribuer des lunettes !
— C'est le gouvernement qui aurait dû les vendre, et donner l'argent à une œuvre.
— Ils augmentent l'essence.

C'est pas naturel, ces éclipses.

On est les vaches à lait ! encore ! je vais pas bouffer de l'essence pour aller chercher des lunettes... ça brûle les yeux et ça donne le cancer de la peau, ils peuvent se la mettre au cul leur éclipse !

C'est pas normal... c'est pour ça que la télé en parle...

... mon chien regarde toujours le soleil, je vais lui nouer un torchon...

On va se retrouver avec des milliers de gens qui ont les yeux brûlés, on l'aura bien cherché aussi ! ça serait aux Etats-Unis l'éclipse, tu verrais comme ils en auraient dix par personne des lunettes... à part tendre la main pour toucher les allocations, c'est tout ce qu'on sait faire...

Si tout le monde est aveugle, on sera bien avancés.

En Inde, tout le monde s'en branle des éclipses.

Je suis devenu à moitié sourd avec les avions et j'ai pas fait un cirque pareil !

Déjà qu'à Charleville-Mézières ils ont le temps de merde, en plus avec l'éclipse ! et dans les prisons, on leur en distribue des lunettes gratuites ! t'as violé un gosse, on t'offre des lunettes... putain... des fois...

Pendant l'éclipse, je vais mettre le chat dans la panière, et la panière sous le lit.

... moi ça fait quinze ans que j'ai l'éclipse avec mon balcon du dessus.

Nostradamus, il faut en prendre et en laisser.

Ils savent pas quoi écrire dans les journaux, une fois c'est les extraterrestres ! une fois c'est l'éclipse ! tous les étés c'est pareil.

Il a prédit la fin du monde.
— C'est son problème.

... la fin du monde à Paris et dans le Gers, ailleurs ça va.

Mais c'est des conneries, la fin du monde à Paris.
— N'empêche que Jospin, il est parti à l'île de Ré.

... moi des lunettes, j'en porte toute l'année, alors...

La Lune passe devant le Soleil, c'est exceptionnel, d'habitude elle passe derrière.

La Lune c'est un ancien bout de la Terre, en tout cas, c'est ce qu'on dit.

C'est la première éclipse européenne. — Sauf la Turquie, elle est pas dans l'Europe.

Le soleil, c'est la vie. — Sauf en camion, c'est dangereux.

Le Soleil qui disparaît deux minutes, c'est pas tellement beaucoup

... C'est multigénérations ce genre de phénomène...

... Ça passe à Reims... c'est pas les plus pauvres...

... deux rondelles d'oignon avec un petit trou dedans, ça protège de l'éclipse parce que ça fait pleurer, ça humidifie la rétin

... C'est une communion avec la Lune.

... Ça fait comme une assiette qui se pose dessus.

Si ça se passe bien l'éclipse, Jospin montera dans les sondages.

Si on a la Lune et le Soleil, les autres ils ont plus rien !

Avant que le soleil s'éteigne, faudra vous prendre une braise pour votre cheminée !

Qu'est-ce que vous allez boire pendant l'éclipse ?

Nous, on va manger des radis.

Et vos poules ?
— Je vais leur mettre du grain pour qu'elles baissent la tête.

Y a que les cons qui regardent le soleil !

L'éclipse va passer dans la cour de la gendarmerie !

Faudrait pas qu'il y en ait trop des éclipses parce que c'était un sacré bordel pour sortir de Paris...

Il paraît que les gens poussent des cris.
— Les gens crient pour un but de Zidane, alors...

On va l'écouter sur Europe 1 l'éclipse.
— Vous risquez pas de vous brûler les yeux.

C'est bien pour les gosses d'apprendre l'éclipse à l'école mais une fois de plus les profs sont en vacances !

L'éclipse ça dure que deux minutes mais ça fait du souvenir pour la vie...
— Deux minutes d'éclipse, moi ça me fait deux minutes de souvenir.

On est obligé de croire en Dieu.
— Sauf si y a des nuages.

... C'est une aubaine pour les tabloïdes...

De temps en temps je m'énerve parce qu'il y a des choses importantes à dire ! en France, on est des cons ! ça fait au moins deux ans qu'on savait pour l'éclipse et personne a rien fait ! moi je sors pas ! tout le monde va devenir fou ! ça va faire comme la pleine lune à l'heure de l'apéritif !

... Ça intéresse plus les femmes que les hommes, la lune c'est féminin.

L'obésité, c'est une pratique américaine.

Tout ça c'est du bouddhisme...

Parler du Japon, ça ne sert à rien.

Il a changé de vie, il est mort.

L'Alzheimer, tu l'as déjà en naissant.

On se voit tout à l'heure ?
— Si j'y arrive.

En France, on est des faibles.

Si c'était des Français qu'on avait mis dans les camps, vous auriez vu les réactions !

Une petite côte bien fraîche !

Le canoë, le kayak, c'est deux esprits.

... Surtout pendant la guerre, fallait pas être juif.

Chirac, président, il sait pas le faire.

On voit dans les reportages faits dans la rue, ils ont tout le temps de la sauce au coin de la bouche les Américains.

Les États-Unis, c'est plus grand, y a plus de ciel.

Ils te font des piqûres dans les pieds contre le vertige.

Avec l'euro, faudra faire attention à la monnaie qu'on te rend, surtout en Espagne.

T'irais en vacances au Kosovo toi ?

Une église dans chaque village pour être vus par tout le monde, ils avaient compris ça les curés.
— Comme les McDo.

Le Soleil était en phare, avec la Lune, il passe en code.

Les sectes, ils sont moins cons que nous, ils en ont eu des lunettes !

Et votre maman ? — L'éclipse ça va lui plaire, elle aime tout ce qui est paranormal.

Elle va où la Lune, après ?

Avec une éclipse de deux minutes, les Américains te font un film de quatre heures.

Ils ont pas une mandarine dans le tiroir les mecs des bureaux qui calculent ça.

Si c'était la quatrième dimension, ça serait pas à Fécamp ! en Normandie ! ben merde !

Pour une fois, les Parisiens sont pas servis les premiers, ça commence à Fécamp.

... Ça va pas nous atomiser quand même.

L'éclipse, ça va finir que les gens vont bouffer des merguez, ça finit toujours comme ça !

Si ça pouvait me tuer les mouches.

Les Incas, on leur distribuait pas des lunettes dans le journal !

... Ça devrait faire pousser les cèpes cette éclipse, en tout cas, c'est ce qu'on dit...

Le grand oublié, c'est le Pas-de-Calais.

La mécanique céleste, c'est vrai qu'on fait plus attention, à force...

... Un truc qui dure deux minutes peut pas rester.

Chez les Gaulois ça voulait dire quelque chose, mais maintenant, c'est pareil que Madonna.

C'est une nuit de deux minutes à l'heure du pastis, c'est tout ce que c'est !

Ils n'ont même pas fait un tirage Loto spécial éclipse...

Son Premier ministre à Elstine, il picole aussi.
— Mouais...
— Si ! mais si ! regarde la photo ! regarde le nez !
— Mouais...
— T'y connais rien toi !

La Russie, c'est devenu pire que le Cantal.

J'ai bien dormi.
— Ça nous intéresse pas tes autobiographies !

Il n'y a pas de femme astronome, la femme est plus terrestre.

Nous on est très fiers de Metz, on est des randonneurs, partout où on passe on parle de Metz, on est des ambassadeurs...

Les crottes y en a tellement, il faut quand même qu'il y ait des gens qui s'occupent de ça.

La prochaine éclipse, ça sera à Madagascar.
— Faut viser...

C'est autant le bordel à organiser que les Jeux olympiques.

Les journalistes de la télé lèvent jamais le nez, ils ont des petits écrans par terre.

On aurait une seule nuit par an, vous verriez la folie !

Ça dérègle l'atmosphère.
— De toute façon, l'atmosphère, ça fait longtemps qu'il est pas normal.

Ils vont les faire sortir les vieux ?
— Dans la cour ? pensez ! avec l'Alzheimer, ils savent même pas où ils ont les pieds... c'est triste à dire... alors une éclipse...

Quand on regarde une éclipse, là, on voit qu'on est sur terre.

Vous voyez quelque chose ?
— Je vois mes yeux.
— Vous êtes sûre qu'elles marchent vos lunettes ?

... avec la baisse de température, faut mettre un lainage.

Normalement si on regarde bien, on voit les oiseaux qui se couchent.

Les médias, une fois qu'ils auront bien gagné de l'argent avec ça, ils parleront d'autre chose, vous verrez...

Tu conduis, tu regardes en l'air, c'est des coups à s'emplafonner une connasse...

Que dalle !

On pourra dire qu'on y était.
— Où ?
— À l'éclipse.
— Moi j'ai pas bougé d'ici.

On a eu un peu d'ombre devant la porte... ça fait un mois qu'ils nous bassinent avec ça ! ils se foutent du monde non ?

Ça n'a rien fait aux animaux.
— Moi mes canards n'ont rien dit.

Veni ! vidi ! parti à midi !

***Mes** parents qui sont dans l'Oise ont tout vu.*
— L'Oise ? c'est quoi l'Oise ? c'est où l'Oise ? pourquoi ils ont eu l'éclipse dans l'Oise ?

On a vu l'ombre arriver sur le trottoir.
— Une ombre sur un trottoir, autant suivre un inconnu.

On l'aura dans *Paris Match.*

C'était déjà l'égérie

Éclipse ! éclapse ! éclopse !

Le pape, il a mis les lunettes à éclipse.
— Le pape il fait pareil que tout le monde, c'est un petit singe.

Y a qu'à la Défense où ils sont sortis dans la rue parce que c'est des fainéants qui bossent dans les bureaux !

Une éclipse, des fraises, en France tout est prétexte à plus travailler.

Ceux qui réagissent le plus aux éclipses, c'est les crapauds.

Ils vont finir par nous lasser avec l'information tous azimuts !

Vous l'avez vu le phénomène vous ? Nous on l'a pas vu le phénomène.

Une découverte pour rien, c'est la Lune.

La Sainte Vierge apparaît dans le coffre de ta voiture, personne le croit.

Une bonne musique de film, on doit pas l'entendre.

La tendance d'aujourd'hui, c'est l'apologie.

Rayer une voiture avec les clefs parce qu'elle est mal garée, c'est vraiment le maximum de la nullité humaine !

... Éclipse ! éclopse ! éclapse...

de Prévert, le vin rouge.

Je suis Scorpion de naissance, mais je suis Lion de caractère.

C'est quand je suis assis que je parais le plus grand.

Tout ce qui vole n'est pas ovni, comme on dit.

... **u**ne voiture Air France... eh ben... ça s'arrange pas...

J'ai bu une bouteille de bordeaux de la Coupe du monde, ça m'a donné un bon coup de fouet !

S*alut l'artiste !*
— Ça va monsieur le ministre ?

Un Chinois qui parle japonais, pour nous c'est pareil, c'est ça que je veux te dire.

... É***clipse ! éclapse ! éclopse !***

On a ouvert la boîte d'assortiments, tous les mêmes chocolats.
— Y a des ordures partout maintenant.

... **O**n s'habitue à la chaleur... on s'habitue à tout...

... **d**es nuages, des nuages, des nuages, des nuages...

... **p**as un brin de soleil !

... **d**es nuages, des nuages, des nuages, des nuages...

Ils jettent des parpaings de quinze kilos depuis le vingtième étage de la tour !
— Qui c'est qui leur monte ?

Pour trouver les bons campings, il a un radar dans la tête.

Elle est où la carafe ? la carafe ? elle est où la carafe ?
— Ça va bien avec les cent ans d'Alfred Hitchcock...

Ce qui le gêne dans la pelle c'est le manche !

Tous les musiciens sont habitués à dix doigts, tu leur en mets onze, c'est la panique !

Moi je me crois pas trop.

L'ennui, la chirurgie peut pas te l'enlever.

... regarde... c'est les pourboires de la journée ! que du touriste ! vrai j'te jure ! sur la tête de mon fils ! et j'en ai perdu un, l'autre j'y tiens !

Au Japon, il faut s'immerger, sinon c'est pas la peine d'y aller.

Même dans un monde imaginaire, on a ses habitudes...

Un KGV !
— Un kir grande vitesse ! c'est parti !

Quatre-vingts pour cent du jazz, c'est des vieux morceaux.

Ça fait des belles lampes de chevet, le Grand Marnier.

Je sais pas ce qui s'est passé, d'un seul coup j'ai été violet.

La principale qualité familiale qu'on a chez nous, c'est qu'on meurt tôt.

Dix mille morts en Turquie, à une semaine près le tremblement de terre, c'était à cause de l'éclipse.
— Ils ont pas besoin d'une éclipse pour ça, va.

Une poignée de secondes ça me suffit pour boire un pastis, je fais pareil avec les cacahuètes.

Qu'est-ce qui me prouve qu'il y avait pas des êtres vivants sur la Lune avant les Américains ? qu'est-ce qui me prouve ?

Nous on pourrait pas marcher sur la Lune, tu marches, tu rigoles, tu rebondis automatiquement...

Les Indiens, y en a plus, et ça manque pas tellement.

... C'est une plante qui donne envie de pisser dessus.
— Un ficus ? j'en ai un aussi.

Je suis juif arabe.
— Ah bon ? c'est nouveau ça.

Moi je vis le jour le jour l'instant la minute la seconde !... la seconde... voilà...

Je suis allergique aux moustiques alors je voyage pas, pour moi les moustiques ça vaut les douaniers.

Un violeur à Dijon ? à Dijon, ça m'étonnerait !
— Près ! ... de Dijon.

Le Valium, c'est toute ma jeunesse.

... tiens, j'y ai pas pensé ! demain je suis pas là.

Je la plains sainte Blandine, toute la nuit j'ai été dévorée par les moustiques...

Rocambole, c'est celui de rocambolesque.

Les lingots c'est pas de l'or qui est trouvé, c'est fabriqué.

... C'est comme ça que ça marche...

... tout le monde connaît la musique de Blanche-Neige, les trois petits cochons, pas sûr...

Il fait moins chaud qu'hier, non ?... non... pour les températures j'ai jamais la bonne impression.
— Personne est en mercure.

Le dernier livre de machin ? tu parles ! c'est son premier.

... des vertes et des pas mûres mais l'été c'est surtout des mûres qu'on entend...

Elle a marché dans la crotte avec ses chaussures neuves, elle pleurait mais elle pleurait la gamine !
— Elle découvre le monde.

Quand tu es nain, faut pas que tu te mettes une chape de plomb.

Si t'as le cerveau qui bouge, fais-toi soigner, mon gars.

... C'est l'âge...

Le cerveau reptilien c'est tout petit, tu peux pas faire un sac !

Cent quatre-vingt-dix francs le kilo de cèpes ! putain ! c'est du cèpe de Las Vegas !

Le plus petit symbole, c'est la coquillette.

Quand t'as une idée, ça dure pas longtemps et tu peux en avoir une autre.

Un autre ?
— Avec moi jamais de temps mort !

On se refait pas.

... même pas malade le temps même...

J'ai vu cinq hérons !
— C'est à prouver.

J'ai pas fait grand-chose et je crois que j'ai aussi bien fait.

Quatorze mille morts en Turquie... je sais pas comment ils font...

Au rassemblement des vieilles voitures, que des vieux gendarmes.

Si ! si ! y a une Française qui a été tuée dans le tremblement de terre.
— Qu'est-ce qu'elle foutait en Turquie celle-là ?

C'est normal qu'il y ait beaucoup de morts, c'est un château de cartes la Turquie !

Le silence sent l'essence !

... dès qu'il y a un événement, c'est la catastrophe.

Chez nous, on jouait pas aux cartes, alors on avait pas tellement l'occasion d'en voir des châteaux.

Y a quoi comme actu ? pareil ? Ils envoient du blé ? pour la Turquie ? et dans quoi ils vont le faire cuire ?

... les châteaux de cartes ça ferait pas de morts !

La Lune, c'est devenu un pays comme les autres.

J'ai rien contre la galantine dans la cuisine, alors là, rien !

Moi je veux bien être de la farce à tomates, je veux bien !

Nuages au nord, soleil au sud, c'est recta !

Chez Ricard, ils ont lâché les représentants, ils les ont plus revus depuis l'éclipse !

Y a des régions, toutes les maisons ont du vin en dessous.

Une fois j'étais pieds nus, juste une petite cuillère sur l'ongle du gros doigt de pied, j'ai dégusté, alors un tremblement de terre !

Au cinquième étage, on est loin de tout.

Allô allô... allô allô... il ne marche pas à l'intérieur mon portable.
— Vous voulez pas que j'enlève le plafond non plus !

Le portable, j'en ai un mais ça m'énerve comme le parapluie...

Ma grand-mère disait ça, les arbres sont faits pour grandir... elle est morte.
— C'est normal aussi...

On avait laissé la charcuterie dans le frigo, les quinze jours qu'on était partis, quand on est revenus, houlà !
— La charcuterie, on peut pas tourner le dos.

Toute la journée le nez dans les produits, t'es anesthésiste, le soir tu rentres, tu dors.

Avec lui, je sais toujours quoi boire.
— C'est ta muse.

… elle boit au goulot du vinaigre d'échalote, je l'ai vue !

Je peux pas lire en voiture, ça fait les lettres en caoutchouc.

Qu'il est con ! je mets le roi, y coupe sur moi ! fils de con !

Le cœur du camping, c'est les douches… c'est l'atome si vous voulez.

… l'empire du Milieu ? du milieu de quoi ?

Maman c'est un travail, je vous jure, d'ailleurs je vais licencier les gosses !

D'un autre côté, un tremblement de terre, ça médiatise la région.

Pour l'agilité des doigts, manger du crabe, ça vaut une heure de piano.

Je me souviens bien quand j'ai vu le film *Le Titanic*, j'avais mangé de la brandade avant.

Maintenant il y a des prostituées boulevard Soult, vous vous rendez compte ! c'est là que j'ai été élevée.
— Des putes albanaises.
— Du Kosovo.
— Dès qu'il y a une guerre quelque part, ça fait des nouvelles putes sur les boulevards.

Depuis qu'il y a plus le mur de Berlin, on a toutes les putes de l'Est.
— Elles savent plus où s'appuyer.

Il est pas noir, il a toujours été en France.

Un explorateur norvégien… à mon avis c'est au début du siècle ça.

Si t'es otage des islamistes, c'est même pas la peine de faire ta prière, c'est encore pire.

Faudra attendre le vingt-deuxième siècle pour oublier le vingtième, c'est au vingtième qu'on a oublié le dix-huitième.

Avec le bogue de l'an 2000, les ordinateurs, ça va devenir des vieilles machines.

Les gens ne le croient pas, mais en Afrique il y a l'hiver.

Tous les midis elle commandait du poisson ! pour faire chier le monde ! à la montagne !

Hier soir je suis rentré à neuf heures, y avait ma femme et du foie.

La Terre se réchauffe, du coup les mers du Sud remontent au nord.

Un grand ?
— Un petit kir.
— T'as les yeux plus petits que le ventre !

La musique tibétaine c'est surtout des percussions, parce qu'au Tibet, y a pas beaucoup d'air pour souffler.

J'aime bien le journal télé parce que c'est des conneries... sinon j'achèterais pas.
— Je suis abonné.

C'est idiot de se suicider parce que tu louches.

La vie, ça a deux bouts, une famille de cinq enfants plus les parents, ça fait quatorze bouts.

Dans la collection « Biblio », tu as peu de chances de tomber sur une crotte.

Je lis trop.

J'aime bien lire, ça me vide la tête.

Je déconne quand je dis ça ?

Pour compter les morts, faut déjà savoir compter.

Dix-huit mille morts en Turquie ? le lendemain, ils annoncent douze mille morts.
— C'est pareil.

Avec ce qui s'est passé en Turquie, ils peuvent les refaire les livres de géographie pour la rentrée des mômes...

C'est sa race à ce haricot-là qui l'empêche de cuire, sa race.

Internet m'intéresse pas, en général, je veux rien savoir.

Vaudrait mieux la garder la station *Mir* et faire une prison avec.

Redresse-toi, t'es un vertébré.

On peut s'en passer de l'alcoolisme, moi je peux m'en passer.

Les tremblements de terre, ça les arrange, ils reconstruisent moderne et ils habitent dedans.

On ne les entend pas beaucoup en ce moment, les Chinois.

Tu parles ! l'architecture antisismique, ils se mettent l'argent dans la poche et ils achètent jamais les ressorts !

On t'a attendu pour la tête de veau.
— J'ai oublié.

Ça va avec tout les pommes de terre.

À dix francs le litre d'essence, je mets des prunes à macérer dedans !

Hello ! comme y disent les autres cons.

Si à minuit moins dix secondes tu bois un kir, ça sera le dernier kir du siècle… en fait…

Le taureau croit qu'après la corrida c'est fini, mais non, on le mange.

C'est tout petit la Lune.
— Si on mesure tout, forcément on sera déçus.

Ils tournent des poteries toute la journée, ça devient une drogue.

On aime ou on aime pas… et moi je respecte.

... C'est moi qui réveille mon réveil.

Le vin blanc, ça lui fait le drap sur la tête.

Les infirmières c'est toutes des Antillaises, elles ne soignent que les autres Antillaises, le reste du temps elles mangent des ananas.
— Mais non... mais non...
— J'avais ma hanche qui me lançait, elles coupaient un ananas ! je le sais tout de même !

Je connais aucune histoire.

C'est la mode d'accuser le père d'inceste ! c'est la mode !

Vous avez pas vu un chien ?

Silence !... un demi ! action !

Une seule chanson ne suffit pas, les variétés, faut que ça soit à volonté.

Dans l'espace les os sont mous et pour la bouffe, c'est pratique.

... dès que tu rentres dans l'atmosphère, ça sent la frite.

T'aimerais bien être quelle heure ?

Dans les stations spatiales, tout le monde pisse dans le lavabo.

Après six mois dans l'espace, quand tu reviens sur terre, t'arroses tes plantes.

J'y vais jamais au fond du potager, c'est quasiment une terre vierge.

On est à côté de la base de Dijon, le mur du son, ça nous fendille les œufs.

Depuis l'espace on voit bien la France, on reconnaît la forme.

Elle est tout le temps derrière son rosier ! il est crevé... elle faisait pareil avec ses gosses.

C'est la Bretagne qui donne une forme à la France sinon...

On avait de la chance, le soleil se couchait juste en face des chaises.

Un mois à se gratter.

C'est pas des oreilles qu'il a, c'est des palmes !

Le chant des oiseaux moi je l'entends une fois, je m'en souviens.
— Facile ! c'est cui-cui.

Moi je suis à cent soixante... des mômes ! y doublent ! on les voit passer en moto sur l'autoroute à cent quatre-vingts ! et si ils se droguent en plus, ils ont tout bon...

Pour les gosses c'était la découverte, la fabrication du reblochon.
— Vous êtes allés aussi loin que ça ?

Jamais j'ai dit du mal des Bretons, vous confondez.

Notre premier jour dans les Alpilles, j'ai eu un chewing-gum dans les cheveux.

Moules, vin blanc, moules, vin blanc, ça recharge les batteries...

Le vin *pas bon*, je sais pas ce que ça veut dire.

Moins dix de midi ? en quel honneur c'est déjà midi ?

...Connard contre connard, comme ça jusqu'à Biarritz.

Un brochet, comme mon bras !
— Il a son verre vide votre brochet.

...rien que quand on se baigne ma femme moi et les gosses, on est une ville flottante.

C'est pas tellement classe les poils sur les genoux.
— Ça y est, les cons sont rentrés.

Une voiture garée dans les bois, si elle est bien garée, elle fait autant partie de la nature que le cerf.

...Si elle est bien garée discrètement...

... avec une couleur qui se fond...

Sans mentir, elle a des pieds d'un kilomètre.

Les grands pieds, ça v

On a été une semaine en Grèce, on est allés à l'Acropole, c'est très bien l'Acropole.
— Nous, on va jamais en boîte.

... Sieste, promenade le soir, on vivait comme les gens du cru.

Le cancer de la peau ? les plus bronzés c'est les docteurs !

...Si si ! véridique !

Tout le sud de l'Espagne, ils ont déjà des grands yeux tristes.

Vous descendez de l'avion, ce ne sont plus les mêmes couleurs.

Cette cicatrice sur le genou, je suis tombé de vélo quand j'étais petit, je l'ai toujours, par contre j'ai plus le vélo.

La langouste, je mange que la queue, avec tout ce que je mange pas je pourrais nourrir une famille.

Kosovo ou Kisovo ?

On a visité les villages du Moyen Âge, un conseil, mettez pas les hauts talons !

Le pastis à Marseille, c'est comme l'opéra à Bayreuth !

Personne le dit bien sûr, mais tout le monde s'ennuie.

personne. ***Dans le Lot, les gens parlent.***

Je sais pas comment ils ont encore faim les dentistes.

Ton cochon mange le potager du voisin, c'est au potager de porter plainte, à la limite, c'est un problème qui concerne pas l'humain.

L'impôt sur le revenu, c'est le plus injuste, c'est ceux qui bossent qui payent.

Normalement, l'horoscope, ça va jusqu'à minuit.

La balance de la justice, je pèserais pas mes patates avec !

Le bœuf anglais, moi je fais pas la différence.

Ça va Schumacher ?
— On m'a cassé un phare.

Les Diseuses sculptées en onyx, il a dû bien se casser le cul.

Quand je réfléchis, ça me fait un bruit dans la nuque.

Un immeuble où t'auras des bruits de perceuse, t'auras pas des bruits de marteau.

Ils apprennent beaucoup de vocabulaire en sixième parce que les gosses sont en pleine croissance… on leur en met ! on leur en met ! plus on en met plus y a de la place !

Il avait tout pour réussir, il a tout raté.
— C'est déjà bien.

Les gens vont au théâtre pour sortir au restaurant, en fait.

Au cinéma j'aime pas réfléchir, et je suis pas le seul.

Tous les opéras c'est pareil, c'est des gens qui gueulent, c'est tout.

S'acheter des bouteilles c'est pas pareil, ça fait alcoolique.

...On a vu une course de chèvres... un thon sur le marché, entier !... on a fait le plein de souvenirs.

La chanson... Un jour Lara.
— Oui.
— Tu peux la faire avec Claudia.
— Oui...
— La chanson...
— Excuse André, j'ai du travail.

J'ai rien dit !
— Alors tais-toi.

Un livre que je voudrais acheter, c'est *Haricots-ci, Haricots-là* de Macha Méril.

Le sexe, on nous l'a mis dans la tête.
— Mais non, il y était avant.

Si les races existent pas, explique-moi pourquoi le Japonais il est tout plat.

De la vie professionnelle, j'en ai de moins en moins dans ma vie quotidienne.

Dans la vie de tous les jours, je m'habille comme aujourd'hui.

Pour l'instant, il est immortel Chevènement, il l'a prouvé.
— Il l'a prouvé une fois, ça veut rien dire.

Le plus difficile, c'est de maigrir du bas.

Il fait le malin parce qu'il est ministre de la Police, mais un jour il aura son cerveau dans une assiette !

Il faudrait lui étudier le cerveau pour savoir ce qui s'est passé.
— Ce qui s'est passé, on le sait, ils l'ont dit à la télé.

Tu parles que le pape y se tape la cloche !

Dieu est plus loin que Jésus en distance par rapport à la Terre.

Nord-sud-est-ouest ! faut pas être claustro !

Les notes à l'école ils n'ont pas le droit, à cause de l'informatique et des libertés.

Vite ! j'ai soif ! vite ! corps diplomatique ! j'ai soif !

Les enfants grandissent, c'est pas pour ça qu'on remonte les plafonds, déjà on se met des limites, si tu veux.

Quand on marche à reculons, on est obligé de savoir où on va.

Je vais mettre des dahlias ou des glaïeuls, comme par hasard c'est plus à la mode, bien sûr ! c'est des plantes d'origine catholique !

La Callas qui chante sous la douche, je revends l'eau en bouteilles.

On a pas le droit de perdre quand c'est face à l'Ukraine ! t'as vu le pays ?

C'est un peu le match du quitte ou double...

La francophonie, si tu veux en entendre maintenant faut coller ton oreille dessus.

Ils font pousser du poil dans les jardins de Menton !

Faut toutes les boire avant minuit les bouteilles de la cave, à cause du bogue !

Ça va ?
— Ouiiiiii... non.

Ta gueule !
— OK chef.

On les garde les coquilles Saint-Jacques pour faire des cendriers, on les jette pas, ça sert encore, la vie reprend ses droits, comme on dit.

Pour une fois que je suis pas bourré, c'est toi.

...Ça guérit... j'entends de l'oreille... j'entends les pommes tomber.

Y a des chiens de race, on voit le trou du cul, moi je mets pas cinq mille balles dans un chien avec le cul.

Ils étudient le sida, et après ils coupent du jambon !

À partir de huit heures le soir, je ne veux plus de cacophonie.

Les îles on connaît pas, le voyage le plus lointain qu'on a fait c'est à Continent !

...elle ne va pas bien du tout, la grippe, plus son intestin, plus ses yeux, elle a eu toute sa clientèle de microbes en même temps.

Pendant quatre ou cinq ans qui suit un accouchement, on fait trop de photos, trop.

Johnny, c'est définitivement Hallyday, pour les gens.

L'alcootest pour les chasseurs, bientôt ils vont demander de plus mettre de casquette à la pêche !

Un chasseur qui est bourré, c'est doublement une culture du terroir.

On s'est arrêtés en chemin, y avait un énorme blaireau écrasé sur le bord de la route.
— Un mâle ?
— Non, une femelle, il avait un regard de fille morte.

Lundi, mardi, mercredi, jeudi... ça se suit, mais ça a rien à voir.

Duras elle l'avait l'Alzheimer, n'empêche, elle savait où étaient rangées les bouteilles !

On est les seuls dans l'Univers et on paye un loyer !

Baudelaire, il les réécrivait plusieurs fois.

Rue d'Amsterdam, à huit heures du matin, le camion poubelle ! début septembre ! ils peuvent pas faire ça au mois d'août ? !

Elle tourne comme une horloge cette bagnole.
— Moi la mienne, c'est une pendule.

Un vrai botaniste, même le poireau ça l'intéresse.

Un monde sans impôts, c'est ça qu'il devrait chanter Francis Cabrel.

J'en mange de l'ail, mais après je me mords les doigts.

Faut pas oublier qu'on vit sur une planète.

Je suis trop pudique, même dans la vie.

Y a pas de cerveau dans un crabe, en tout cas moi j'en ai pas vu.

Un poisson, tu peux pas savoir son passé, même ton poisson le tien !

Tous les ans ils nous font acheter un nouveau livre de géographie, je comprends, ça change tout le temps, mais l'histoire !

Ils apprennent le corps humain en troisième... y serait temps !

Dès la maternelle on leur bourre le crâne aux gosses, tout ce qu'on leur enseigne, y a même plus de place pour le cerveau !

Ceux qui vont profiter de la date, c'est Pressing 2000.

Y a pas de honte à rater son train !

Il nous invite à manger, pas de pain ! je dis ça, mais c'est un exemple entre mille.

Même si tu prends un bon petit déjeuner, tu deviendras pas Einstein.

Les grands génies se rencontrent, mais moins souvent que les petits.

... à force de mettre le nez dans tout après c'est trop.

Je commence toutes mes phrases par *hier t'avais raison*, comme ça, y m'écoute.

Dans l'hôpital ils vous servent la soupe pour pas que ça sente l'éther à la frite.

L'été, avec les ombres, vous pouvez tout multiplier par deux.

L'Afrique ça paraît grand mais t'as des bleds que sur les bords.

Quand on visite Berlin, on voit bien qu'il manque un mur.

J'y vais plus dans cette boulangerie, elle fait répéter cinquante fois.

T'as pas payé hier… faudrait pas avoir la balance des paiements trop déficitaire !

J'ai du sang de marin dans les veines, c'est pour ça que je reste discret comme un marin.

Ils veulent me chercher le diabète… je touche du bois.

Plus t'es con, plus c'est chic maintenant.
— Ça a toujours été comme ça.

Pour aller au nord, t'as pas cinquante solutions.

… le showbiz de Paris, plus que le showbiz de la région bordelaise, c'est le showbiz pur showbiz… pour moi…

Personne en boit de ta Suze ? donne-m'en une, que ça réveille la bouteille.

On dit toujours nu comme un ver, parce que le ver il est pas habillé.

Dans les dégustations gratuites, on rencontre des gens comme nous.

Les informations que nous donnent les médias, on sait pas d'où elles viennent non plus…
— C'est des agences qui vendent ça.
— Oui eh ben ! hein ! bon…

Tu peux avoir des idées métaphysiques et boire de l'alcool, l'alcool va te brouiller la métaphysique.

Un Français sur deux, c'est un autre Français.

C'est pendant la grève des éboueurs qu'on imagine ce que ça peut être un tremblement de terre.

L'an 2000, ça a rien à voir avec le siècle à venir, c'est à part.

Encore le mieux, c'est un mariage à Las Vegas, pour pas faire comme tout le monde.

On en retrouvera dans mille ans du confit d'oie.

Même à l'ère des porte-avions atomiques, c'est la musique au tambour qui fait militaire.

Faites vos jeux !
— Deux demis.
— Rien ne va plus !

Quand tu tues ta femme c'est pas la peine de prendre la fuite, elle va pas te courir après.

Bière ?
— Bière.
— Fraîche ?
— Fraîche.
— On dirait les mecs de Mission impossible.

Je préfère manger des amanites de chez nous que des girolles bulgares !

Il a ramené une bouteille de porto de ses vacances, c'est l'état d'alerte maximal.

À force de dire qu'on va aller sur Mars, pour moi c'est déja un vieux souvenir du futur.

...les nuages écoutent la météo, et ils font le contraire.

Si vous aimez le soleil, y en a dans l'Eure.

La nausée, c'est les idées, l'envie de dégueuler, c'est la bouffe.

Je parle pas pour moi mais souvent à la braderie de Lille, on prend la saucée.

Elle vieillit pas, cette Mireille Mathieu.
— C'est l'huile d'olive.

Chez la femme, l'esprit va avec le corps, enfin, en général.

Palaiseau ! tu connais Palaiseau ? alors ta gueule !

J'en connais plein des quartiers de Paris, mais c'est en province.

Un film sur un peintre, ça se mord la queue tout ça...

Un jour les centrales nucléaires ça sera gros comme une pastille, même qu'on en avalera si ça se trouve en faisant les cons.

Dans les livres, j'aime pas les descriptions.

C'est déjà fait la mondialisation de la Lune.

— Une fois n'est pas coutume !
— Deux fois non plus.

Toutes les nuits, je rêve que je conduis des camions.
— C'est parce que tu ronfles.

Le Yémen c'est un pays mais ça pourrait être un rouleau de crevettes.

Avec un tueur en série, tu meurs pareil.

À la maternelle ils pissent partout, c'est après qu'ils te crachent dessus.

Moi c'est moi, toi c'est toi.
— Tu disais pas ça hier.

En 1996 ? c'était quand, ça ?

Ici encore ça va, c'est rien, c'est des dépressions nerveuses, mais dans les asiles en Russie les fous c'est des barjots, t'en as pas un de normal.

À la morgue on nous met dans des tiroirs, on finit tous bureaucrates !

On lui fait pas faire assez de choses à Chirac, comment vous voulez qu'il fasse des bonnes lois, il est sous-employé.

— *Si tu cherches tu trouveras jamais de trésors, on les trouve par hasard, faut pas chercher.*
— Moi j'ai jamais cherché, j'ai jamais trouvé.

Les microbes, on peut pas les frapper au portefeuille, sinon ça serait vite guéri !

Le processus de paix ! le processus de paix ! c'est comme si on te parle tout le temps de la farine du gâteau ! la farine du gâteau !

Le one-man-show qui a le moins de succès, c'est prof de maths.

C'est un ancien prof de français, mais il ne parle plus.

C'est un film où Juliette Binoche elle se tape Chopin.
— Chopin ou Musset ?
— Les deux.
— Qui ?
— Binoche.
— Musset.
— Ah ?

C'est les mystères de la Terre.
— Quoi ?
— Les tremblements de terre.
— Un plafond sur la gueule, y a pas de mystère.

Y en a marre que la France soit montrée du doigt !

Quand t'as le cafard, tu peux pas le déduire des impôts !

Un avion, si t'as deux réacteurs qui s'arrêtent, il continue à planer, si il est en l'air bien sûr...

Elle a un problème de poils, c'est pour ça qu'on la voit moins.
— On devrait la voir plus.

Elle est morte d'un accident de voiture, sur le coup ! c'est comme si elle avait rien eu.

Fais un effort.
— Qui ?
— Qui ? qui ? qui, qui me dit ! ?

Les filles elles font des efforts, elles mettent des nichons pour un mec qui est une merde...

Le psychologue y te fait parler du sexe, il est pas gynécologue !

C'est même plus la langue de bois qu'ils ont, c'est la langue en plastique.

Excuse, mais y a pas de fatalité, c'est trop facile !

Dix francs c'est dix francs, pas un franc de plus et pas un franc de moins.

Salut, c'est moi.
— Ben oui, je vois.
— C'est lui.
— Ben oui, on a vu.

... **a**vec le pot que j'ai, c'est moi qui vais faire Claude François...

... **a**vec des légumes, du jardin !... c'est la soupe aux pléonasmes !

Ya pas de quoi se vanter quand on tripote la bite à son père !

Les sentiments de quand on était petit, on les a encore… quand je voulais pas manger, je m'en souviens très bien… j'ai fait la grève de la faim quand j'ai vu des poules manger un petit lapin.

C'est malheureux à dire, mais les seuls profs qui s'intéressent encore aux gosses, c'est les pédophiles.

Plus c'est pollué, plus on est renforcé comme les vaccins, en fait.

Je voudrais te faire remarquer que nous sommes en république !

Je m'en fous, ça me passe à cent mille lieues tes conneries.

…Quand t'es sur le marché de Brive, l'immatriculation 75 tu sais plus ce que c'est !

Des mecs qui parlent de Dieu ou de théâtre, je m'en fous, je parle de moi.

Une journée sans voitures ! t'as vu le bordel ? des embouteillages partout ! dans ce cas-là qu'ils fassent une journée sans pognon !

Faudrait que je mette deux trois jours entre hier et aujourd'hui, sinon ça va recommencer.

Un coup de TGV, hop, je mange avec mes moutons.

Je te donnerai de la laine.

Il ne faut pas se moquer des Alcooliques anonymes, pauvre con !

Tas bu hier soir ?
— Je sais pas, j'étais bourré.

Je me souviens qu'on voyait bien la route, alors on était pas tellement saouls finalement.

On pourra jamais rien contre les accidents de la route, c'est la nature qui régule ce qu'il y a sur les routes.

Ça m'inquiète de prendre la voiture bourré mais en ce moment j'ai pas le choix, je suis tout le temps bourré.

Le passe-tout-grain j'en ai acheté plein dans ma vie, il est costaud, mais celui-là il est carrément bizarre...

Moi je m'en fous, je prends pas ma voiture, mais ils payent le taxi.

Deux femmes au gouvernement, et pourquoi pas trois aussi... pendant qu'y z'y sont... aussi... non ?

Qu'est-ce qu'elle y connaît en alcoolisme français celle-là ?

Tu traverses le bled en voiture que si tu rentres dans une maison, sinon tu traverses rien du tout.

Quand j'éternue, c'est qu'il y a du soleil, si j'éternue pas, c'est qu'il est pas là, on peut me faire confiance pour ça.

Vous verriez la couleur de la vignette qu'ils nous ont mise pour l'an 2000 !

C'est incroyable, t'as pas un truc dans le concombre qui t'oblige à manger du concombre le lendemain, alors que dans l'alcool, y en a.

De la glace ?
— Ah non ! c'est tabou.

Ce que j'aime bien, c'est bavarder devant quinze verres.

Il est là Picolo ? Si y a pas la tête qui dépasse c'est qu'il est pas là.

C'est la même merde similaire que j'ai vécue dans l'enfance, la même !

Il est même pas midi, je me suis pissé sur les chaussures.
— On t'a pas mis le flingue sur la tempe.

C'était à deux doigts ce coup-ci...

Ça te pend au nez comme on dit.

Si ça continue, ça finira mal.

Ça va ?
— Ça vient.

1848, c'est pas une date quelconque.

C'est le monde des animaux là !

Les betteraves ça pousse pas, ça s'arrache.

Ça va ?
— C'est la question du jour, ça.

C'est un con sans précédent celui-là !

Je suis pas fatigué, je suis mort.

Au Japon les gens ont pas de nom, c'est comme les rues, y a pas les noms des rues.

Chirac, c'est un papa.

Le tremblement de terre, heureusement que c'est un feu de paille, heureusement !

Le vin blanc le matin, c'est la vieille garde.

Ouf ! au lit.

...C'est pas comme le trisomique qui est toujours gai, l'autiste, il est triste.

Le bœuf anglais, il est dur, il est élevé sur les falaises

Moi je te parle

Partout y a plus que des pédales ! je critique pas, c'est comme ça, je critique pas.

...C'est l'invasion.

...je critique pas.

...C'est un avis.

Les femmes, elles sont nées comme ça, et l'homme aussi.

Les trente-cinq heures, ça tiendra pas le coup, ça sera vite les trente.

Hugues ! c'est un prénom indien.

T'as essayé de m'enterrer dans la cave ? j'ai du béton sur mes chaussures.

Tout ça, c'est du vent.

Si ils veulent pas qu'on roule en voiture, ils ont qu'à arrêter de nous vendre de l'essence, ça va être vite réglé le problème.

Je joue pour gagner sinon je joue pas !

Louis XI, pour moi c'est pas un roi, c'est un enculé.

Je suis pas l'équipe de France de ping-pong moi !

Si tu veux être Louis XIV, faut pas être Louis XIII.

C'est comme ça que je reconnais où je suis sur mon poste, Beethoven, sur France-Culture t'en as pas, c'est sur France-Musique.

C'est des mots.
— Mais oui, c'est des mots.

Je souhaite à personne d'être piqué par une tarentule.

de Snoopy !

Ce qu'on dit, ce qu'on fait, c'est à mille milliards de mètres.

L'espace, c'est pas si extraordinaire que ce que tu dis.

Des olives dénoyautées... putain... c'est pas l'avant-garde.

La terre tremble en Turquie, mais la Turquie, c'est posé sur rien.

Personne pouvait le reconnaître en costume de ville le commandant Cousteau.

Moi je dis les gens qui sont encore aux champignons à onze heures, c'est qu'ils en ont pas trouvé.

Les cons, je les connais, ils sont pas plus cons que les autres.

Tu peux rien lui dire jamais... tout de suite c'est la goutte qui fait déborder la goutte.

Merde ! comme elle dit ta mère.

Tu peux chier sur un poème de Verlaine, t'y arriveras jamais.

Je bouffe plus avec lui le midi, il parle tellement, je sais plus ce que je mange.

Un mec qui se fait la moustache d'Hitler, faut être un malade.

J'ai rien dans l'œil ?
— Si, la pupille, tout ça.
— Une poussière ! connard !

L'Europe tout entière... c'est même pas l'assiette comme taille.

Encore dix ans comme ça, et je sortirai plus de chez moi.

La course à pied, tout le monde n'est pas capable.

J'ai le respect de ce que je pense moi !

... quand le temps s'en va, c'est pas le temps, c'est l'air, tu vieillis pas dans le temps, tu es plus petit dans l'air...

Dans le film, on ne peut pas tellement savoir ce qui va se passer à l'avance.
— C'est fait exprès.
— Oui, je me doute ! il me parle comme à une idiote.

Il a une pointe d'ambition, mais le marteau c'est sa femme qui le tient.

Du vin blanc, fini ! je ne peux plus dormir, c'est comme si je buvais de l'atome.

On est nuls sur terre ! nuls !

Ils sont pas entiers dans leur tête ces pauvres Américains...

Monaco, c'est surtout connu pour la famille débile, et le foot.

La peur du chômage, ça vaut pas les vampires comme film.

Si tu réfléchis, tout est con.
Rien n'est grave, en fait.

Il pisse au moins cent fois par jour.
— C'est du harcèlement sexuel.

Connard !
— Putard !
— Pouffiasse !
— Pauvre merde !
— Ah non ! on a dit qu'on passait une bonne soirée.

On a passé une très bonne soirée en écoutant les morceaux choisis.

Y aura des morts vous verrez ! le matin on trouvera des morts ! ça va être hystérique ! les gens vont manger des milliards d'huîtres !

On vit plus longtemps qu'avant.
— Ta gueule, tu te couches à six heures.

Si tu veux un repère pour moi, je suis né le 15 janvier.

T'es à deux mètres d'une fourmi mais pour elle t'es à deux centimètres, c'est pour ça que j'aime pas les fourmis.

Là je suis honnête avec moi-même, j'aime pas un homme qui se coiffe.

Tous les jours je me fais la reconstitution de l'apéro de la veille, comme le juge d'instruction.

Elle veut être psychanalyste à Paris, à cause des boutiques.

Le plus injuste de tout, c'est la TVA.

Six milliards d'hommes sur la Terre, c'est la planète chaussures.

J'en ai pas de trop, des ganglions.

Le matériel cinéma que tu trouves tout neuf d'occase, souvent ça a fait du porno.

Il a payé le coup, après j'ai repayé le coup, après c'est le patron qui a remis ça, c'était le délire collectif.

Sens unique ! sens interdit ! ça va oui !

T'es pas tellement proxile ce matin…

Printemps, été, automne, hiver, c'est la fuite en avant ces conneries.

Quand on me cherche, on me trouve ! — Pas hier.

La moitié de la planète qui meurt de faim, tant qu'ils ne sont pas morts, ça ne veut rien dire.

C'est pas la peine d'aller chercher des escargots sur Mars, ils seront pas meilleurs.

Quand t'es cuisinier c'est facile, tout ce qui est vivant a un goût.

Entre le rêve et la réalité, t'as juste la petite table avec le réveil.

Faudrait lui passer la cervelle au Karcher tellement il est con.

Lui c'est facile, c'est le même genre que Gégène.

Des enfants, j'en ai eu trois, et je vais encore à la mer, vous savez…

Son secteur d'activités, ça lui va de la main à la bouche.

Tu peux les retracer tous les jours les bords de la Méditerranée, t'auras jamais les mêmes bords.

Y a toujours quelqu'un qui fait du ciment frais quelque part, c'est un bled qui sera jamais sec.

Ils sont pas bêtes chez Avi, la peinture c'est Avi 3000, comme ça ils sont tranquilles encore mille ans.

Quand je fais cuire du foie, il se met dans mes jambes et c'est les yeux de Chimène.

Tous les matins pareil ! juste au même endroit ! derrière la voiture, il fait des cacas clonés.

Hier, c'était mieux qu'avant.

Un dernier et allez zou !

Où qu'il est passé le patron ?

Soixante mille morts par an à cause du tabac, et tu fumes ?
— Je suis vivant moi.

Ça va être la crise de foie mondiale ce réveillon.

La démocratie, ça va pas jusqu'à table.

Les thèmes religieux ont tous un plat qui correspond, mais franchement la galette des rois c'est une arnaque, non ?

Le Pacs, on sait pas pourquoi c'est accepté que aujourd'hui, parce que les pédés sont pas inventés d'hier.

Ça chôme pas au tribunal de Bobigny !

Ils ont raison les asticots, ils ont raison !

Les gros camions, c'est pas fait pour se promener le dimanche !

Si ça tenait qu'à moi, on serait encore en 1920.

Les années trente, ça c'est des vraies années...

Il a eu un accident en traversant devant chez lui.
— Noooon ? ! Quand ?
— Y a vingt ans.
— Ah bon...

Même si on me payait le Maroc, qu'est-ce que j'irais foutre au Maroc ?

On se prive d'Intermarché, avec la voiture en panne.
— Demandez qu'on vous y amène...
— Non... merci... non... Intermarché, on aime bien y aller tranquille.

Ils ont raison les Arabes, finalement, c'est nous les cons.

D'un coup ! il m'est passé derrière le comptoir pour servir à ma place, comme si il me faisait le putsch !

C'est pas vrai ce que je dis ?
— J'écoute pas.

La morale, c'est un guide, mais faut pas que ça soit un frein sinon merde.

L'armée pakistanaise, c'est Emmaüs les fringues.

Le bœuf britannique, ça va, si vous n'en prenez qu'un petit bifteck, vous avez peu de chances de tomber sur le microbe.

Y coulera pas jusqu'ici votre brie pasteurisé fabriqué dans la Meuse...

C'est le moment d'aller aux cèpes, c'est la saison des prix Nobel.

Les mariages entre frères et sœurs, c'est pendant le vin d'honneur que ça fait drôle.

J'espère qu'y a un truc pas fatigant à la télé ce soir.

L'automne, t'as pas intérêt à te piquer avec un clou.

À quatre ans, il compte jusqu'à quatre.
— Va lui falloir mille ans à çui-là !

Moi j'ai toujours été « bons produits, petits prix ».

La Tchétchénie, ça va être le Vietnam des Russes, moins les rizières.

Un panneau de basket qui tombe sur la tête, qui c'est qui va aller en prison ? ! c'est pas Michael Jordan ! c'est le maire !

Lui prête jamais de sous ! c'est un gars qui va te manger la bouse dans le cul de la vache.

Je l'aime pas le nouveau maire, avec ses paroles fatidiques.

Tu me passes le sucre.
— Je suis pas ta courroie de transmission !

La Chine c'est fini, ils se font mettre des yeux comme nous.

Il y avait un dilemme entre nous... il n'y en a plus.
— Ah non, c'est fini !

Amour ! richesse ! et beauté ! pouet pouet !

Un Solitaire et un Morpion... faut que je gratte !... allez... dernier délai... c'est demain minuit pour les impôts fonciers... allez... eh ben... tu me redonnes un Scorpion...

La population locale, on dit ça pour les ploucs, mais à New York c'est pareil.

Tout ce qui est les Elvire, Papov, Pieskou, Babav, tout le machin, c'est des chanteuses d'opéra neuf fois sur dix.

Ça vole encore, ça, l'aviation russe ?

Le Pacs, elle a qu'à se le faire pour elle Élisabeth Guigou ! tu parles ! elle est déjà mariée cette femme ! et pas avec un homosexuel en plus !

On épate pas un Français !

Faut choisir, soit je regarde le tableau de bord, soit je regarde la route.

À boire ! vite ! soif ! c'est pas l'alcoolisme, c'est la poussière !

Hier je dormais devant la télé.
— Moi aussi.
— Moi pareil, j'ai dormi.
— Vous bossez trop les gars.
— Hier ? c'était dimanche.

Le reggae est inspiré de rien alors que le rock, y avait des bases.

On l'appelle le « décorateur coiffeur », un jour, il lui a dégueulé sur la tête au client.

Le piano, c'est plus une armoire.

Un piano, c'est d'abord un meuble et après c'est un instrument.

Gloup !

Il boit comme un chien qui avale une couenne celui-là.

Du Picon, j'en ai pas bu depuis des lustres.

Son gruyère à la coupe, c'est pas le Grand Canyon !

Une table de ping-pong extérieure, c'est mieux, pour les jeunes.
Le sport à l'extérieur, ça apprend à vivre dehors, quand vous voyez les cadres qui sont toujours avec leur valise...

La pizza c'est américain, c'est pas italien ! c'est souvent jamais vrai l'origine italienne des choses.

Dès que je suis en public, j'attrape tout ce qui traîne, moi et la santé publique, ça fait deux.

Qu'est-ce qu'il a encore fait Ponce Pilate ?

C'est un vrai camp de réfugiés sa camionnette.

Match nul à Lens ! deux à deux ! c'est pas la peine d'aller à Lens pour ça !

Je croyais que tu partais ?
— J'arrive ! j'ai pas mis la veste à l'envers pourtant.

Quand t'es dans le coma on te nourrit avec une sonde, tu sais pas ce que tu manges.

Qu'est-ce qui se passe aujourd'hui ? tout le monde est en bleu.

On peut critiquer mais en attendant, les apéritifs, y en a pour tous les goûts.

Tout ça c'est des histoires de la gare de Sens qui regardent personne.

T'as couché où ? t'es pas tellement sur mesure ce matin…

Regardez pas par terre… c'est pas facile à tenir propre un bistrot.

Le bébé dans le ventre de sa maman, vous appelez ça du temps libre vous ? !

Si tu regardes la France à la loupe, tu vas rien voir.

C'est une journée… je sens que ça va être immobile.

Les absents ont toujours raison maintenant.

Des fois, je sais pas où poser la petite, j'ai envie de la jeter.

Tu as le droit à un découvert au Crédit agricole ! si ! ils ont pas le droit de refuser ! si ! tu es plus de la campagne que eux ! si !

Il a perdu son taxi parce qu'il buvait trop, maintenant il est chauffeur de car en Bretagne.

— On marche sur la tête… qui ?… Lulu… mais si, Lulu, celui des oreilles.

Le bogue de l'an 2000, quand on aura tous acheté de l'antibogue ils diront que c'était pas vrai… vous verrez.

T'as de la chance, t'as rien à dire toi.

Je lui achète son lapin chez lui avec la tête parce que son lapin fait plus près du vrai lapin que chez Leclerc.

Avec le chômage au moins, on est tous à égalité.

Pastis !
— A voté.

Je m'en fous, je le dis.
et je le redirai !

Quand il a trop bouffé, il est tout rouge, alors on le voit mieux.

De quel droit on nous met au cimetière quand on est mort ? moi je veux rester chez moi avec une infirmière ! je m'en fous ! je paye !

Avec le cordon ombilical, moi j'avais déjà le téléphone.

On a mangé du petit salé.
— Tu vas pas nous faire la revue de presse !

Je prends mon temps, je suis comme le comté.

Avec les grillades, on est autant acteur que spectateur.

Si je sais pas l'heure, je peux pas manger.

Les gros plans au cinéma, si ça se trouve, y a que la tête.

Tu bois un coup ?
— Tu bois un coup ?
— Je vais pas faire le grand écart !

Je rentre à l'heure que je veux, j'ai l'immunité parlementaire.

Le midi et le soir de toute sa vie il mange une sole, pour te dire le rigolo que c'est...

Les gens sont jaloux de Paul Ricard.

C'est un apéritif qui est victime de son succès.

Ça va pas faire tomber les dents leur bogue j'espère !

Vivement la paye qu'on se couche !

Le chirurgien faut être perfectionniste, sinon, c'est pas la peine.
— J'ai pas envie d'être chirurgien.
— Je sais ! mais un autre.

Tout découle de la forme du ballon.

J'en ai marre de cette vie de merde et en plus jeudi on a René.

J'ai posé mon dossier pour me faire engager, comme ça c'est fait.

Moi, je suis quelqu'un de naturel.

Mon frangin il dit qu'il connaît Paris, il s'est perdu.

Depuis hier j'ai des fourmis dans les jambes.
— Vous avez peut-être un sucre dans la poche ?

D'abord, il est pas quatre heures !

Le Caprice des dieux, ça fait Wagner comme fromage.

À boire ! vite ! j'ai la bouche qui se rebouche !

Si tu vas au club des naturalistes et que t'es à poil, tu vas être bien reçu tiens ! ah non, c'est pas pareil ! ça ressemble mais c'est pas pareil.

J'ai pas le temps, je suis garé sur une roue.

T'es une roue arrière ! moi je suis une roue arrière ! y a pas de roue avant ici ! personne !

Après l'acartade, je suis jamais remis les pieds dedans.

Papillon, il se cachait du fric dans le cul et Henry de Monfreid c'est des perles, ça sert à tout.

Ce coup-ci, je suis parti.

Quand je suis piéton je marche sinon je prends ma bagnole comme tout le monde.

Attention à l'équipe d'Argentine ! les gars peuvent sortir du bois.

On te parachute en pleine nature et tu te démerdes pour survivre, tu manges des mûres.

J'aime pas quand elle parle à sa poupée.

La piste d'atterrissage des avions, c'est même pas grand comme un stade.

J'irai à la « conférence sur l'avenir » quand on viendra me chercher ! parce que comment je rentre moi après ?

L'œnologie, c'est un don que tu as ou que tu as pas.

Superman, y te le joue en deux secondes le film !

En cette saison, on se mouchait tout le temps... ça fait longtemps que les jeunes n'ont plus de mouchoir de poche.

Je vois pas pourquoi le boucher ferait travailler une connasse pareille, à part si c'est sa fille ?

L'an 2000, le lendemain du réveillon, on en aura déjà marre.

Les yeux d'un chien, les yeux d'un enfant, si c'est un petit enfant, c'est à la même hauteur quand tu regardes...

Les chocolats fourrés, tu restes la main en l'air, c'est le système du suspense.

Ma fille, quatorze ans, elle a ramené un livre à la maison.
— Quatorze ans ? !

Dans les champs de coton, t'avais pas de pianistes.

Je l'ai pas déconnecté de la nuit.
— Y se fatigue les yeux pour rien ton écran d'ordinateur.

Rocker je suis ! rocker je serai !
— Parle français déjà...

On est que les locataires de la planète, et en plus personne descend les poubelles.

Tu veux rien ? un café ? un demi ?
— Rien... un demi.

Tout nu comme une bite !

L'humour, il faut que ça fasse mouche, sinon, bon...

La météo à la télé... on vit un monde de feignants...

Nous les automobilistes, on est des vaches à lait !
— Moi j'ai pas de bagnole, je suis rien qu'une vache.
— La voiture que tu laisses au garage pour prendre le bus, ça te fait de l'assurance que tu payes pour rien.

Y a eu Jésus et 2000 ans plus tard c'est Aimé Jacquet, si ça se trouve c'est vrai en plus !

Pour les jeunes des banlieues, Aimé Jacquet, c'est autre chose que leur merde de rap !

L'an 2000, c'est une date, c'est tout.

Pour le buste de Marianne moi je mettrais un pied sculpté.

Vous l'avez vu le reportage où ils lavent les éléphants au jet ?

C'est le dernier des connards qui se fait accaparer par les tâches, t'es accaparé par une tâche toi, connard ? !

Chez les Chinois, c'est pas tout le monde qui est numéro 1.

En 2040, t'auras déjà plein de gens qui seront vieux.

Dix millimètres trop long sur les déflecteurs ils disqualifient Ferrari ! putain ! ils ont pas mesuré les pieds de Mussolini à l'époque les mecs !

Aucun enfant grandit en hiver.

Bonne route.
— Vous êtes gentil.

En cas d'urgence, là où on habite, c'est trop tard.

C'est dans ma nature de rigoler, je suis tout le temps comme ça.

J'ai mangé tranquillement devant la télé... je me suis pas creusé les méninges.

Plus aucun jeune veut faire président de la République.

Y a un nuage juste sur Limoges.

Satan ? un seul trou du cul, c'est pas beaucoup.

Ils m'ont changé ces deux dents-là, ils m'en ont mis sur pivot, dix-huit mille francs de dentiste après mon accident de vélo, c'est un vélo en or du coup...

Il l'avait fait, Malraux, l'horoscope du millénaire.

Ça marche pas si mal le genou plastique.

J'étais ivre mort et j'ai pas pris ma bagnole... c'est bien, non ?

Mon carrefour entre le matin et le soir, il est à trois heures.

Mon code, c'est Buffalo 18.

Personne me connaît parce que je suis un inconnu !
— Hervé ! tu te calmes !

Le bon goût, c'est français.

Va falloir que je paye mes dettes.
— Te gêne pas surtout !

Il est droitier, avec un trou du cul de gaucher.

La pollution au Japon, c'est ça qui leur plaît, l'air propre ils se font chier.

Le ciment, faut attendre que ça sèche... comme le train.

Jean-Jean... tu l'as connu Jean-Jean... il est mort.

Il a fait du théâtre, lui, c'est le soir qu'il parle.

Au Togo, plusieurs fois ?

Je viens ici pour boire un coup, c'est pas une promenade.

Il vit dans l'ombre de son père qui est mort... ça fait pas beaucoup de place.

Lundi matin, mardi matin, mercredi matin... on pêche tous les matins.

On est tous pareils.
— Parle pour toi !

À la NASA aussi, ils en font des étourderies.

Ça se voit à un kilomètre quand je suis mal habillé.

Tu me reconnais pas ? c'est Gypsi !

Une araignée dans une maison, ça prouve qu'il n'y a pas de pollution.

Y ***te siffle dans le nez, c'est l'alizé au saucisson.***

Tout se comprend, finalement.

J'habite chez moi, c'est comme si je suis logé chez l'habitant.

Le centaure, il est moitié homme, moitié bifteck de cheval.

Roméo et Juliette, ils finiront bien par s'engueuler ces deux-là.

Ça va ?
— Je sais pas.

Tu aspires l'air, ton sang il est rouge, tu recraches il est bleu, je l'ai appris à l'école, c'est comme ça que c'est fait dedans.

À force de construire des milliers d'avions, ça finira qu'ils ne pourront plus se poser.

Morteau, c'est la saucisse connue ?

Je bois plus.
— Je sais... je sais... qu'est-ce que tu bois ?

Si vous partez en Chine, ne croyez pas que vous y serez demain.

Ils ont plus de couilles les politiques !
— Trois bonnes femmes au gouvernement...

C'est pas la peine de discutailler avec les jeunes des banlieues, attendez qu'ils vieillissent, c'est réglé le problème.

On est encore plus cons que le corps humain !

Eh ben... j'avais arrêté d'être malade et maintenant j'ai la grippe.

L'homme a des membres inférieurs, plus que l'ovipare.

J'ai une technique personnelle pour vivre.

Freud, y a pas de preuve.

Des cons, j'en connais pas tellement que ça.

Bonjour baronne !

Je me suis achetée de la beauté à mettre.

Il est mort hier.
— Eh ben... c'était pas son jour.

Elle me parle comme à un gosse ! je suis pas un gosse !... t'as vu ce que je bois ?

Une côte !... je suis debout depuis cinq heures.
— T'as pas à te justifier.
— J'ai déjà bossé ce matin, moi.
— Tu bois ce que tu veux.
— C'est tôt... c'est pour ça...
— Ça dépend pour qui.
— Exactement !

J'aime mieux le bourgogne que le bordeaux, c'est bizarre...

Oui, non, si, on a vraiment rien bu.

Je te dis que le rallye peut pas bloquer le bistrot plus de deux heures !

Je voudrais bien inventer un calendrier avec les heures.

Le soir de l'an 2000, je sors pas de chez moi, même pas au restau, les gens vont se piétiner.

... à minuit, tous les avions vont se poser.

... Obligatoirement parlant.

C'est déjà complet le restaurant de la tour Eiffel pour l'an 2000.
— En plus c'est pas extensible, ils peuvent pas sortir les rallonges.

Je veux plus qu'on parle de moi !

Dix ans de prison, comme Papon a quatre-vingt-dix ans, il restera en prison jusqu'à cent ans.
— Putain... ça conserve la prison.

L'organisme, il a de la patience.
— C'est les cheveux qui partent les premiers.

L'eau boit de l'eau ?

L'an 2000, ça va poser des problèmes à ceux qui ont la date dans le frigo.

Quand j'étais petit on m'enfermait à la cave.
— Ça a pas changé !

Un pétale de rose sur le bout de la botte, si ça c'est pas de la poésie, je sais pas ce que c'est.

Vaut mieux boire à neuf heures du matin parce qu'à cette heure-là les gendarmes pensent à autre chose qu'à faire souffler.

Le lama, je pige, dal

Dès que c'est une affirmation, je dis le contraire, je suis comme ça...

Le prix Nobel de la paix, moi tu me le donnes, j'en veux pas ! ça ne veut plus rien dire, plus rien dire, tu comprends ? tu piges ?

Le Christ à la fin, on dirait une bouteille d'Alsace.

Jeanne d'Arc, ils ont pas coupé la poire en deux les curés.

Un demi !
— On le saura !

Robert est chauve ?
— Ça regarde personne si Robert est chauve !

Ça me rappelle ma jeunesse cette rue.
— Comme ça, vous serez pas venu pour rien.

Tu trouves un mammouth entier, le problème, c'est où tu le mets après.

Il a une belle voix douce, comme si il a bouffé ses rideaux.

C'est les personnes âgées qui sont emportées par les cours d'eau, souvent...

Mon verre il est tout le temps vide, il est ensorcelé.

Les grands dimanches de vacances, c'est bien pour ceux qui vendent de l'essence.

Avec les heures qui sont pas les mêmes dans tous les pays, ils feraient mieux de tout arrêter pendant douze heures, qu'on se reprogramme.

Qui c'est qui a dit qu'une femme peut pas avoir des triplés ?

je vois pas ce que c'est.

La France qui reçoit la Chine, moi je dis après tout, pourquoi pas la Chine ? Si tu crois que la porte de Pékin va s'ouvrir !

Les conventions internationales, déjà ici ça marche pas, alors là-bas...

Les Chinois sont pas en état de la ramener leur gueule !

Je suis pas naïf, je sais bien que c'est des enculés ces gens-là.

En Chine, tu graisses pas la patte, on te coupe l'électricité.

En plus, les vins frelatés qui empoisonnent les Chinois !

Le miracle chinois, c'est le miroir aux alouettes.

Je sais pas si on s'en rend compte en France mais en Chine il y a des gens comme nous.
— C'est toi qui penses ça ! c'est toi !

Un milliard de Chinois, et ils ont qu'une danse.

Tout le monde a dit des conneries, et François Mitterrand aussi il en a dit.

Tout le monde en dit des conneries, c'est pas un exploit.

Même si on est dans un pays démocratique, ce qui se passe, c'est trop.

Deux cent quarante-cinq francs la panoplie de citrouille, ben merde, elle mettra sa robe de d'habitude.

T'es pas mort toi ?
— Qu'est-ce que ça peut te foutre.

J'ai pas peur de l'an 2000... je serai pas à Paris en plus...

Le menu pour le réveillon, moi ça me fait déjà peur.

Je viens m'excuser pour hier...

Jusqu'en 2001 minimum, on est en 99 pour moi.

Le prix Nobel de la paix, le fric qu'ils se prennent avec ça les mecs, t'as plus envie de faire chier le monde.

L'actualité, c'est surtout bien pour les huit-douze ans.

Comment ils disent les Anglais ? aéroplane ? pareil, je monte pas là-dedans !

En tant que téléspectateur, j'aime bien la télé.

Les Martiens, ils nous regardent et ils se marrent bien, y a de quoi !

Si on les écoute, les prisons sont pleines d'innocents !

Moscou, ça veut plus rien dire comme ville.

Des jeux débiles, y en a même pas dix.

Il a un hérisson dans le porte-monnaie.

Un accident de travail à la Bourse, c'est des milliards que tu perds.

La vie, c'est un processus.
De toute façon, moi, c'est toujours oui.

Les magiciens c'est des cons.

Couscous, c'est un mot français.

Tiberi, chez lui, rien n'est à lui.

Le rose, c'est ridicule.

Chirac, il pense qu'à bouffer.

Elle a les ongles en deuil, mais quand elle s'est mariée, c'était pareil.

Vous trouvez un trésor, après c'est que des emmerdes ! faut le porter à la mairie, ils en prennent la moitié, après c'est les impôts qui vous tombent dessus, moi j'en cherche pas.

Un petit camembert en plâtre au fond de l'aquarium, c'est pas sa place.

Je suis un très bon amateur, mais je me considère pas comme un professionnel du chômage.

J'ai été chez le docteur, y avait personne dans la salle d'attente, y avait que moi qui étais malade aujourd'hui...

... ils foutent rien les microbes en ce moment.

Mille fois un mètre ça fait pas un kilomètre, puisque ça tourne...

Toutes ces petites jeunes filles avec des grosses cuisses, qu'est-ce que vous voulez qu'il leur arrive d'autre ?

Elle est morte à quatre-vingt-dix-neuf ans... elle a pas réussi à mourir à cent ans... elle a fait le bogue...

Tu t'es fait coiffer par un orchestre ?

Des ovules sur Internet !
— Des olives ou des ovules ?
— Des ovules !

La drogue ça fait grossir mais faut manger aussi, comme Elvis Presley.

C'est le redoux qui nous complique.
On sait plus où on en est.
Avec le redoux, on est jamais bien.
Pourtant...
oui mais non.
Le redoux... non.
Jamais.

Je bois pas aujourd'hui, c'est syndical.

Ils ont tous le nez rouge, on dirait une secte.

Il est raisonnable le vôtre, parce que le mien, il s'est fait écraser.

Avec le système de la saison des pluies, on sait quand il va pleuvoir.

Je sais même pas de qui tu parles...

Ça me rend fou les gens en retard.

La peinture, c'est idéalisé.

Tu y vas à l'anniversaire ? — Bien sûr ! tu plaisantes ?

Vous savez, c'est extraordinaire l'être humain.

Je vais plus au bistrot avec lui, c'est un « arrêt fréquent ».

Ils vivent pas dans une autre galaxie les mecs des impôts.

Le risque zéro existe pas.

... Ça ou autre chose...

Comment tu veux savoir la différence dans les saucissons ? toutes les rondelles c'est quasiment les mêmes.

C'est pas en surfant sur le Web qu'elle va maigrir !

Tu bois avec une paille toi maintenant ? — Ça va ta poutre ?

Deux morts dans le Jura... hier.

Le trombone, en tout cas, c'est original.

J'aurais honte de taxer l'alcool comme ils le font !

Quand on coupe les arbres, ça fait du soleil, mais après on voit la poussière.

Les milliards que ça rapporte l'alcool… en bossant on rapportera pas plus.

Le lundi, ça passe toujours lentement.

Vous avez regardé ça le nouveau feuilleton ? ça se passe à Dijon… euh… *Jacotte*… ah non *Jacotte*, c'est trop con *Jacotte*, ah non…

Le patronat, je l'emmerde, j'ai pas de boulot.

Tu fumes, tu bois, normalement tu meurs avant les autres, alors pourquoi ils nous font chier ?

Maintenant il a un bon travail mais ça ne m'étonne pas, il est né avec des dents.

Même quand t'es mort c'est pas fini, on te déterre, on fait tomber les bocaux.

Qui c'est qui tombe des échafaudages, à part nous ?

La mondialisation, on en faisait déjà d'un village à l'autre à l'époque.

Tout hier, j'étais sur pilotage automatique.

Un CD, ça ne s'abîme pas, c'est du laser qui joue.

L'esprit des morts, y en a qui doivent continuer à chercher du travail.

Tu peux rien contre les avalanches, à part aller à la mer.

Y a plus d'insectes que d'hommes. — Nous à la maison avec mon mari et la gosse on est trois, alors c'est sûr, des insectes y en a plus.

Je sais pas comment on fait, d'un jour sur l'autre, c'est la merde.

L'athlétisme, c'est pas un sport complet, t'as pas de ballon.

Les gens ne mangent plus de bananes.
— On vit pas dans la jungle non plus.

L'empire du Soleil-Levant, c'est le Japon pour les touristes.

La Russie, le Japon, la Chine, moi c'est tout le monde dans le même sac.

Le Tibet, il a mis pas mal d'huile sur le feu aussi.

Les Chinois sont encore russes, dans la mentalité.

Il travaillait de nuit, maintenant il est au chômage, le jour il dort, et la nuit, il tourne en rond…

La coquille de l'escargot, c'est que du calcium, c'est comme si il habite directement dans une pharmacie l'escargot.

C'est un ami le gars de l'enterrement, on y est allés sandales aux pieds.

Le tunnel sous la Manche, c'est un repaire à renards.

Tu l'as vu le président chinois ? il nous arrive là… il pourrait même pas ouvrir la fenêtre…

Les psychanalystes, ils doivent en voir de ces connards !

Du reblochon, chaque fois, on en ramène.

Personne me comprend.
— Évidemment, tu payes jamais.

C'est nerveux l'esprit.

Liberté... égalité... fraternité... et aussi sur les mairies y a l'heure.

La vache folle, tu parles ! c'est nous les cons !

Le bogue, moi c'est tous les matins.

Ferme la porte ! la pollution elle entre !

La charcuterie, l'huile, le beurre, niet !

Un handicapé du bas, il lui reste quand même le haut.

Le soignant ! le soigné ! c'est toujours les pauvres cons comme nous les soignés.

Pour moi, le roi des meubles, c'est Louis XVI.

J'en bouffe du bœuf anglais, moi c'est le navet que je boycotte.

Plus personne ne sculpte, des sculptures, y en a déjà trop.

Le docteur d'hôpital, c'est toute sa vie avec des microbiens.

Tu rebois un coup ou tu t'endors sur tes lauriers ?

Si t'es irradié, le seul remède, ils te font prendre douche sur douche.

Faut pas se voiler la face, je vais prendre un pastis...

Un Ricard ! j'ai trop soif.

Un gars comme Einstein, le soir de l'an 2000, il aurait dit quelque chose, il aurait pas pu tenir sa langue, c'est sûr.

Un tapis devant la cheminée, ça fait trop narcissique.

On a picolé comme des vaches et le lendemain, rien, pas malades, l'état de grâce.

Je me mets des limites dans les robes, jamais des couleurs qui me feraient des ennuis.

C'est pas à un mec de quarante-cinq balais que tu peux apprendre à bosser.

Je suis tellement milliardaire que je vais arrêter de bosser, tiens...

Y a des poissons qui naissent pas pareils que les autres et qui aiment pas l'eau.

Je vous ai fait mal ?
— Mais non, je suis pas en sucre.

En Afrique, si t'es malade, t'es la star.

Je m'en fous de passer pour un alcoolique, ça dure depuis tellement longtemps.

Faudrait lui mettre un airbag sur le comptoir...

La guerre des étoiles ! la guerre de la banane ! et on en a vu ni l'une ni l'autre...

La violence fait partie de notre monde, en fait.

Attention si vous ne dégivrez pas votre frigo, tout le haut, vous aurez la Mer de glace.

Il paraît qu'il y a un tournevis qui tourne autour de la Terre.
— C'est pas le mien.

Avec tous les débris de fer qui tournent autour de la Terre, un jour, on pourra plus s'enfuir si on veut...

Tout est en perte de vitesse.

Le chat est plus indépendant, il joue des heures avec un bouchon.

C'est toi qui l'as fait le gosse, si il meurt le premier, c'est toi le premier fautif.

Qu'est-ce que t'en sais si ça va pleuvoir demain ? ! t'y es à demain ? !

Tu grossis en mangeant du porc, c'est déja une transplantation du porc sur l'homme.

Il boit une bière et après il boit une Suze, c'est un autodidacte.

Les masques en bois, c'est leur gagne-pain.

En une heure, tu peux faire le tour de aucun sujet.

Dans les bars à huîtres, elles boivent quoi les huîtres ?

Il est mort ?
— Non, il est dans le Jura.

Pauvre connard de merde !
— Tu dis ça, tu me connais pas.

Les abeilles doivent sentir bon sous les pattes.

J'ai plus de maladies sur mes rosiers que j'en ai eu chez mes gosses.

Tout le temps qu'elle est fermée l'huître, elle dort.

Dès que tu nais, c'est la sellette.

Dans le Jura, du vin du Jura, t'en trouves pas.

Des vins, y en a des dizaines et des dizaines et des dizaines.
— Ça dépend lesquels.

Quimper, c'est le bout du monde.

C'est une savonnette fabriquée par des sourds, d'ailleurs, ça sent rien.

Demain, il fera jour... c'est ma devise.

Même si t'es pas d'accord c'est pareil, ils te font souffler, ils sont protégés par la loi.

Dans tous les pays asiatiques ils élèvent les coquillages comme nous les poules.

Tout ce qui est les Antilles, c'est même pas la peine de sortir un constat en cas d'accident, ils savent pas ce que c'est.

L'an 2000, on en a au moins pour cent ans de leurs conneries.

À minuit pile de l'an 2000, on aura un orage, vous verrez.

Les Corses, quand on est champion du monde de foot, alors là, ils sont français tout d'un coup !

Je ne m'assois jamais sur un banc où un poivrot a dormi.

Des flèches en silex,

L'an 2000, ça arrive, ça y est, on a pas eu le temps d'y penser.

L'an 2000, c'est pas une surprise, faut pas qu'on s'étonne aujourd'hui, on le savait.

Mais oui ! tu parles ! « Envoyé spécial »... on les envoie aux mêmes endroits que les autres.

Les scientifiques ne quittent jamais leur bulle.

Dans le Cantal ils mangent beaucoup de fromage quand on leur pose des questions, sinon c'est pas plus que nous.

D'habitude on fait rien, mais là, on va faire quelque chose. — C'est pas tous les jours l'an 2000 tout de même.

Ils le font pendant qu'on dort le changement d'heure, sinon avec moi c'est le réveil qui y passe !

L'inconscient collectif, c'est une ville qui dort.

Un siècle de chanson française, t'écoutes ça, ça dure même pas une heure !

Bernadette Chirac, c'est pas l'épouse du président, pour moi, c'est une bonne femme.

À la télé, quand c'est important, ils devraient mettre un petit rond rouge, sinon comment on le sait nous ?

on saurait plus les faire.

On a déjà commandé nos escargots.

Tu fais ta vaisselle là-dedans ? on dirait l'eau du Gange...

Il bricole toute la journée, elle doit pas être bien grave sa maladie...

C'est un philosophe, Astérix.

Un glaive, avec pas trop de balance.
— Et un pastis avec pas d'eau !

Je connais que des épaves !
— C'est pas dans le quartier que t'auras des galions.

La lumière, même si tu éteins, elle est cachée là.

J'ai pas d'avis, du coup personne m'emmerde.

Jésus-Christ, c'est plus qu'international.

Le moral, il est dans le mental.

Ils ont des journalistes les Allemands ? première nouvelle.

La reine d'Angleterre est connue, c'est la seule femme anglaise que je connais, au Japon j'en connais pas... et en Russie j'en connais pas.

Le pire c'est quand une infirmière vous oublie dans un coin.

Vous avez déjà visité une porcherie industrielle ?, c'est pire qu'un camp.

Le gaz de France, il est pas plus français que le reste.

Un accident de canoë-kayak, on va quand même pas pleurer !

Quelle heure il est ?
— Il était six heures à l'autre bistrot.

Zorro, ça a vieilli.

... Un jour, on s'offrira la table à choucroute.

Celui qui lave les pieds du pape, c'est le préféré.

C'est comme ça... eh oui... c'est comme ça... eh oui... c'est comme ça...

Ça arrête pas de tomber les avions en ce moment.
— Pourtant y a rien de spécial.

Un avion égyptien qui s'écrase, moi déjà je savais pas qu'y en avait.

Je sais pas ce que j'ai mangé mais ça m'a fait le bogue.

Avec sa femme qui bosse à TF1, il est pas dans la misère le Strauss-Kahn.

On nous enterre, et c'est le noyau de l'atome qui se replante.

Sers-moi vite fait, je suis pas d'ici moi, j'ai un métier.

J'ai bien connu votre papa, il est mort soi-disant d'un cancer du tabac, mais c'était pas tellement prouvé...

Les bébés pleurent pas quand ils sont à la maternité mais là-bas ils leur font prendre des produits.

Tu les achètes chez « pieds nus » tes godasses ? !

La viande anglaise, tu parles, en plus, c'est une île.

Les préfets de Corse, c'est des rois nègres.
— Il fait tout le temps beau.

Le tiers-monde, ils sont plus résistants que nous parce qu'ils se vaccinent naturellement.

Les œufs, ça a pas

J'aimais pas l'école, c'est pas pour téléphoner à la radio pour répondre à une question !

La Tchétchénie, excuse, mais c'est pas Monaco.

T'as revu Sonia ?
— J'ai encore ses lunettes… c'est son problème.
— Moi je me suis tiré, je suis avec une bonne femme, elle a trois gosses.
— Comme ça, c'est fait.

C'est sûr qu'il va se faire virer Strauss-Kahn, bien fait pour sa gueule, il s'y croyait celui-là, avec sa Sinclair.

En montagne l'air est pur, ils ont le nez inutile, presque.

La seule date qu'ils apprennent à l'école, c'est les trente-cinq heures !

Le brouillard, on voit moins bien la route, mais des fois c'est tellement moche les bleds, c'est pas plus mal.

On sait jamais quand ça commence un changement.

On sait jamais les dates exactes, on met ça parce que c'est pratique mais c'est tout.

Au Tibet, ils en sont même pas au siècle dernier.

La Bible, ça peut pas marcher.

… C'est sur un vélo que je m'exprime le mieux.

Il a trouvé une souris dans sa boîte aux lettres, il en a fait tout un policier.

du tout goût de poulet.

Pour être tout à fait honnête, c'est pas moi qui les ai trouvées vos clefs, c'est mon mari.

C'est un casse-tête le Caucase.

Dès qu'il fait chaud, j'ai mes poils qui s'en vont, j'en ai plus besoin.

La main c'est compliqué, c'est la forme d'une ancienne pensée.

Le changement d'heure, c'est pour la Terre, la Lune change pas d'heure.

On se lève, il fait nuit, on se couche, il fait nuit, c'est tout ce que je sais.

Le président chinois, pour moi, c'est un Japonais.
— C'est les lunettes qui font ça.

T'as vu l'heure ? ! t'arrives d'une vie antérieure ?

Le massacre de la Saint-Valentin, ça serait aujourd'hui on en parlerait même pas deux jours, alors qu'à l'époque, on en parle encore.

Y a toujours quelque chose qui fait du bruit dans une maison, le frigo, ou les gosses.

Le massacre de la Saint-Valentin, c'est la Saint-Valentin ?

Nous, on l'a à quatre kilomètres de la maison le soleil qui se couche.

C'est bien comme film, et en plus c'est un cochon qui joue.

Quand t'es vieux t'as la bite froide comme les serpents.

Marx, il avait pas de menton.

Tous les jours il rentre il est saoul, une heure pour monter les étages, il fait des paliers comme les plongeurs.

L'oxygène, c'est aussi dangereux que la pollution, il faut un mélange.

Une heure de Chopin, c'est même pas UNE seconde de Mozart.

Les animaux qui jouent dans des films, ils finissent dans des fermes à la campagne, alors que les vieux comédiens qui jouent plus, on les laisse crever en banlieue.

Le passage à l'an 2000, ça sera vite passé.

La chute du mur de Berlin, c'est comme si nous, tu vires la tour Eiffel.

... même pas UNE !

C'était le Mur de la honte, maintenant il existe plus, c'est encore pire.

Le plus grand progrès de la médecine, c'est la chaise pour attendre l'infirmière.

Dès le lendemain de l'an 2000, on va prendre un coup de vieux, vous allez voir.

Si tu te perds sur Internet, on est pas prêt de te revoir.

Quinze jours à Bombay... je préfère gagner du lave-glace.

Dix francs le menu enfant, à ce prix-là, j'en fais cinquante des gosses.

... moi les coups de vieux, c'est déjà fait.

Si tout le monde se fait incinérer, t'auras dix centimètres de cendre partout et plus rien repousse.

... Un sur trois qui se fait incinérer, c'est la bonne moyenne.

C'est pas une maladie l'alcoolisme, j'ai des rendez-vous avec des gens, c'est pas une maladie les rendez-vous…

C'est que dalle de se faire enterrer avec les photos des chats, les pharaons, c'était avec leur bonne femme.

… Quand tu fais exprès d'être bourré, c'est pas une maladie.

J'aime bien rire, mais je n'aime pas quand ça tord la bouche.

Je fais l'adrénaline à l'envers, on me fait peur, je vais me coucher.

Les enfants sont plus curieux que nous, un petit pois, ils demandent ce que c'est.

… Si c'est toi qui décides de boire, c'est pas comme un microbe.

Le bifteck, c'est qu'une grosse toxine.

Si j'étais propriétaire, je vendrais, c'est le bon moment.
— Il a rien, il veut vendre !
— À la Bourse, ils font ça.

… Si le microbe décide, c'est une maladie.

L'ONU dans le Caucase, c'est une aiguille dans une botte de foin.

Jésus, on a pas retrouvé les os ! même les moules on retrouve les coquilles !

Ils ont mis des HLM au milieu de la glace, les Esquimaux habitent là.

On fait les courses une fois par semaine, le samedi après-midi, moi ça ne me dérange pas d'attendre aux caisses, attendre là où ailleurs...

J'irai demain.
— Et il boit quoi le futurologue ?

Un cerveau, c'est un cerveau.

Quand t'as un million de salariés, tu peux pas dire bonjour à tout le monde.

Chirac, quand il serre les mains, c'est une sorte de Mickey.

Les livres, j'aime pas le sujet.

Il a arrêté de fumer, c'est une girouette ce mec.

Toi... tu es végétarien parce que... tu es un humaniste.

René ! tu me feras mon bilan...

Moi je dis, toute personne innocente est coupable, voilà... ce que je dis.

Le cerveau, c'est par couches que ça fonctionne.

Le bœuf, c'est ni français ni britannique, c'est universel.

La France, ça n'existera pas des milliards d'années.

La sonde s'est écrasée sur Mars.
— C'est le bémol.

Une sculpture dans le jardin, ça met des formes.

On est en finale ! on est en finale ! on est ! on est ! on est en finaleuuuuuu !

... trois fois, le ballon a rebondi contre nous !

... moi je me suis endormi devant le match.

... moi j'ai même pas bu ma bière.

L'Australie, c'est qu'un caillou.

Pour l'hémisphère Sud c'est bien, parce que comme ça, on en parle.

J'aime bien les sports qui se jouent dans l'herbe.

France-Australie, c'est le moment d'écraser l'autre hémisphère.

Le tiers-monde, ils sont forts en beaucoup de choses, mais pas en sport.

Leeeees Gau... lois... sont dans la plai... neuuuuuuu.

Allez... les... Bleus ! allez... les... Bleus !

On a jamais gagné en finale contre l'hémisphère Sud.
— Justement ! c'est des magouilles !

Ils sont forts l'hémisphère Sud, mais c'est nous qui leur envoyons les vaccins.

Tu peux pas gagner contre des Australiens drogués à mort.

... Un arbitre sud-africain, tu parles, ils ont des lances dans le nez.

... de toute façon, c'est un hémisphère de connards.

La France a perdu, c'est vrai, mais tout le monde s'est levé.

Les Français ont été battus mais pas tellement, je trouve.

Le Français sait pas se servir de ses bras ! il a jamais su !

... toute la journée à regarder son verre, comme la femme à Ulysse.

Ça fait trente ans que je ne mange plus des haricots verts, parce que j'ai été malade.

Je m'y fais pas à la nouvelle couleur de la voiture du maire.

Il a recommencé à boire que y a deux mois, ça se voit pas, il a encore les gencives rentrées.

Ça ne sert plus à rien de voir loin.

Christophe Colomb est entré dans l'Histoire, il aurait dû rentrer dans la géographie.

... Ça fait déjà chier ce réveillon...

Il est couché depuis une semaine, il a le sang qui va plus dans ses pieds.
— Il est pourtant pas grand.

J'en bois toujours un peu du beaujolais nouveau, par principe.

Le Sahara se déplace, mais ça déplacera pas le pétrole !

... quand t'avais la peste, tu passais pas à la télé.

Ses haricots verts, ils avaient que le goût de l'ail.
— C'est la loi du plus fort.

Y a pas plus de cons qu'avant, c'est toujours le même nombre.

Six milliards sur la Terre, tu peux en mettre dix fois ça.

Un siècle, c'est rien, y a des vieilles toutes pourries qui vivent plus que ça.

Les gens qui travaillent dans des serres sont plus vieux plus vite.

La vignette 2000, y a un zéro dessus et ça a pas fait le bogue.

Je sais pas dans quoi il s'est roulé, il est tout pluvieux.

... t'en as jusqu'au plafond, c'est un monument aux morts sa choucroute.

C'est le fond du carton qui est parti ! avec ces cartons c'est toujours le fond qui craque... c'est le fond de carton d'Achille.

On était des poissons avant, et ça peut revenir.

Pour les Américains, Hiroshima, c'était la cerise sur le gâteau.

Il pue des yeux. — Faut le changer, votre chien, monsieur.

Le mur de Berlin, l'équipe de rugby, ça fait beaucoup de chutes en ce moment...

Le gouvernement c'est de la magouille, c'est comme le sport, d'ailleurs y a un ministre des Sports.

Il connaît combien de mots votre chien ?

Ce qui fait le plus beau dans les miniatures, c'est les cuisinières.

Leur bogue, ça nous empêchera pas de mourir !

Il va faire des photos avec un sombrero, chaque fois qu'il va en Inde il fait ça le pape.

Jamais t'as payé un coup ! et tu me fais la morale !

En quatre heures, t'es à New York. — Moi, plus ça va vite, moins je bouge.

... On aura pas le soleil... mais on aura pas la pluie non plus.

À la banque, ils veulent plus m'en donner.

Le professionnalisme, ça tue tout.

... Ça vaut pas le coup de voyager si en quatre heures t'es revenu.

Si on passe pas en l'an 2000 et qu'on reste bloqués en 1999, ils vont avoir l'air con avec leurs milliers de bouteilles de champagne !

C'est pas tout propre non plus dans le patinage, va...

La maison du XXIe siècle aura pas de porte ! si tu veux rentrer chez toi, tu te démerdes ! ça sera ça le XXIe siècle !

J'ai froid aux pieds... c'est mauvais signe, ça...

Tout le pognon de Elf, il va chez la bonne femme qui est coiffée comme une conne.

Il est mort en demandant sa maman, comme ça la boucle est bouclée.

On descend plus des oiseaux que des mammifères, avec notre petit cou.

... à la limite j'ai raison.

J'ai une maison en Bretagne, dans l'Ille-et-Vilaine.
— Y a la mer ? y a quelque chose ?

... On vient d'acheter des chaises qui ont une forme spéciale an 2000...

Il a rien foutu le gosse à Molière !

... Je devais faire quelque chose, mais je sais plus ce que c'est... ... bof... ... ça devait pas être grand-chose.

Il est con ! il va ouvrir la porte au chat... ils sont cons les vieux...

Tout le monde a le même humour, sinon personne rigolerait.

Je connais pas le nom de mon père, dans n'importe quelle boucherie le bifteck c'est marqué le nom du père, la mère, le pré, tout !

... ils sont cons les vieux.

Trois départs en retraite la même semaine, c'était de la folie.

... miaou...

Notre gravier, ça agace les gens, alors ils ne viennent plus.

Je vous préviens, j'ai les doigts gelés !
— Avant de dire bonjour il fait la météo lui...

Tu fais les courses, c'est les genoux qui portent.

Un bistrot qui est pas sale par terre, c'est un bistrot qui marche pas.

C'est « Sortilèges ».
— Ça pue.

On a bu une salve, il a remis une salve et on est rentrés.

Comme mur dans le monde, il ne reste que les lamentations.

Ils tournent avec le camion juste devant le café, un jour un transport international m'a écrasé mon chien, mon épagneul, vous l'avez connu mon épagneul ? le marron et blanc ? ils se sont pas arrêtés ! c'est une humanité bestiale ces gens-là !

Il joue de la musique dans la cave avec ses copains... pour un groupe de rap, un pain ça suffit ?

La première inondée, c'est la cave. — C'est mal fichu.

La pleine lune, plus l'an 2000, vous allez voir les catastrophes...

C'est toujours pareil, les inondations l'eau monte en une demi-heure.

Si y a de la boue, c'est qu'il n'y a pas assez de béton, sinon y a pas de boue.

On dépense des sous en écologie, et quand on voit le résultat...

Normalement, en France, on a jamais de phénomènes climatiques.

... avec trois départements inondés, pour trouver un tabac...

L'eau, c'est encore une interrogation pour tout le monde.

Même les Mercedes étaient emportées, je sais pas si tu vois...

Les gens veulent tous habiter un pavillon, après ils se rendent compte que c'est par terre...

Tout inondé partout ? tu parles ! y a toujours des mecs au sec qui font des photos.

En Afrique ils crèvent de soif, mais en attendant ils ont pas un mètre d'eau dans la cuisine.

Deux départements rayés de la carte.
— Déjà que la France c'est pas grand.

Contre les inondations tu peux rien faire, tu pisses dans un violon.

L'eau fait n'importe quoi, alors que la neige, c'est plus organisé.

Ils ont tous des piscines dans le jardin, ils feraient mieux de se faire des digues !

Quand il pleut, on prend un parapluie, et ça y est.

C'est comme si t'as construit ton pavillon dans une moule.

On a jamais été inondés, nous on a toujours nos vieux meubles.

Au moins la sécheresse, ça reste dehors.

Face à la nature, on est même plus des animaux, on a tout de suite froid.

C'est l'enculé de vent d'est ! comme dit la chanson.

... Une goutte, plus une goutte, plus une goutte, et voilà !

Moi quand je me suis cassé la jambe en vélo, c'était une catastrophe naturelle aussi.

C'est le maire qui est responsable !
— Pas de la pluie.
— De tout !

Il est tombé trente centimètres d'eau en une heure ! c'est ce que je bois en un an.

Je préfère l'eau que le feu, je suis Balance.

Les salles des fêtes, c'est toujours là qu'on met les morts.

Le seul doigt c'est le pouce, les autres c'est des cartilages de nageoire.

... On s'en souviendra historiquement, en tout cas.

Un bout de boudin ça calme son homme !

Il achète du pâté maison, il rentre jamais chez lui.

Si dans une seconde je pars pas chez moi, je suis plus jamais chez moi.

Le coquard ?
— C'est au foot.

On y pense jamais à

On en trouve plus des mecs comme nous qui s'esquintent la santé pour un bistrot qui offre jamais de coups !

Si je bois un pinard qui a un goût de banane, je préfère manger une banane.

C'est pas un propos de café c'que j'te dis, c'est la vérité.
— En plus, ça fait tabac.

Je persiste !
un kir !
... et je signe !
un kir !

Kir, c'est le plus petit

Y a pas plus aux ordres que le corps humain.

De toute façon, rien va jamais.

On est un petit village et ça nous regarde pas, les ragots sur la centrale de Nogent.

Elle est folle Sophie Marceau de jouer dans un James Bond alors qu'il y a du cinéma français.

Je peux pas en boire du beaujolais nouveau, parce qu'après moi je fais de la spéléo.

Le désert du Sahara, c'était une mer.
— Avec un fond de sable comme ça, devait y avoir de la sole !

Pour arriver à cent ans, c'est un travail de bénédictin.

Du poivre aztèque ?

... Ça va vous durer cent ans la petite bille qu'ils vous ont mise dans le doigt.

On voit des grands cafés, même dans Paris ! les toilettes... on s'assoit avec sa belle robe, c'est pas appétissant.

l'endive... mais si bien sûr !

C'est une alternance de soleil et d'averses ce gosse...

Adopter les petits Vietnamiens, faut bien réfléchir, c'est pas des petits oiseaux.

mot qui existe.

Des inondations en Inde, faut pas qu'ils pleurent, c'est comme ça qu'ils cultivent.

La sécurité, l'insécurité, tout ça c'est beaucoup à force !

Les rêves, si on doit y croire, on sort plus de chez soi...

Titanic, c'était un grand succès au début, mais ça ne se joue plus nulle part.

... Pour voir *Titanic* à Venizy, faut se lever de bonne heure.

Je sais plus quel film, mais ça m'a plu.

Si l'an 2000 c'est la fin du monde, au moins on aura des trucs à raconter.

Je vois pas pourquoi il y a quinze ministres, alors qu'il y a qu'un seul président...

Les taxis c'est des brigands !

Demain c'est le grand soir, on mange chinois.
— Tu sais te servir des baguettes ? moi je sais depuis 1952.

On a jamais vu les Pyramides à travers des rideaux.

La musique au téléphone, t'as qu'une oreille qui en profite.

Le nez pousse toujours à la place du nez, on est vachement obéissants.

Attention à votre nez, parce que le chat est avant tout un félin.

Il est à toi ce nez ? ou c'est un faux et usage de faux ?

C'est pas tellement esthétique l'arthrose.

Les catastrophes, ça remet en cause tout l'être humain.

Il a tué la gamine et il s'est pas arrêté.
— Deux grammes soixante dans le sang !
— Oui, eh ben ça, c'est pas une excuse.

Maintenant que Jospin a donné un milliard pour l'Aude, ils ont un typhon en Martinique...

... ben tiens...

... Comme par hasard...

La santé, pour un c'est comme ça, pour un autre c'est comme ça, c'est jamais pareil, on peut pas savoir.

En Espagne, ils ne parlent de rien, je sais, ma fille en vient.

Je suis français, mais ça m'empêche pas d'aller en Espagne.

Montpellier en général j'y passe, mais j'y couche pas.

Tu sais comment elle l'a acheté son hôtel à Troyes ? devine ?

On a l'âge de ses artères.
— Moi j'ai l'âge de l'avenue.

Le pire, c'est que c'est vrai.

Qui ?
— Mon cul.
— Qu'il est con... et ça va fêter l'an 2000, ça...

De l'argent, il y en a ! dans les poches du patronat !

Dans une bibliothèque, y a rien qui me fait envie.

L'Idiot, c'est trop gros.

Importer des perroquets, c'est quand même pas le plus grave.

Tout ce qu'on sait faire en France, c'est arracher les vignes !

Plus ça va, plus c'est les animaux qui ont raison.

Le matin je l'amène chez le coiffeur, l'après-midi il se fait écraser !

Le cartable sur le dos, ça les redresse ! parce que c'est des guimauves dans les écoles maintenant !

Tu bosses jamais, tu picoles toute la journée...
— C'est le système Chirac.

Pinochet, c'est pas le pire.

Un rhumsteak ! sans steak !

Je le dis et en plus, je le pense !

C'est normal de pas être pédé au bureau, je trouve.

... Un jeune sur dix qui sait pas lire, ça en fait neuf sur dix qui lisent des conneries.

Elle est comment sa femme ?
— C'est une gentille grosses fesses.

Ça vient mon demi !
— Ho... hein... c'est pas un camp d'entraînement.

On l'a aidé pour son déménagement, il a porté que sa valise !

Ardisson, on voit bien qu'il a le gène, il peut manger deux kilos de saucisses, il ne bougera pas.

Je suis un converti au diesel, mais pas depuis des lustres.

Vilmorin, les livres ou

T'as pas une idée de réveillon ?
— On va bouffer comme des cons.

On a retiré le flipper, c'est pas pour mettre leur Web !

Quand on peut pas expliquer un phénomène, on ferme sa gueule, j'ai pas raison ?

Sur le portable je reconnais jamais les voix, parce que je suis pas chez moi quand on m'appelle.

Où t'as mis le sac ?
— Et toi, où t'as mis le pain ?

Tous les jours, il fait jour, ça doit être une question d'honneur.

La faim, c'est concret, au moins.

Tiens ? Y a plus de feuilles.
— Où ?
— Dans les arbres devant.
— Hier déjà y en avait pas.
— Hier, je suis pas venu.

Les vaches, entre elles, c'est des gens.

Un bout de gruyère, pour moi, c'est pas un objet.

Est-ce que tu entends Christine quand elle te parle ?

Plus les clients picolent et plus je paye ma tournée, c'est normal, c'est leurs stocks-options !

Dans les trente années qui viennent, tu vas voir les changements dans le cerveau.

Elle a horreur des Russes, elle est pire que l'ancien mur.

les graines ?

L'an 2000 ça tombe un samedi, tu vas voir le dimanche, les rues vides.

L'an 2000, ça changera rien.

C'est la loi de la nature, quand il y a trop de neige.

J'*ai trop bouffé.* *— Ça se dit pas combien on gagne.*

Toi qu'es historien, quelle heure il est ?

On s'en fout en fait.

Je bois tous les verres qui traînent, à cause de Vigipirate !

Si t'es pas sportif au départ, tu sais pas choisir un sport.

C'est triste ce temps... fait gris... c'est moche... faudrait mettre des faux arbres avec du vert... les gosses veulent tout le temps des bises avec ce temps-là.

C'est pas la peine de faire de la pub pour le soleil, suffit qu'il fasse beau.

Pour se faire comprendre, maintenant faut parler pendant une heure.

Je dis tout haut ce que tout le monde dit tout haut, c'est tout.

Jeanne d'Arc, elle avait son portable !

L'Allemagne a mangé son pain blanc, avec la guerre.

On allait chercher l'eau au puits, maintenant faut prendre la bagnole pour aller chercher la Volvic chez Auchan.

On était amoureux de l'institutrice.
— Et on avait de la cervelle à la cantine.
— On se plaignait pas ! Je la mangeais ma cervelle

Deux paquets par jour depuis vingt ans, il est incinéré tout debout.

Le mieux est l'ennemi de qui ? de quoi ? de quand ?

C'est pas la première fois que les psychologues se font avoir par des tarés, le cerveau c'est pas scientifique.

La mondialisation de la bouffe, ça arrivera quand même pas jusqu'au Soudan !

Y a l'ancien ministre de De Gaulle qui est mort.
— Oui, eh ben y a pas que lui.

Dans l'art sacré, ils sont tout le temps à poil.

La bicyclette avec les sacoches c'est plus la petite reine, c'est la grosse mémère.

C'est du Zola, *Les Misérables* de Victor Hugo.

Dans les cimetières, on pourrait mettre la même musique que dans les grands magasins.

Les pires, c'est les parents d'élèves.

Il a quatre gosses, pas de boulot, elle est enceinte...
— Pour faire les gosses, faudrait un permis de construire !

De toute façon, les gens racontent n'importe quoi.

La paix, l'avant-guerre, après c'est la guerre, l'après-guerre, c'est un cycle naturel, c'est les quatre saisons.

Il s'est acheté une caravane, ça lui fait le wagon-bar.

Je me suicide pas parce qu'il fait beau.

Maupassant, Gide, Proust, ça fait des noms pour des morceaux de viande.

Les embryons du futur, ça grandira directement dans le berceau.

À force de chanter, ça tord la tête.

On passerait neuf mois dans le cerveau de sa mère, pas dans son ventre, ça changerait tout.

La lumière dans l'ampoule, on la regarde même plus, pour nous c'est normal, on appuie sur le bouton ça s'allume, on est trop bien nourris, et en même temps, c'est naturel.

En Afrique, ils voudraient bien en manger du Mac-Do !

Avec le portable, on peut dire que des choses légères.

Les gardiens de prison ont plus leur appendicite, c'est une obligation, pour pas faire une crise dans le couloir.

Le Pape connaît quatre cents langues, mais c'est toujours les mêmes phrases.

Vous savez, l'an 2000, une fois qu'on est chez soi...

C'est les flics qui l'ont mise la bombe en Corse... bien sûr !

Un dictionnaire à la maison ça suffit. — Et un roman, c'est pareil, si il est bon.

La mondialisation, faut qu'elle soit humaine.

... toute la vie, une bière en avant, une bière en arrière...

Les gens ne savent pas ce qu'ils veulent !

En Inde, les gens qui marchent, c'est normal.

Le sportif qui a pas de mental, c'est même pas la peine de passer le maillot.

Les jeunes sont plus grands qu'avant, vous avez vu leurs pieds ?

Une émission de télé à vingt heures cinquante-cinq, c'est très précis.

Tu me feras pas lire un livre, je préfère aller voir les pneus.

Le premier bébé de l'an 2000, si il a trois yeux, Drucker il en prendra un autre.

Dans le Pacific t'as pas d'alcool, c'est un apéro de perlimpinpin.

Picasso, ça a été révolutionnaire parce que c'est le premier peintre qui aimait pas la campagne.

C'est pas normal qu'il soit cette heure-là pour un mois de novembre.

Printemps, été, automne, hiver, ça tourne dans le sens des aiguilles d'une montre.

T'as de l'argent ? on a plus d'argent ?
— Les sous je les ai, si on en boit pas douze.

Le cinéma français, pas français, je m'en fous, je vais au cinéma à côté.

Tout son alcool dans le sang, ça lui fait le cœur en forme de nez à force.

Les plus gros, c'est les obèses.

Des embryons congelés, ils en jettent tous les jours.

Les services secrets arabes, ils te torturent rien qu'avec des injures.

Il dort dans une cabine téléphonique, on dirait un fœtus dans un bocal.

Je connais pas un seul con qui soit très maigre.

Quelqu'un qui veut pas boire ! parce qu'il a des gosses, je respecte le choix... mais un mec qui est tout seul, c'est un con...

Hein ?
— Rien.
— Je préfère.

Quand c'est du temps humide et chaud, ça le développe le sida.

Les tares, c'est dans le gène qu'elles se mettent.

L'an 2000, c'est vraiment pour les cons.

C'est qui qui compte les êtres humains ?

Ils ont trouvé six planètes en plus... six planètes en plus... en plus de quoi ?

C'est pas parce que c'est l'an 2000 qu'on va tout se révolutionner !

J'en bois pas du Coca-Cola, pour faire contrepoids.

Outre-Atlantique, c'est une façon polie de dire les États-Unis !

Le nez dans le verre, le nez dehors, le nez dans le verre, le nez dehors, c'est un dauphin son nez.

On devrait avoir deux têtes étant donné que c'est l'autre côté du bout des deux pieds, en fait.

Si je mets le nez dans l'aligoté, tu me revois plus.
— Et un alligator !

Dans les meutes de loups, t'as un loup qui est le maire.

Le calmar, ça va de tout petit comme ça jusqu'à calmar géant, t'as toutes les tailles, comme les tours Eiffel.

Je me doute qu'il est au café, parce qu'avec ce froid-là, il est jamais dehors.

J'ai un nom, mais je préférerais deux prénoms.

Bill Gates il en mange du bœuf aux hormones, t'as vu le résultat ?!

J'y dors plus y a des chiens à la gare.

Y faudrait un distributeur d'apéros dans le mur pour quand ça ferme, pareil que les banques.

On est exclus sur terre, par rapport à l'eau de mer.

... On invite un pauvre, oui mais après, il sait où on habite...

On n'y pense plus au Bartissol.

Il est pas passé ? ah bon ? il est pas venu ? mais il est où ?

Je ne parle pas aux gens saouls !

La musique tzigane c'est beau, mais quand ça te tombe dessus au restau tu dis plus pareil...

Que des cons dans l'immeuble...

Poussez-vous ! vous sentez mauvais !

Ils font vraiment un travail de fourmi les gendarmes, ils sont tout le temps au bord de la route.

Depuis le temps, ils auraient pu inventer un camion qui aspire le brouillard !

Je vais aller voir James Bond, ça va me couper ma semaine.

On a fait disparaître des forêts entières mais la tomate est encore là.

Toutes les secondes y a un gosse qui naît... c'est des calculs d'horloger ça...

Le cerveau il est pas gros, on peut même pas écouter deux musiques en même temps.

À force de regarder une photo, ça bouge, et à force de regarder un film, ça bouge plus.

On devrait empailler tous les gens importants pour les garder au Musée de l'homme.

Quand tu meurs électrocuté, tu revois tout en dessin animé.

Des milliers de morts en Afrique... depuis le temps qu'on dit ça !

T'as les mêmes îles partout, en fait.

Dans le bulot,

C'est pas possible à faire les trente-cinq heures, c'est trop pile comme temps.

... j'ai dit quoi ? je sais pas ! j'marchive pas c'que je dis !

On parle sans savoir, mais de toute façon on y connaît rien.

Je suis pas antieuropéen, mais en fait, si.

Quand on me parle sur un portable, ça me fait comme si je lis une carte postale.

Le vitrail, ça fait une vitre avec le rideau dedans.

... On va s'acheter un bon appareil, pour faire des photos de l'an 2000.

Pour l'an 2000 je sors pas ! j'ai pas envie d'être écrasée !

est un escalier.

Tant que ça sera moi la patronne, on se moquera pas d'Hervé Vilard !

2000, pour moi, c'est pas une date.

... avant Jésus, ça compte pas.

Sur Internet, y a des jeux, mais aussi on commande du fromage.

Les huîtres, elles vont pas s'envoler parce que c'est 2000 !

On a le droit de donner son argent aux animaux, bien sûr que si !

Internet, y en a un, mais c'est que le début.

À force d'échanger les idées, on a tout en double.

Avec tout leur bordel de l'an 2000, c'est comme si on retourne cent ans en arrière.

Belmondo est mort ! enfin presque mort... il a eu une crise cardiaque... mais ça va il paraît... c'est presque rien... il est solide.

Elle embrasse pas son chien, elle se lave avec !

À part ça ?

C'est pour qui ces jolies fleurs ?

Quand c'est du cinéma indépendant, je suis encore plus indépendant, j'y vais pas.

Le mieux au cinéma, c'est les grosses merdes.

C'est pas une saleté, c'est un zoziau qui a laissé tomber une mûre.

On met du gras pour les oiseaux mais c'est les chats qui le volent.
— Nous c'est des gens qui le prennent notre Fruidor.

Avec les instruments électroniques, t'as plus besoin d'avoir des drogués dans l'orchestre.

L'euro pour toute l'Europe, tu vas voir comment ils vont être froissés les billets.

Faudrait qu'on puisse choisir si on en veut ou pas, de la globalisation.

L'Alsace, t'as du vin d'Alsace, la Bourgogne, t'as du vin de Bourgogne, la campagne, t'as rien !

Ils vendent des nids d'oiseaux fabriqués par les handicapés… quand c'est les oiseaux qui les font, franchement, c'est mieux fait…

Le dernier ! zou ! hop ! les gendarmes y m'arrêtent je m'en fous ! moi au moins, je prends mes responsabilités ! hop !

Hé ! tu sais la dernière ?!
— Non.
— J'ai rêvé en euros.

Les petits portables, c'est pour les petits besoins.

Déjà pour le midi je sais jamais quoi acheter, alors, quand c'est du commerce mondial !

Le mec, il va passer son an 2000 dans une grotte.
— Les hommes préhistoriques faisaient déjà ça !

Je suis né, mais j'étais vivant avant.

Des gens normaux ? j'en connais pas.

… des fois je me mets ici, des fois je me mets là. je m'ennuie jamais.

… Croyez-moi, c'est vrai.

Van Gogh, il était peut-être fou, mais quand on voit le tableau de sa chambre, il faisait son lit.

Des couleurs de peau, y en a quand même moins que les papillons.

Jean Moulin, même pour dix briques, il aurait pas parlé.

Ça y va les suicides en prison !
— Les prisons, c'est pas fait pour rester vivant.

La bouffe génétique, on reconnaît, ça a goût de plastique.

Le Zaïrois est pas le plus mal loti.

Le temps ça vient d'en haut, ça sort pas de par terre !

Au tennis, t'as qu'un côté qui travaille.

Il oublie tout... faudrait lui faire un mémorial à çui-là.

... C'est fini la vie privée.

Par rapport à ceux qui ont des plumes ou des écailles, on est les plus mal foutus de la planète avec notre peau idiote.

Moi, quand je suis dans ma cuisine, je suis une ourse.

L'an 2000, ça va remettre l'avenir à zéro.

Le cheval de Troie, c'est pas l'andouillette, c'est Troyes.

Un prénom comme Odilon, je l'aurais pas mis dans le calendrier 2000 !

Odilon ?

Le visage de la Madone, on voit bien que c'était une menteuse.

Les trente-cinq heures, l'hiver c'est court, l'été, ça sera long.

Le seul temps réel c'est quand on est assis, sinon ça change, comme il a dit Einstein.

T'as mangé du légume transgénique ? t'es tout hirsute.

Il est un peu perdu dans sa tête en ce moment.
— Pourtant il a pas beaucoup de chemins ce gars-là !

Chirac, c'est un môme.

Pour l'instant, je bois qu'en France.

Ils ont qu'à leur donner des emplois fictifs aux chômeurs !

Il est sourd, il se penche pour écouter, alors à la fin de la journée il a les oreilles qui puent le pastis.

C'est des parasites qui servent à rien les astronautes.

Le bout du nez tout froid, ça va bien avec le vin blanc.

Quand on regarde les étoiles la nuit, y a plus tellement de place.

Il m'a plantée sur le parking, le cruel !

Odilon ? sur le calendrier 2000 ?

Ça veut dire quoi, Odilon ?

... Ça veut rien dire, c'est un prénom.

Odilon, c'est Odilon, c'est tout.

... ils nous prennent pour des cons.

Enceinte à treize ans ! bientôt faudra acheter les mêmes jouets à la mère et au gosse.

J'en ai d'jà marre du prochain millénaire !

On me l'offrirait le voyage sur Mars que j'irais pas ! sauf si c'est en train.

Y a Patrick, Didier, Daniel, Thierry, sur les quatre, elle aurait pu en appeler un Roméo.

La Tchétchénie ! tu parles ! et nous ! la France ! on fait pire avec la Corse !

Moi mon portable, j'ai un forfait d'une heure.
— Oui mais pour combien de temps une heure ?

On est pas mieux que les cochons, on mange du porc !

L'humour, à force, j'en ai marre des conneries.

Si la Turquie rentre dans l'Europe, putain... moi je sors.

Tous les vieux, ils viennent passer l'hiver là, c'est ça dans ma tête, Nice.

Moi c'est moi, je paye pas l'ardoise de ma mère !

Les familles d'accueil, c'est toujours dans la Sarthe.

J'ai pas d'opinion.
— T'as bien raison.

Les petits vers dans le sable, ça fait les mêmes dessins arabes que les mosquées.

Je vais pas me casser la tête cent ans, je vais lui acheter une connerie au Manège à bijoux.

Un livre sur les planètes, souvent c'est cher, et t'as pas beaucoup de planètes.

Plus on grandit, plus on a les yeux qui montent.

Je m'en souviens jamais des rêves que je fais, ou alors un bout gros comme l'ongle.

Y m'ont enlevé ma bagnole !
— Attends… c'est pas l'Algérie…

Quand j'ai mon chat sur les genoux, je suis plus là.

Les vieux c'est tous les mêmes, ils ont une casquette et ils sont vieux.

Pour l'Europe, ils ont détourné l'optique du départ, alors que les États-Unis, ça a toujours été droit.

Des oiseaux en cage… pfu… les oiseaux, ça vole, ça s'attrape et ça se bouffe !

Une femme président de la République, allez hop ! de toute façon c'est mondial maintenant, les présidents foutent plus rien.

La Corse ou la France, c'est pareil, ils jouent à la pétanque comme à Marseille.

C'est l'anglais qui gagne, forcément, y a quatre mots !

Toi, tu nies l'individu !
— Pas du tout, c'est toi qui paies jamais.

Si Jean Lefebvre gagne au Loto, tout le monde peut gagner.

Les Lilliputiens ça se guérit maintenant, ceux qu'on voit c'est des nains.

... nous avec ma femme, on va passer l'an 2000, et après on va aller se coucher.

Le cap quatre-vingt-dix-neuf-deux mille, on va le passer chez ma sœur.

Armand, quand il parle, ou il est rond, ou il y connaît rien.

Internet, je sais pas ce que ça crée comme emplois, y a même pas de standardistes.

À la Caisse d'épargne c'est pareil, j'ai rien.

La critique cinéma ça sert à rien, de toute façon, tout est de la merde.

Moi je paye des impôts, quand je vais au ski, faut qu'il neige !

Un film, j'y vais jamais quand c'est français, surtout avec les gosses.

À la neige c'est le bonnet, c'est pas le parapluie.

Vous avez regardé Maigret ? — Ah non, j'ai pas reconnu.

Les émissions sur les animaux, c'est tout le temps bien.

Les nouvelles technologies, dans cinq ans, ça sera que des vieilles télés.

Gagner au Loto, c'est une bonne publicité pour le Loto.

L'huître, c'est un muscle, c'est pour ça que c'est dur à ouvrir.

À son travail il obéit comme une fourmi, mais à la maison il attrapera jamais le sucre.

Tu cherches du boulot ? Putain ! va falloir modifier la Constitution !

Vous voulez une paille ?
— Non ! je veux pas qu'on m'aide !

Trois fois que je vais aux toilettes là, trois fois que c'est occupé ho ! c'est un camouflet là, ho !

La télé, c'est une fenêtre sur le monde, mais si tu veux sortir, tu passes par où ?

Ils ont mis le sapin sur la place.
– Pas vu.
– T'aurais sorti la poubelle, tu l'aurais vu.

Je vais me foutre en Bourse, y a que ça qui monte.

Je vais faire le candide, il est à quoi, votre kir ?

L'histoire, suffit d'apprendre, y a rien à comprendre.

Y avait marqué 1 verre gratuit sur 2 mais c'était pour les lunettes.

La femme est moins intelligente parce que aussi, elle a moins de temps.

Les pédés, ils sont tout le temps avec des gonzesses moches.

Les pompiers sont venus.
— Je m'en doutais.
— Il est tombé par terre à l'Amicale des locataires.
— Quand je l'ai vu partir d'ici, je le savais.

Tuer un taxi pour voler cinq cents francs... eh ben... autant attaquer un chauffeur de bus.

J'en ai marre d'être bourré.

J'aime pas l'avion, j'aime pas quand le ciel est en dessous.

Quand j'étais jeune, on se vantait pas d'être violée !

Une marée noire juste avant le réveillon, c'est encore des magouilles pour faire monter le prix des coquilles, vous verrez...

Si y a un Premier ministre, y a un dernier.

Je suis le maître de la force !

L'an 2000, c'est comme d'habitude, va falloir attendre minuit.

... C'est pas le moment d'être pauvre.

C'est risqué de passer l'an 2000 à l'étranger... on sait jamais... si jamais il se passe quelque chose... on ne sait pas...

Les animaux le sentent l'an 2000, mon chat, il le sent.

On vieillit moins vite.
— Moi j'en sais rien, je mets pas le compteur.

Tout le monde se gare n'importe où, de toute façon ils vont faire sauter les prunes.

Un autre ?
— Ah oui... continuons le combat...

Pour le réveillon, même les musulmans, ça m'étonnerait qu'ils boivent pas un petit coup.

Le cinéma c'est à côté, alors que le théâtre, faut y aller.

Vous trouvez ça intéressant les dialogues des films ? moi je les écoute plus, c'est que des jérémiades.

Dame Nature est une connasse.

Après le quatrième enfant, on devrait avoir le droit d'accoucher d'autre chose.

Un millénaire, ça s'arrête trop net.

Les gens de la télé, on les aurait dans l'immeuble, on leur parlerait comme vous et moi.

T'as une tronche à coloniser l'île de Pâques toi...

... Une pendule.

... **U**n portable.

... **U**n coq.

Quand l'an 2000 ça sera passé, y aura plus de date intéressante à venir.

Il boit quoi votre copain ?
— Je ne sais pas... je ne peux pas prendre sa place.

Le XXe siècle, il aura été plus court que l'autre, je trouve.

Tu fais Népalais, avec ton bonnet.

Si tout le monde était con pareil, peut-être que ça irait mieux !

Le jus de carotte, ça fait bronzer.

Quand on est bébé, on est près du soleil.

Je ne juge pas la chanson française.

On prend un sapin avec les racines qu'on met dans un pot sur notre balcon, ça fait une petite forêt pour le chat.

Ça casse pas trois pattes à un canard, le veau.

Les marronniers c'est pas exigeant, on les fout dans les cours d'école.
— Dans les cours d'école, tout crève.

Il est pas beau leur calendrier aux éboueurs, c'est une grenouille.

Il est passé hier le facteur...
— Ils sont pas en retard !
— D'habitude on prend des chats mais comme c'est le calendrier 2000, on a pris un cheval.

En l'an 2000, tout le monde devait avoir son avion.
— Travolta, il en a un.

Leur bogue d'ordinateur, c'est comme une boîte de conserve qui est bonne jusqu'au seize. La nuit du quinze au seize, on sait pas ce qui se passe.

Un milliard d'êtres humains vivent avec moins d'un franc par jour... ils pourraient même pas s'acheter le journal.
— Moi hier j'ai rien dépensé, c'est ma femme qui fait les courses.

Y aura rien pour le bogue, nous pour la Poste, y aura rien.

Elles vendent leurs ovaires sur Internet. Tu les commandes sur Internet, mais qui c'est qui livre ?

Une météorite sur la voiture, ils s'en foutent à la MAIF !

Quand on est jeune, on a pas peur des bactéries.

C'est Hibernatus votre rosé !

On lui range sa chambre, rien ! on le sert à table comme un pacha, pas un mot, rien ! ni oui ! ni merci ! ni merde ! les jeunes maintenant, ils disent merci que quand c'est de la drogue !

Les kilos qu'on perd, il faudrait pouvoir les offrir.

On devrait faire des procès pour les régimes qui ratent.

Les jeunes sont de plus en plus grands, mais si c'est pour rester assis...

Si la Corse devient l'Irlande, au moins ils feront de la bonne bière.

Symphonie numéro 1, numéro 2, numéro 3, c'est un disque où y a tout.

La dinde, c'était déjà dans la Bible.

Elle est déjà arrivée la sonde sur Mars ?... Putain... ça roule bien ces trucs.

... il est parti, il marchait de travers... Il a ses pilotis qui déconnent.

Plus on a de glandes, plus ça se dérègle.

Elle veut pas manger de beurre ! j'en connais qui seraient bien heureux de manger du beurre !

Il tue les filles dans les trains et en plus il prend pas de billet.

Les catastrophes maritimes, c'est grave surtout l'été.

C'est pas moi qui dirais le contraire.

Les chants corses, c'était pour donner des nouvelles des vaches.

Un capitaine indien pour un pétrolier maltais qui vient se casser en Bretagne, merci l'Europe !

Tous les mots descendent du même mot, c'est comme Adam et Ève.

L'abbé Pierre et sœur Emmanuelle, ça fait le sel et le poivre.

Les arbres, c'est pas plus naturel que vous et moi, c'est planté.

Dieu qui est devenu un homme, il a pris un emploi.

Cinq centimètres de neige, tout le monde reste coincé cinq heures sur l'autoroute !
— On est plus cons qu'Hannibal.

C'est pas toi qui cherchais une maison en Bretagne ? y a un fou qui a tué ses voisins.

Le cerveau, c'est de la merde, t'enfonces ton doigt dedans, le mec peut plus marcher.

On peut pas expliquer le goût des bulots.

Je sais pas si les professeurs sont bien, mais devant l'école du mien, y a toujours des poubelles.

En mille ans, la vaisselle a pas tellement changé, on a toujours les assiettes.

Où c'est que je vais en trouver du fumier de cheval ?

Elle a grossi, vous avez vu ? elle a le cul défiguré.

... On est allés la voir à l'hôpital, elle croit qu'elle est une petite fille, on sait plus quoi lui offrir, du coup...

La France est trop morose.
— La France, elle t'emmerde.

Un chirurgien qui opère pas, il est chez lui à se regarder dans la glace.

Dior, ça douille.

Moi pour le réveillon, je m'embête pas, un petit bout de pain, et un bon bout de fromage.
— Bien sûr, vous êtes toute seule.

Moi je suis comme ça, j'aime pas la bûche.

Pour le réveillon, jamais je suis arrivé jusqu'à minuit.

Même si c'est l'an 2000, y aura le 14 Juillet.

Y m'emmerdent... Moi l'an 2000, je le ferai la semaine d'après.

Faudra pas laisser la voiture dehors, ça va être la Nuit des rayures !

Vous avez vu le boum des ventes ?

T'es qu'une grosse merde !
— Eh ben... ça promet le réveillon.

.. avec les trente-cinq heures, t'as pas fini de nous voir...

James Dean, c'est pas sa faute, c'est un con qui est rentré dedans.

Les grandes jambes, ça sert plus pour travailler, c'est que pour se promener.

Une union de branleurs, ça fera pas la force.

Le tabac, c'est une drogue pour les feignants, c'est déjà roulé.

... elle nous a fait chier tout le matin avec son art floral.

Le meilleur moment, c'est quand on défait le paquet, après on fait la gueule, c'est toujours une merde.

L'an 2000, faut que ça soit une fête, sinon c'est pas la peine.

Rien que pour une boîte de chocolats, c'est le parcours du combattant.

Le réveillon de Noël, on le passe en famille, comme ça, on invite personne.

Quand on parle du foie gras aux jeunes, ils ne comprennent pas.

Six escargots, il est déjà tout rouge.

Pour l'enterrement de quelqu'un, tu passes pas quinze jours à chercher des cadeaux !

Ça me fout le cafard les fêtes.
– Tout le monde.
– Non ! moi.

Chirac, il fait pas tellement IIIe millénaire.

Mais y en a trop des skieurs ! ceux qui se cassent la jambe, hop ! tac ! une balle dans la tête ! pan ! hop ! comme les chevaux !

C'est une histoire de commerce, tout cet an 2000.

Quand on ouvre les huîtres, c'est une occasion de se parler, en fait.

... Si elle accouche le soir de Noël, elle ne mangera pas.

Eltsine, je l'aurais devant moi, il en entendrait des noms d'oiseaux !

Le bœuf, soit il a pas de goût, soit il a du prion.

Les papilles de la langue, c'est des petits champignons, si tu veux...

Dans un parc à huîtres, une moule, elle entre pas.

Une autopsie, autant que ça soit avant les fêtes qu'après.

... le temps, c'est la plus grosse pollution que l'homme a inventé.

... j'en ai rien à foutre de l'instant fromages !

C'est le siècle où on aura le plus augmenté l'essence.

Touchez mes mains... vous sentez ? un vrai radiateur !

Un film iranien avec des réfugiés, ils sont fous de sortir ça à Noël !

... Un tremblement de terre de mille morts, si on devait acheter une babiole pour chacun...
... eh ben...

Les cadeaux, je dis ce que c'est avant de défaire les papiers, si ça plaît pas, on peut les rendre.

Plus les gens meurent, plus y en a !

Un apéro par-ci, un apéro par-là, c'est de la guérilla.

Le ramadan, ils sont moins cons que nous, ils dépensent rien.

Une connerie, ça sera plus planétaire qu'autre chose.

La greffe d'organe, c'est beaucoup de boulot pour changer un foie.

Ça marchera toujours la moulinette à patates, y a pas d'électronique.

Un Vittel cassis ?
— Non ! un pastis.
— Ah ?
— Retour à la normale.

Les garçons sont toujours plus immatures que les filles, à cinq ans elle rangeait déjà sa chambre.

Il est né à Noël, il est mort en avril, ça fait quatre mois, comme pour les veaux.

Le temps existe pas dans l'espace, c'est l'homme qui va le mettre, et ça encore, c'est une connerie.

Tous les grands du jazz sont morts
— De toute façon, ça marchait plus.

Je veux pas faire l'ancien combattant, mais j'ai eu trois accidents avec la Simca rien qu'en buvant du Cinzano.

L'horoscope de l'an 2000, on l'a eu avant le calendrier.

L'an 2000, ça va nous permettre de réfléchir.
— À quoi ?

Il a fait sa promenade pour le pipi, vous verriez le vent, c'est pour ça qu'il a sa tête de savant fou.

Quand on achète un chien, on pense pas que ça vit longtemps.

La voiture du siècle,

Sur deux mille ans, t'as pas mille ans d'histoire, y a plein d'années où y a rien eu.

Même si on est pas d'accord, c'est un pape qui mouille le maillot.

Les bébés qui vont naître en 2000, ça sera une nouvelle génération, finalement.

... ça nous rajeunit pas ce millénium.

Ils ont marché sur la Lune et résultat ? y en a un qui picole, maintenant.

Pour Thierry la Fronde, t'avais pas besoin de quarante chaînes !

Les archives de la CIA, c'est des milliards et des milliards de pages, personne peut lire ça.

Elle était toujours habillée en noir, sa femme à de Gaulle.
— Et lui, toujours en vert.

Les Beatles, c'était une musique, mais c'était aussi une coiffure.

Y aura eu que des guerres.
— De toute façon, si c'est pas ça, c'est autre chose.

... les seuls qui vont bosser pour Noël, c'est les flics et la vésicule.

Le cerveau, c'est en deux bouts, c'est ça aussi...

Pour faire plaisir aux gosses, on va aller voir une merde au cinéma.

... je l'ai jamais porté le chemisier.

Faudra le garder le calendrier 2000, pour le montrer aux autres générations.

Le mien, je l'ai fait signer par le facteur, pour rajouter du prix.

L'an 2000, en Russie, ça ou rien, c'est pareil.

Tout le monde a un portable, c'est pas pour ça que je vais téléphoner à tout le monde.

Je voulais lui acheter un livre, mais y a rien qui fasse Noël.

C'est un siècle qui aura marqué son temps.

Le Concorde, aujourd'hui, ils font des vols pour les vieux en car.

C'est le pire an 2000 que l'OM a connu.

Sur les livres d'histoire, je sais pas ce qu'ils mettront, pour 2000.

... entre 1000 et 3000, au milieu, c'est nous.

Deux mille ans, ça fait que vingt siècles... une douzaine plus huit... deux fois six plus huit... deux fois six plus deux fois quatre... quatre fois deux... c'est rien.

c'est le train.

Emmerde pas le monde !

Ils vont pas nous refaire chier mille ans avec la guerre d'Algérie !

Ça continue, l'exploration spatiale.
— Moi je m'en fous, je dépasse pas la Lune.

Chaque bébé, c'est une future bagnole.

Pour les huîtres ça change rien, de toute façon, elles sont programmées pour les plateaux.

T'es con comme si on était en l'an 1000, toi !

Quand je suis né, j'étais tout bleu, on aurait dit un truc de produit à vaisselle.

Quatre enfants, ça fait huit bras et huit jambes.
— Vous comptez ça, vous ?

Les vieux gourous, faut leur torcher le cul.

Il passera pas les fêtes, votre caoutchouc.

— Si c'est pour dire ça, vous pouvez rester chez vous.

L'événement du siècle, pour moi, c'est l'an 2000.

... moi qui suis myope, je peux dire que c'est flou, le merdier.

C'est pas parce qu'on mangera pas de foie gras que ça va aider les pays pauvres... au contraire, si ça se trouve...

À minuit pile, ça sera comme avant, c'est à minuit une que ça bascule.

Ils ont fait quoi tes Japonais pendant le siècle, à part la bombe atomique ?
— C'est pas mes Japonais !

Les ministres, faudrait les peser tous les ans.

Trop bouffer, c'est la coutume.

L'invention du siècle, c'est la médecine, pour moi.

Les yeux, ça a jamais changé depuis le début de l'homme.

Je sais pas si c'est l'an 2000 qui fait ça, mais tout le monde meurt, surtout dans le sport, d'ailleurs.

En cent ans, si t'as jamais déménagé, t'as eu minimum trois facteurs.

C'est un surdoué tellement il est con.

L'euro, il faudra qu'ils m'en mettent dans les poches, moi je changerai rien !

Le porte-monnaie électronique, on l'oubliera pareil.

On cherche la Maison de l'Escargot.
— Tout droit !

... toi... tu es un chauffeur de bus, tu es un nomade.

Je voulais acheter quelque chose d'artistique, mais il en ont déjà plein.

Les îles, c'est pas des îles, au fond de l'eau, ça touche.

N'importe quel con maintenant, il va dire qu'il a vécu l'an 2000.

C'est le siècle des accidents, Tchernobyl, le Titanic…
– Moi j'en ai eu trois.

Avec les machines à ramasser le coton, t'as plus le même jazz.

L'eau qui a gelé, quand elle dégèle, elle a pris un coup de vieux.

Quelqu'un qui dit que la Terre est petite, je lui vole sa bagnole.

Quand t'as fait dix mille kilomètres en avion, t'as fait les centimètres avec.

Le pétrole ça sort de la terre, c'est naturel, c'est les boîtes de Coca sur la plage qui sont pas naturelles.

Walt Disney, surtout, je suis époustouflé par le boulot.

Si tu roules sans permis, faut faire un excès devant les gendarmes, les mecs peuvent pas se douter, c'est si tu roules trop lentement que ça met le doute.

Un mec qui est pareil que si il était la femme de son mari, c'est Marie Curie, on le connaît pas.

... C'est en voyant le boudin noir que j'ai pensé au boudin blanc.

Pour les gosses plus tard, c'est une date qui sera facile à apprendre, l'an 2000.

J'ai pas besoin d'être saoul pour chanter.
– Commence pas...

Où c'est qu'on en achète un Web ?

On fait le sapin, mais c'est par habitude.

Vous avez vu les décorations sur les Champs-Élysées ? les arbres recouverts ? on dirait des cotons dans un hôpital.

Je suis de Nancy, l'an 2000 je le fais à Marseille, mais la galette des Rois, je reviens à Nancy.
– Il faut suivre son impulsion.

Ils en parlent plus beaucoup de l'euro.
– C'est une monnaie ratée, ils le feront pas.

Un cafard, muré dans le glaçon ! on buvait le pastis à la Croix-Rouge... comme un mammouth...

T'es con comme en 2004 toi !

J'ai quatre photos de moi en mousquetaire, je les apporterai demain.
– Demain, je suis de congé.
– Après-demain.
– Après-demain, je suis de congé.
– Mercredi.
– Mercredi, je suis à Tahiti.
– Où ?
– Jeudi, je suis mort !

Les informations, à la limite, ça nous regarde pas.

... faudra que j'achète un citron, pendant que j'y pense.

Un sandwich beurre salade ! Un Coca grenadine ! un gruyère cornichons ! un thé citron !
– Putain, y a que des Martiens aujourd'hui.

L'an 2000 en Normandie ? avec les vaches ?

Le multimédia, c'est utile pour téléphoner quand on est perdu dans la montagne, sinon...

Pour le gosse, un lapin ?
– Non, pas pour eux, ils vont le bouffer.

La guerre, c'est

Avec le cinéma en couleurs, tout de suite, ils ont mis du sang partout.

C'est quoi à la télé ?
– Tarzan.
– En plein mois de décembre... eh ben... il a pas froid.

J'ai vu dix-huit fois La Vache et le Prisonnier*, j'ai pas vu* La Grande Vadrouille *; je sais même pas de quoi ça parle,* La Grande Vadrouille.
- J'ai jamais vu Le Gendarme de Saint-Tropez.
- Tu l'as vu Le Bossu *?*
- J'ai pas vu La Grande Évasion.
- J'ai jamais lu un Simenon.
- T'en as vu du Feydeau ?
- Et on est pas les plus cons, en plus.

Faut pas trop se plaindre.

Le cinéma parlant, on peut pas revenir en arrière, même si on écoute pas, on préfère.

Moi je serais prof, je tire dans le tas.

On habite tous en ville, on attrape les maladies des vaches maintenant !

toujours décevant.

Les programmes télé, c'est encore archaïque.

Ton journal, tu le plies mal, tout de suite c'est des vieilles nouvelles.

C'est des bons fouteurs de merde à Météo France !

Les millénaires, c'est rare d'en voir un.

L'information, c'est toujours pareil, c'est la vitesse de l'information qui change, sinon.

Céline Dion, c'est du jambon !

... gonflos, le pépère.

C'est l'an 2000 qui le rend lunatique.

On marche sur la Lune, on marche sur tout, maintenant…

… On va dans la Lune, et lui, il trouve pas la porte.

Quand les gendarmes t'arrêtent, t'as pas intérêt à dire que t'es flic, ils te font souffler tout de suite.

À part ça, qu'est-ce que tu racontes ?
– Rien.
– C'est l'essentiel.

Ce qu'il faudrait pour que les gens prennent conscience, c'est un électrochoc.

Comme ça va être l'an 2000, j'ai envie de changer.
– Buvez un blanc.

Cinquante mille morts sous la boue, putain, si dans dix mille ans ils creusent le Venezuela, ils vont en trouver, des hommes préhistoriques.

On en avale, des ondes, avec toutes les télés qui en expédient partout.

En l'an 1000, personne savait que c'était l'an 1000, y avait pas de calendrier.

La Noël, c'est plus une corvée qu'une fête.

Y avait pas d'éboueurs en l'an 1000.

Picasso, faudra voir comment ça vieillit.

À six heures de l'après-midi, la bûche était pas prête.
– Vous avez eu chaud.

Vous savez, on est l'an 2000, on mange toujours du boudin blanc, on a pas beaucoup muté, je trouve.

Pour une fois qu'on a un tueur en série, c'est un Arabe !

C'est un siècle que je vais pas regretter.

Je vous avais pas reconnu.
– C'est moi.
– Ben oui, c'est pour ça.

Même Jean-Pierre Coffe quand il se déguisait pour faire les marchés personne le reconnaissait, avec sa tremblote, alors un tueur en série...

Le bogue, c'est un cafard, c'est ça qui mange les fils pour l'an 2000.

Alors ! tu bois ton verre ou tu marasmes ?

La marée noire, ça soude les gens.

L'an 2000, c'est une date moderne qui fait vieux.

La Terre se dérègle, vous savez, c'est facile de dérégler une boule qui tourne.

... C'est pas une raison pour pas dire bonjour.

T'achètes un slip sur Internet, je vois pas ce qu'il y a d'électronique là-dedans.

Allez pas aux *Galeries*, on se fait piétiner !

Tant que la Terre se réchauffera, ça sera comme ça.

Il est en jumelage avec le blanc de Savoie...

C'est le siècle le plus sanglant mais en ce moment, ça va.

On finira comme la Grèce antique, à la fin, ils mangeaient tout le temps.

Je suis croyant, mais d'abord, je suis breton.

On en parle pas des SDF cette année.
– Ah non, c'est la Tchétchénie cette année.

Il lit sur les lèvres et il lit le journal, c'est un muet qui arrête pas de lire.

On utilise pas la totalité de notre cerveau, si on veut, on peut être encore plus cons.

L'homme mute trop lentement, les changements se voient pas.
– Déjà quand j'avais rasé ma moustache, personne l'avait vu.

Tous les arbres arrachés ! tous ! vous les voyez couchés comme ça, ils ont plus de racines.
– On bouffe les poulets, ils ont pas deux semaines.

... Son boudin blanc, y a pas photo.

On apprécie le modernisme quand il y a tout ce qu'il faut.

Une tempête pareille, de mémoire, on a jamais vu ça !

La tempête du siècle, quatre jours avant la fin du siècle, c'est con.

Ils y croient encore, les vôtres, au Père Noël ?
– Pas pour longtemps j'espère ! ça commence à me fatiguer !

Tout le chauffage des maisons, ça monte dans la stratosphère, et voilà le bordel.

Elle s'est vue la grosse Voynet ? c'est pas une princesse ! elle peut mettre des bottes !

On a pas le chaud.
– On a pas le chaud... du tout.

... de mémoire, jamais !

... jamais ! de mémoire !

Chez Elf, ils filent tout le pognon à une pute et chez Total ils ont même pas une pelle pour nettoyer la pollution, il est beau l'an 2000 !

C'est l'an 2000 qui fait ça ! à force de faire n'importe quoi avec la Terre, voilà le résultat !

On va dans la lune, on a même plus d'eau chaude !

C'est une merde,

On va dans la lune, et on trouve même plus de tuiles !

On va dans la lune, et c'est toujours le même bordel pour ouvrir les huîtres.

On va dans la lune, et sur terre, c'est le foutage !

On va dans la lune, et on est même pas fichus de prévoir une tempête !

On va dans la lune, on sait même pas pomper du pétrole sur une plage !

On va dans la lune, et on est même pas capables d'avoir des tuiles qui tiennent !

On va dans la lune, et on sait même pas quand il va pleuvoir.

On va dans la lune, on est pas foutus d'avoir des trains qui roulent.

On va dans la lune, on a même pas du chauffage chez nous.

cet an 2000.

Le seul truc qu'on sait faire maintenant, c'est aller dans la lune.

On va dans la lune, et chez nous, on peut même plus faire cuire un œuf.

On va dans la lune, et un arbre qui tombe, plus personne sait quoi faire.

On va dans la lune, et on peut même pas rentrer à Bordeaux !

On va dans la lune, et on sait même plus traire les vaches à la main !

On va dans la lune, et nous, on a même plus un bout de sucre.

On va dans la lune, et le maire, il est où ?

On va dans la lune, et on peut même pas avoir un gars pour bâcher le toit !

On va dans la lune, et dans la région, y a plus un pain !

EDF, ils doivent être sur les routes, sinon j'en aurais au comptoir.

On a plus de lumière depuis hier, si c'est ça l'an 2000 ! on va revenir en arrière, vous verrez !

Cette année c'est pas pareil, le Nouvel An, c'est mondial.

Nous on buvait le champagne en écoutant de la musique, toute la toiture du garage s'est envolée, comme sur le *Titanic*.

On est le dernier matin du dernier jour du siècle.
– Ben oui, faut bien.

Lara Fabian, ça lui gâche son Johnny.

Le savoir humain, personne peut le savoir.

Moi je suis tombé dans le café.
– C'est pas une catastrophe naturelle ça !

Moi, les dates, je sais jamais lesquelles c'est.

C'est la fin du monde, comme ils disent dans le journal.
– Le journal c'est rien, c'est Nostradamus qui l'avait dit.
– Tu lis ces conneries-là toi ?
– Non, c'est une cassette.

C'est la vie... on peut rien y faire...

Tous les millénaires, c'est la merde.

Ils prévoient l'orgie et des tentatives de suicide.
– Nous, on a même pas fait les courses encore.

C'est quand on a plus d'électricité qu'on voit qu'on est rien.

Guerchy, c'est un tout petit bled, là-bas pareil, c'était la fin du monde.

Je sais pas pour vous, mais nous, on est rayés de la carte.

L'an 1000, ils ont pas eu de marée noire au moins !

Un tournant du siècle pareil, on dirait que c'est moi qui conduis.

C'est pas normal, ça se voit bien que c'est pas normal.

Allez... la dernière bière avant la fin du monde...

Avec huit cents chaînes de télé, c'est comme si t'as pas la télé.

Je risque pas le bogue, j'ai plus de lumière.

De toute façon, la fin du monde, ça peut pas être pire que le merdier de maintenant.

On aura pas l'électricité avant trois jours ! et le congélateur !
– Nous on avait acheté des langoustes, elles passeront pas le millénaire.

On va manquer de journaux.
– Vous avez pas la radio ?
– Pour le feu.

Pour le choix du menu, il faut écouter ses papilles.

Le Pape, y pétait pas le feu.

Ils nous font chier avec leur an 2000 !

Du blanc, du rouge, du rosé, nous on prend le risque.

Un million de personnes sur les Champs-Élysées, t'auras des morts, un million de gens, y a toujours des morts, c'est mathématique… presque.

Y a pas un livre de Victor Hugo sur le vin ? il a pas parlé de ça ?

Le ministre des Transports, tu parles qu'il prend le train, lui !

Il paraît qu'on boit de moins en moins de vin ?

On a besoin de l'heure, le temps, ça avance pas tout seul.

Les cigarettes américaines sont mauvaises, mais les françaises font pas de mal, elles sont bonnes.

L'an 2000, ça arrive qu'une fois dans sa vie.

Le plus important, c'est d'être là.

Pour nous ça change rien, puisque ça va continuer.

Qui c'est qui achète encore des bananes de nos jours ?

Si ça se trouve, on va passer en 2050.

Pourquoi c'est pas le midi le réveillon ?

Vous l'avez eu le stylo de l'an 2000 ?
– Oui, vous me l'avez donné hier.
– Je vous demande ça parce qu'on en a pas beaucoup.

À quelle température vous avez froid, vous ?

La vie, ça change de minute en minute.

Pauvre con !
– C'est pas ça qu'on dit normalement.

À la limite, je préfère la fin du monde.

L'événement du siècle, pour moi, y en a pas.

Moi ça ne me gêne pas de manger un oignon.

Le seul jour où il boit pas, c'est le jour du réveillon ! pour nous emmerder !

Tout ce qui est 1900, ça va disparaître, mais ça reste quand même.

J'ai tellement souffert, si vous saviez.
– C'est pour ça que je veux vous faire la bise, madame, je veux que vous sachiez que vous n'êtes pas toute seule, madame, on est là.

Des sous ! des sous ! et encore des sous !

Quelle heure il est ? c'est quoi l'heure ?

On a basculé ou on a pas encore basculé ?

Il est déjà basculé lui.

Chut !

Chut !

Chut !

C'est l'heure ?
quelle heure il est ?

Chut !

Minuit de combien ?

Bon an 2000, et
surtout la santé.

Nous sommes dans l'année 2000. On se fait la bise ? allez, la bise ! An 2000 et une seconde, an 2000 et deux secondes, an 2000 et trois secondes... quatre... cinq... six secondes ! An 2000 et une minute !
Je range mon carnet dans ma poche. Finis ma coupe de champagne... deux minutes...
Bonne année ! Vive l'an 2000 !
La patronne se met une goutte de champagne derrière l'oreille, elle regarde la rue dehors en rêvassant. Déjà elle rêve, la patronne, mais à quoi ?
Elle nous le dira un jour, cette jolie dame, forcément, au détour d'un mot, elle le dira, les mots sont faits pour ça.
L'an 2000 ! c'est l'an 2000 ! depuis le temps qu'on attend ça ! c'est là.
Maintenant, je vais rentrer chez moi... mais pas tout de suite quand même... non... doucement... lentement... quelques détours encore... quelques détours toujours...
Je vais passer admirer le feu d'artifice que tirent dans leur jardin Bouvard et Pécuchet.

Jean-Marie Gourio